ズームバック×オチアイ

過去を「巨視」して未来を考える

落合陽一
NHK「ズームバック×オチアイ」制作班

NHK出版

はじめに

落合陽一

100年以上前、ドイツの宰相オットー・ビスマルクが残した、「愚者は経験に学び、賢者は歴史に学ぶ」という言葉があります。自らの経験ばかりではなく、先人たちの経験の集積（歴史）を学ぶことで、より良い判断ができるという意味ですが、じつはこの引用の後が重要で、本当の愚者は何事からも学んでいません。

人類は長きにわたって反復《イテレーション》しながら試行錯誤を続けてきました。その試行錯誤を検証することと、つまり歴史は繰り返してもあまり進化しておらず、変わっていない人類がどういうことをしてきたのかを検証することには意味があります。技術インフラの欠如による失敗なのか、そもそも人類に向いていないから失敗したのかといった点について、常日頃から考える癖を持つのは有益なことでしょう。

新型コロナウイルスによるパンデミックが起きる前の世界、2019年くらいの世界では1～

1年半先のことは世界を動かしている人たち、たとえば企業の意思決定層や祭事の委員などに実際話を聞いてみればだいたいの予想はつきました。けれど新型コロナウイルスのような自然に関係することでは予測が非常に難しく、1〜2年単位で考えてきたような大きな変化が1〜2週間で起きることもあります。そのように予測が非常に困難な時代では、「二歩先」ではなく「半歩先」をどうやって考えるかが重要となります。そのためには少し前のことや、これまでやってきたことを踏まえたり、予備の計画をいくつも立てたりして先を見通さないといけません。

現在の人間が考えていることは、昔とそんなに変わっていないと思います。ただ、処理能力は変わっていなくても、知的ネットワークのような「枝」が張られている量はかなり増えています。たとえば、脳のメモリは昔もいまもそれほど変わりませんが、1980年代のパソコンに比べればiPhoneは莫大な処理能力がある。人間の処理能力が格段に向上したわけではありませんが、アクセスできる情報の可能性が劇的に高まったわけです。昔なら、数千冊の本を常に持ちはこぶことなどありえませんでしたが、デジタルなら可能でしょう。

そうやって情報や体験の可搬性が上がったことでネットワークが変化し、有益な情報を得るために適切なネットワークにアンテナを張ることが重要になりました。ネットワークに対する視点は人によってさまざまですが、本書では巨視的な視点をもとに歴史を見ることで新たなアンテナを提示したいと思います。

最近よく言うのですが、私たちは定在する遊牧民であり、「ホモコンヴィヴィウム（饗宴人）」を目指す人類だと思っています。定在する遊牧民とはアーティストのナム・ジュン・パイクの言葉で、世界中にスクリーンがあって、どこにでも行けるということを指しています。ホモコンヴィヴィウムはラテン語をもとにした造語で「共生する人類」、つまりわれわれの本質は人類ではなく共生の側にあるということなのです。現在では、ネットワークのほうが個体より重要になりつつあるのです。

私たちの世界はイヴァン・イリイチの言う「コンヴィヴィアリティ（自立共生）」に向かいつつあります。そのなかでカギとなるのは人類が生存するための負荷を減らす方法だったり、人によって異なる「環世界」を共生させるための多元的《プルリバーサル》なものだったりします。そういったことを理解するためにも歴史を学ぶことは大切です。たとえばアジアの歴史をひも解くと、それぞれの国々の文化の根底には多くの共通点があることがわかり、そこから何ができるかを考えてみることもできるでしょう。

いま世界各地で話題の中心となっている新型ウイルス、環境、災害の多くが「自然」に関連することです。ではいったい、自然と向きあうために人類は何をやってきたのか。それらにデジタルが加わったとき、デジタルの自然から世界を俯瞰《ふかん》するための方法には、どういうものがあるのか。たとえば日本の例をあげると、茶人が竹を切って茶道具をつくったような自然に寄り添う生き方があったり、布が貴重だった江戸時代に江戸で使われた古布が青森まで届いてそこでリメイクされたりもしました。数百年使いつづけるサステナビリティ（持続可能性）の精神、すなわち消費の時間ではなく持続可能な時間の消費活動が実現していた一例と言えるでしょう。

そういった歴史を踏まえると、もし地面から掘り出してきたものばかりで成り立っていたら、すぐに成長の限界が来るかもしれません。世界人口が減少に向かいつつある現状に対して、どのように持続可能な時間と折りあいをつけながら生きていくかが大切だと思います。

いま私が考えているのは、いかにして人類より長い歴史を持つ自然とわれわれが持っている自然観を一体化して、ライフスタイルやデジタルカルチャーを醸成していくかということです。

ヒントのひとつは、コンピューターにあるでしょう。生産量を1単位増やしたときに追加される総コストの限界費用が低く、小型で持ち運びしやすいデジタル機器は、情報空間の上では私たちを世界中のあらゆるところに連れていってくれますし、生活の利便性も高めてくれます。私たちは、慣れ親しんだ物質世界からデジタル世界に行く必要がありますが、逆にデジタル世界から物質世界を想像する必要性も感じます。それは計算機と自然が親和した世界であり、ある種、デジタルから見た非デジタル性への郷愁である「質量への憧憬《しょうけい》」を覚える世界でもあります。

そのような世界でのキーワードが、ライフスタイルとファッションです。どうやって生きるか、どう見られたいか、どう見せたいかが一体化したなかで、持続可能なものを考えていくことが必要でしょう。人間は生きて死ぬ生き物ゆえに生活習慣が存在しますし、見られる生き物でもありますから、ファッションが存在します。ここで意味する「ファッション」とは服飾と見た目だけではなく、使うテクノロジーや政治的な思想、社会活動などその人を取り囲むあらゆるものを指します。ライフスタイルやファッションに対する考え方のほうが、インフラに対する考え方よりも重要かもしれないと個人的には思っています。

質量を持つ存在と非質量の存在が混然一体となった世界が形成されつつあり、私たちは昔よりはるかに思考、考え方ともに自由になっていると思います。自由な時代に何をすべきか、どんな失敗を繰り返さないようにしていくか、過去の事例を振り返りながら考えることが大切です。本書でも取りあげていますが、いまから１００年前、１９２０年代に提唱された民藝運動のものづくりの精神性の延長上に、現代のメイカー＊やプロシューマー＊＊の存在があるのかもしれません。歴史からそういった連続性について学ぶこともできるでしょう。

では、これから一緒に人類の過去を「巨視《ズームバック》」していきましょう！

２０２１年11月

＊ オープンソースの概念がハードウェアにも広がり、３Ｄプリンターなどの環境を手に入れたことで好きなものを作ることができるようになった個人の作り手。

＊＊ 生産者（プロデューサー）と消費者（コンシューマー）からなる造語。ほしいものを自ら発案してメーカーに働きかけ、商品化に結びつける進んだ消費者。

いかにして「ズームバック×オチアイ」は始まったのか

河瀬大作（ＮＨＫエンタープライズ　プロデューサー）

落合陽一さんに初めてお会いしたのは２０１８年1月。表参道にあるビルの一室でのことでした。のちに「ズームバック×オチアイ」をともにつくることになるディレクターの阿部修英らと、彼を待っていました。落合さんは、前の予定がのびていて到着が遅れており、机の上には阿部が用意したＮＨＫ・ＢＳ１の特集番組の企画書がありました。

その頃、落合さんは「現代の魔法使い」と呼ばれ、すでに時代の寵児《ちょうじ》でした。メディアアーティスト、研究者、教育者、経営者といくつもの肩書きを持ち、マルチな才能で注目を集めていました。雑誌はこぞって彼の特集を組み、研究室の床で寝ているとか、レトルトカレーを袋から飲むとか、多忙さゆえのエピソードが絶えませんでした。そんな多忙な落合さんに番組を引き受けてもらえるのだろうか？　そもそもどんな人なのだろうか？　期待と不安をかかえながら、彼が来るのを待っていたのです。

約束の時間から10分ほど過ぎた頃、「おまたせしましたー」と黒ずくめの落合さんが飛び込んできました。一瞬にして空気が変わります。

「今日はなんだっけ？」

「NHKの番組のご相談です」

「あー、でしたね」

すると落合さんは、その場で立ったまま、こちらの企画書を読み始めました。その様子が尋常ではないのです。

「なるほど、これはいいね。こっちはちょっと違うかな、でも悪くないね」

ぶつぶつとつぶやきながら、ものすごいスピードで、バッサバッサと音をたててページをめくっていきます。20ページほどの資料をたった数秒で読み切り、机の上の資料をバシンと叩き、ひと言。

「おもしろい。やりましょう！」

そこからは落合さんの独壇場。番組のヒントとなる古今東西の事象をしゃべって、しゃべって、しゃべりたおす。ときおりユーチューブを見せてくれたり、ウェブサイトをひも解いたり、と打ち合わせ自体が極上の知的エンターテインメントでした。

この出会いをきっかけに何本か特集番組をご一緒し、そのたびに落合さんといつかシリーズとなるような番組をつくりたいという思いが募っていきました。

それから2年後の２０２０年、新型コロナウイルスが世界を覆い尽くしました。東京にも緊急事態宣言が発出され、不要不急の外出は自粛、学校も休校となりました。私が担当している番組の制作もほとんどが中止。毎日のように不測の事態が起き、わたしたちは明日のことすらわからない〝新しい日常〟を生きることになりました。

この未曾有《みぞう》の事態に対して、テレビに何かできることはないのか、そのときに最初に浮かんだのが、落合さんでした。どんな番組をつくるか、ディレクターたちとリモートでのブレスト（ブレインストーミング）を重ねるなかで、ひとつのアイデアが生まれました。

「落合陽一の頭脳に、人類の叡智《えいち》を直結する」

ＮＨＫには膨大なアーカイブがある、そこには人類の叡智が詰まっているはずだ。それを落合さんと読み解くことで、混迷を切り抜けるための、新しい〝ヒント〟を手にできるかもしれない。こうして２０２０年4月、落合さんを〝編集長〟に迎えた番組「ズームバック×オチアイ」の制作が始まったのです。

落合さんと番組をつくるにあたり、３つのルールを決めました。

① 難解さから逃げない。

テレビは〝わかりやすさ〟を求められます。伝えることを絞り、できるだけ平易な言葉で伝えることが基本とされます。しかしこの番組では、複雑さから逃げない。コロナ禍という、私たちが経験したことのない今を読み解くためには、その覚悟が必要だと考えました。落合さんは以前に『「分かりにくいもの」は『分かりにくいものです、考えるところから一緒にやりましょう』』とツイートをしていましたが、ディレクターたちは落合さんとともに混沌《こんとん》へと切り込んでいきます。

② 飛躍を厭《いと》わない。

この番組はニュース番組ではありません。間違えることを恐れずに、まるでSF映画のような、大胆な仮説をたて、それを論証する。コロナ禍という非常事態のなかで、ルールは毎日のようにアップデートされていく。そのなかで落合さんの視座もつねに動いています。だから制作にあたる私たちも柔軟にあろうとしました。

③ ズームバック＝俯瞰《ふかん》せよ。

テレビが得意なのは、徹底的に〝ズームイン〟し本質をあぶりだすこと。しかし「半歩先」の未来すら見通せないコロナ禍のなかで必要なことは、ある事柄とある事柄の関係性を見出すことです。だからあえて私たちは〝ズームバック＝俯瞰〟しながら番組をつくってきました。そしてそれは落合さんという稀有《けう》な才能が、この番組の編集長であったからできたことです。世界のつながりを可視化することが必要な今こそ、ズームバックは大きな意味を持つでしょう。

「ズームバック×オチアイ」の制作には時間がかかります。まず落合さんとブレストを数時間行い、番組の大きな方向性を決める。そしてディレクターは丹念な取材を行い、過去のアーカイブを探し、論点を整理する。そして収録。ディレクターの取材に対して、落合さんは圧倒的な「速度と密度」で打ち返してきます。収録が3時間を超えることもざらです。それでもなお時間が足りず、追加の収録を行うことも少なくありません。そして収録が終わると、ディレクターたちは膨大な素材と格闘し、番組へとつむぎ出すのです。

２０２０年6月18日の初回放送「半歩先のニューエコロジー」を皮切りとする「半歩先シリーズ」4本、２０２０年10月の特別編「落合陽一、オードリー・タンに会う」、２０２１年1月の新春SP「２０２１　大回復（グレートリカバリー）への道」、２０２１年3月からの「言葉論」に始まる「大回復シリーズ」10本までが、本書には収められています。

この本は、コロナ禍の混乱が続くなか、答えなき問いと格闘しつづけた、いわば知的セッションの記録です。どうかこの本を片手に、みなさんもこの落合さんとのセッションに参加してください。ここには「ヒント」はあるが「答え」はありません。答えはみなさん自身が見つけるものです。本書がその一助になれば幸いです。

第3部 「大回復《グレートリカバリー》」への道［カルチャー編］

第1部

「半歩先の未来」を考える

世界中を襲った新型コロナウイルス。人けが途絶えた街、停滞する経済。生活は一変し、私たちはコロナ前の世界と分断されました。

落合

新型コロナウイルスの蔓延《まんえん》により、それまで描いていた未来は閉ざされ、長期的な未来予測は困難になりました。先が見えない状況では、なるべく短期間で現状を把握し、迅速な意思決定をもとにアプローチすることが大切になってきます。

混迷の時代、過去の考察を手がかりに「半歩先の未来」を考えます。

第 1 章

ニューエコロジー

消えたバイソン、ペスト禍から見えてくる新しい「自然との関係」

新型コロナウイルスの蔓延により自然が社会の脅威となった現在、人類は自然とどう付きあっていくべきなのでしょうか。14世紀のペスト大流行を再検証して見えた、新しいエコロジーの2つのキーワードとは?

2020.6.18（初回放送）

人と家畜、野生動物の割合は96:4

Yinon M. Bar-On, Rob Phillips, and Ron Milo"The biomass distribution on Earth"Proceedings of National Academy of Science (June 2018)をもとに作成

自然が人類を脅かす

過去に〝ズームバック〟して考える最初のテーマは「エコロジー」。エコロジーには、生態学や自然環境運動などいくつかの意味があります。ここでは、地球環境に負荷をかけないための人間社会と自然との調和について考えていきます。

落合　有史以来、人類には意図的に「自然」を遠ざけようとしてきた歴史があります。たとえば、洪水の氾濫《はんらん》が起こったら、氾濫周期を予測してその周期を動かすことを考えたり、野生動物の被害があれば動物を食い止めるために壁を作ったり。それらを繰り返しながら、人間はいかに自らの身から「想定外の自然」を遠ざけるかについて考えてきました。

そういった歴史があるなかで、新型コロナウイルスの蔓延によって、21世紀の現在、「自然が人類を脅かす」という事態が起きています。人間はたしかに文明を発達させてきましたが、身体的にこの100年、1000年で大きく変化したわけでなく、自然と対峙《たいじ》するベースの能力はあまり変わっていません。それにもかかわらず、感染症という制御できないものが目の前に出てきた。そういう状況で人間はこれから自然とどう付きあっていくべきなのかを考えるため、過去の事例やコロナ禍で着目されたことを掘り起こすのは意味があるでしょう。

■人類と自然は「96対4」

これまで以上に自然が都市における脅威として存在感を増したなかで「その先の未来」を考えるために、人類と自然の関係をあらためてとらえ直す必要があります。そのヒントになる数字が「96対4」。この数字は、陸上の哺乳《ほにゅう》類の全体重を足した場合、じつに96パーセントが人間と家畜で、野生動物はわずか4パーセントしかいないことを示しています（前ページの図版参照）。

人類と自然の関係は、なぜここまでアンバランスになってしまったのでしょうか。ここで、絶滅の危機にあるヨーロッパバイソンの歴史を振り返り、人間と自然の共生について考えます。

ズームバック

なぜヨーロッパバイソンは消えたのか

〝人類最古の絵画〟のひとつとされる、フランス南西部のラスコー洞窟に描かれた壁画には、紀元前1万5000年頃、狩猟採集時代の人類が描いた、欧州で最大の陸上哺乳類であるヨーロッパバイソンの姿を見ることができます。ヨーロッパバイソンは、当時ヨーロッパ全域に生息しており、ラスコーの壁画と並んで先史時代に残された壁画として有名な、スペイン北部のアルタミラ洞窟の壁画にもその姿が描かれています。人類の貴重な獲物だったのです。

かつてヨーロッパ各地に生息していたヨーロッパバイソンは、現在、絶滅の危機にさらされており、自然界で確認されているのはわずか40群れ前後（2020年12月当時、ポーランドDziennik紙調べ）です。生息地はポーランドなどの一部の森林に限られていますが、その生息地も冬に餌《えさ》が十分でないなど最適な環境とは言えず、継続的な保全管理が必要な状況が続いています。

■大開墾で失われた原生林

なぜ、ヨーロッパバイソンはここまで減ってしまったのでしょうか。そのヒントは、動物学者デズモンド・モリスの著書『バイソン（*Bison*）』（Reaktion Books, 2015）のなかにある次の文に見

ラスコー洞窟に描かれたヨーロッパバイソン
写真:TPG Images/PPS通信社

現代のヨーロッパバイソン

られます。

モリスは、「12世紀に始まった大々的な開墾のせいでヨーロッパバイソンは姿を消したのだ」と書いています。12世紀から14世紀にかけて、ヨーロッパは〝大開墾時代〟を迎えました。中央ヨーロッパでは、ベネディクト派やシトー派をはじめとするキリスト教の修道院が旗振り役となって森林や原野が開拓され、畑がつくられました。「地を従えよ」(旧約聖書「創世記」)という教えがありますが、その言葉どおり修道士たちは木を切り、農地を開墾していったのです。その結果、ヨーロッパの原生林は激減し、バイソンも姿を消していきました。

■森を切り拓くと〝病〟が来る

森を切り拓いた人々はそこに都市をつくりました。その都市にはさらに人が集まり、人口が膨らんでいきます。14世紀中頃まで、中央ヨーロッパの森林地帯では多くの開墾事業が行われ、人口は増えつづけました。

1347年、ヨーロッパの状況を一変させる出来事が起こります。それは、ペストの流行です。ペストは、感染すると皮膚が内出血して紫がかった黒い斑点が生じることから〝黒死病〟とも呼ばれ、ヨーロッパ全土で人口の半数近くが命を落としたと言われています。

落合 感染拡大の大きな原因は、ペスト菌を媒介するネズミやノミが、森林伐採によって都市に侵出

中世イングランドの人口増加

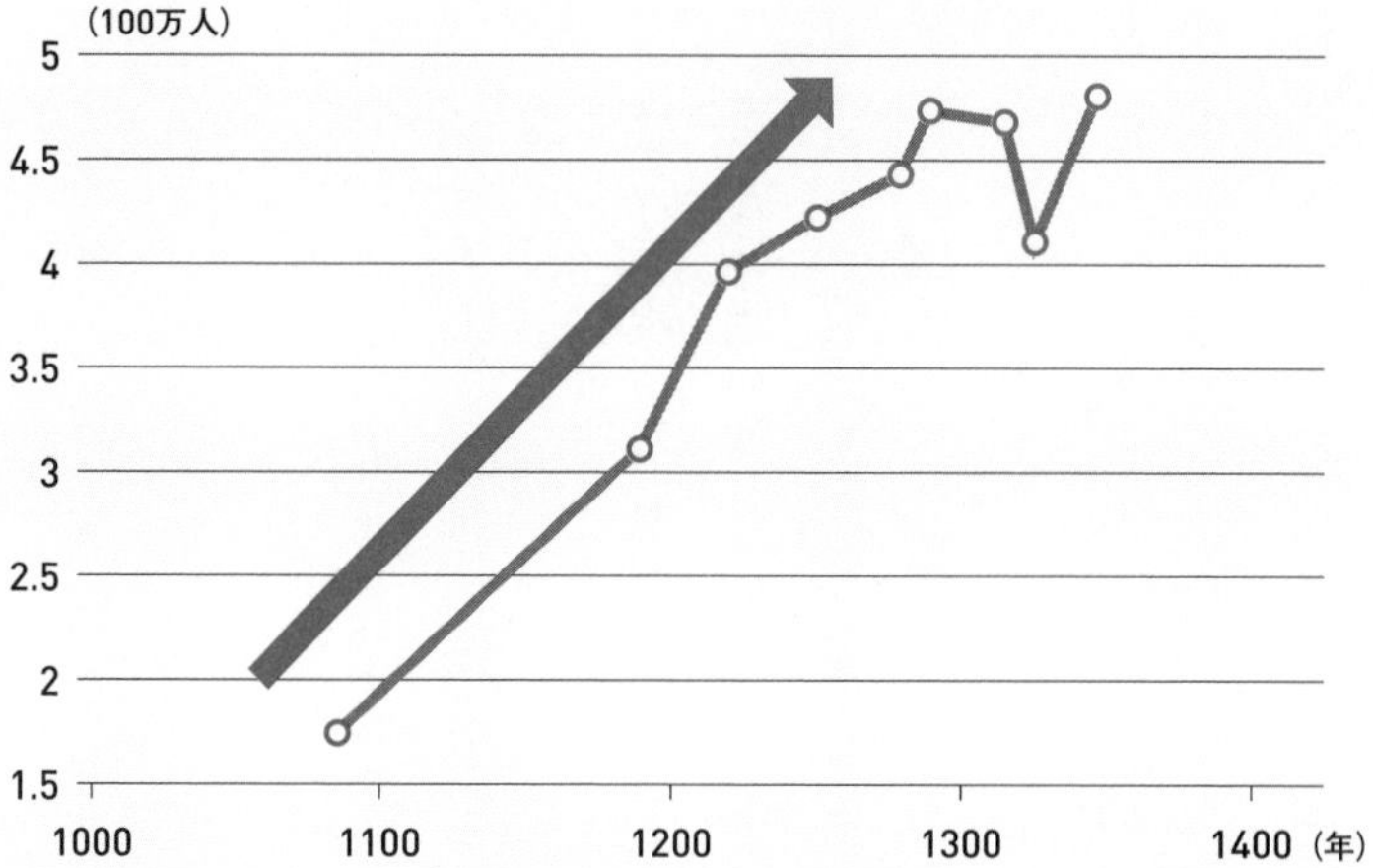

Broadberry et al 2010, English Medieval Populationのデータをもとに作成

ペストによる中世イングランドの急激な人口減

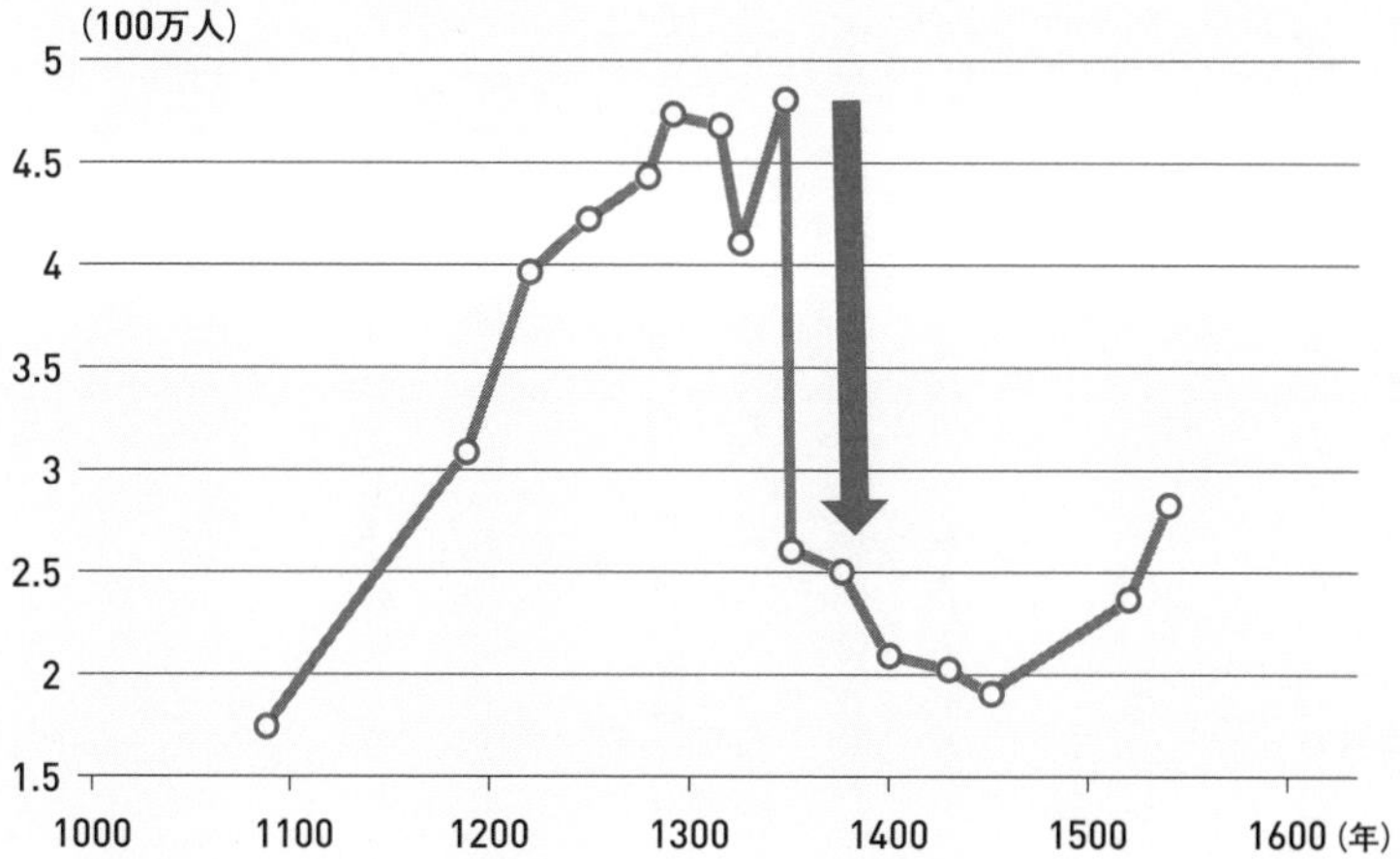

Broadberry et al 2010, English Medieval Populationのデータをもとに作成

したことにも一因があったと言われています。ウイルスは自然のなかにとどまっていたのに、人間が木を伐採して防御を破壊してしまったのですから、ウイルスが都市に入ってくるのは必然かもしれません。生態系が破壊されれば、人類もその影響からは免れられないという一例でしょう。

本来なら人間と自然で共生社会をつくるべきところを、自然が人間の従属物だと考えてしまうと、どうしても人間の制御下に置きたくなってしまう。けれど、自然は人間には制御しきれない存在です。

新型コロナウイルスも、自然界にとどまっていたウイルスが開発によってあふれ出た（スピルオーバー*）可能性が指摘されています。現在の新型コロナウイルスと生態系の関係と、当時のペストとヨーロッパの開墾の関係は違いますが、感染症の拡大が、自然を開発し都市に人間が密集した結果として起きたのだとしたら、ある意味「人の手」によって引き起こされたとも言えるでしょう。

落合　エコロジー（生態系）について考えるとき、都市構造や人間をエコロジーの外に見てしまうことがよくあります。けれど人間も都市構造の一部であり、その一部としてのわれわれが都市を捨てほかの生態系のなかで生きるのか、もしくはそれをふくめたマクロの生態系について考えるのか。いくつもの生態系が〝入れ子〟構造になって存在していますので、いまの自分の意思決定はどの生態系においてなのかを考える必要がありそうです。
もちろん、大きな枠で見れば地球規模の話になりますが、小さな枠で見れば誰でもローカルなエコロジーのなかに「種《しゅ》」として存在しています。そこでは経済活動と同じくらい、そこのエコシステムや環境を守っていくのも重要であり、常にバランスを見ながら考えていく必要があるでしょう。

自然への回帰——コロナ禍で進む都市構造の変化

自然を開発すると、都市に〝病〟が来る——この「エコロジーのジレンマ」を今後どう変えていくことができるのでしょうか。

落合　ひと昔前であれば、新型コロナウイルスは誰にも気づかれないまま蔓延し、いつのまにか集団感染していたかもしれません。しかし、ここまで公衆衛生の観念が発達した社会で〝知らないうちに〟というのはありえないでしょう。現代は「開発を選択せず、健康を選択する社会」になっているからです。

＊ウイルスの異種間伝播。ここでは動物からヒトにウイルスが飛び移り、感染爆発を起こすこと。

考えるべきキーワードに、「都市構造の変化」があります。つい最近まで、都市と自然を比較したとき、都市に価値を見出す時代が続いていました。ところが、新型コロナウイルス感染症の拡大により都心を中心にテレワークが普及し、地方移住やワークライフバランス充実への関心の高まりが見られるようになりました（内閣府「地方創生テレワーク推進に向けた検討会議、新型コロナウイルス感染症拡大を受けた国民の意識・行動の変容」）。その結果、都市に密集し、自然から遠ざかるというこれまでの人類のあり方が見直され、「分散系への回帰」が起きるかもしれません。では、都市に身を置く利点は何でしょうか。たとえば、劇場で上演されるエンターテインメントなら、集客によるコストベネフィットを考えると、都市構造のほうが適しているでしょう。しかし、オンラインコンテンツならそのベネフィットは関係ありません。そして、身体的なシェアでは、都市構造の利点はあまりありません。「家」が一例で、都市にあるマンションなら、狭い部屋に住むことになりがちです。シェアする体積率の高さを考えれば、私みたいに「都市を眺めるのが好きだから」という理由でもないと、狭い場所に高いお金を払ってまで住みつづけることにあまり利点はないでしょう。

では、都市構造のなかでシェア効率がいいものは何でしょうか。美術館や野球の試合といった、コストが高い、あるいは複製が難しいものの「体験」に際しては価値があるかもしれません。しかし、それ以外のものはだいたい、どこにいても体験できます。5人に1人が車を保有する地域で、立体駐車場よりコストパフォーマンスが低い平面駐車場を作るとしたら、都市ではスペース的に難しくなります。そういった都市構造の限界性が明らかになってきているように思えます。

デジタル化が進む以前は、身体的なコミュニケーションの割合がいまより高く、かつ全員にとって利便性が高そうだという理由で、多くの企業が本社機能を都市に置いてきました。けれど、狭い場所に高密度に人を配置し、さらに高いコストを払う都市でなくてもやっていけることをコロナ禍において多くの人が気づくようになりました。たとえば、東京のオフィスを解約するベンチャー企業も増え、ある種の分散型の状況になってきています。

この先、もちろん職種によりますが、どこにいても働けるような業種が増えてくれば、たとえばインターネット環境の整った山奥で、自給自足に近い生活を送りながらコーディング*の仕事をするような人が増える予感があります。自然のなかで暮らしていても都市構造と同じような恩恵にあずかれるなら、それを選択する人たちが増えていくのは確実です。その流れのなかで、自然の価値が高まっていくのではないでしょうか。

落合編集長によるキーワード

■ 都市から自然へ

＊コンピューターを動かすプログラムを「書く」こと。

ペストで延びた人間の寿命

ここでまた視点を14世紀のヨーロッパに戻します。ペストは人類と自然の関係が大きく転換するなかで大流行しましたが、この時期に〝奇妙な現象〟が起きていたことがわかってきました。イギリス、ロンドンにある中世の貧民向け共同墓地跡で見つかった遺骨計600体について、死亡時の年齢を分析した結果、ペスト前に比べてペスト後は70歳以上まで生きた人の割合が2・5倍も増えていました。ペストを境に、人間の寿命に大きな変化が起きていたのです（次ページのグラフ参照）。

このデータを発表したサウスカロライナ大学の生物人類学者、シャロン・N・デウィット教授が注目したのはイギリスの人口です（23ページのグラフ参照）。イギリスでは、1347年にペストの大流行によって人口が激減しました。その後もペストは半世紀で5回も流行しましたが、最初の流行ほど人口が大きく減ることはありませんでした。デウィット教授は理由のひとつに、家畜の増加による栄養状態の改善があったと分析しています。人口の激減によって耕す人がいなくなった農地が残され、それを活用するために羊や豚などの牧畜が急激に増えたことが、イギリス人全体の栄養状態を向上させ、さらに寿命にも影響を及ぼしたというのです。

ペスト流行前後での死亡年齢の推移

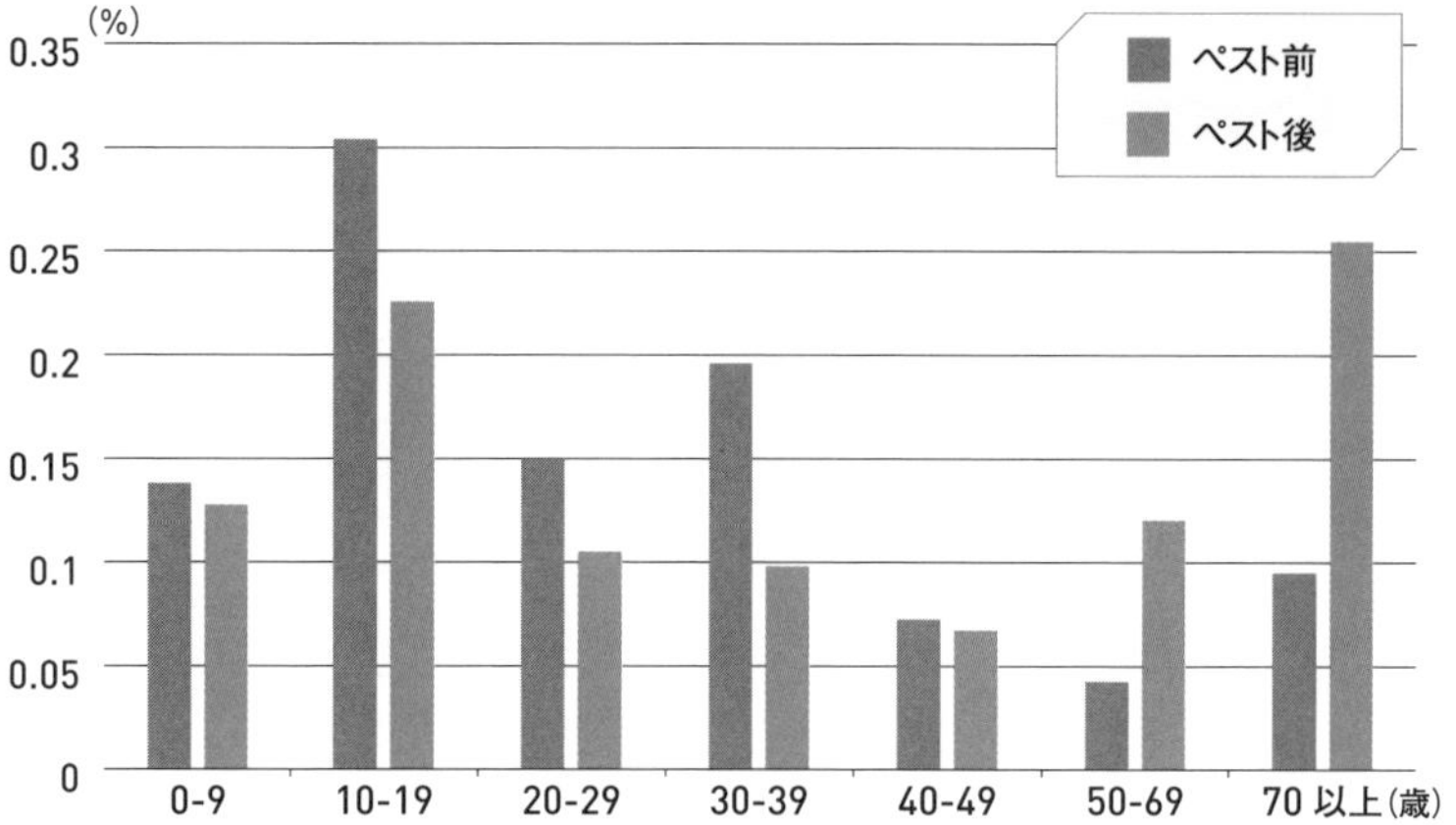

PLOS ONE(2014年5月7日号), Sharon N. DeWitte, "Mortality Risk and Survival in the Aftermath of the Medieval Black Death"をもとに作成

ペスト流行からおよそ700年ものあいだ、人類は家畜による恩恵を追い求めつづけてきました。その結果、人類と自然のバランスは大きく崩れました。それは、冒頭に示した「96対4」という数字にも現れています。FAO(国連食糧農業機関)の2006年の調査(https://www.fao.org/news/story/en/item/197623/icode/)によれば、2006年に世界の家畜が排出した二酸化炭素の量は全体の約14・5パーセント。これは地球上のすべての交通機関によって排出される量である約14パーセントを超えています。ペストという未曾有の感染症は、人類と自然の関係を大きく変えたのです。

「地産地消」と「新しいゲーム」

ペスト禍のときのように、人類が再び世界規模の感染症の危機にさらされている現在、人類は新しいエコロジーを生みだす「好機」を迎えているのかもしれません。

落合　これからの新しいエコロジーにとってのキーワードのひとつが「地産地消」だと考えています。コロナ禍でグローバルな流通が分断され、地産地消のようなローカルなものに大きな価値が見出されるようになりました。そのなかで、サプライチェーンを短くして、環境負荷を減らしながら生きる。たとえば、これまで例にあげてきた家畜の飼育は、地産地消の規模なら生態系を破壊することなく成立するかもしれません。地産地消の一部には、狩猟採集的な側面が見られます。狩猟採集時代は行動範囲が限られていて、その土地にあるものを採って、なくなったらほかの土地に移動していました。地産地消のようにローカルにはまったものを集めてきて、そこで新しいイノベーションを起こしたり、新しい価値を探したりすることには意味があると思っています。

それ以外の衣食住に関することも、地産地消で環境負荷をかけすぎることなく全員の活動にちょうどいい量だけを確保し、自分の身体が必要とするエネルギーに見合うかたちで整えていくことはできそうです。都市の密集から自然に回帰する流れのなかで、大量生産、大量消費のライフスタイルが変わり、それぞれの場所で環境負荷の少ない地産地消が進むのではないか。そんな期待を持っています。

では、地産地消のようにローカルで考えていくときに、デジタルとどう組み合わせればいいのでしょうか。

落合　私は〝デジタル発酵〟と呼んでいますが、限界費用*が低い、つまりコピーするためのコストやひとつの製品を作るためのコストが低いというデジタルの価値を付加する——たとえば、育成・集荷までふくめてデジタルにすることで製品コストを下げる。かつローカルな環境に合ったものを作って、それをまたデジタルで売る。そうして、限界費用がきわめて下がると、ローカルの価値をどうやって高めていくかが大切なポイントになってきます。ある国や地域で作られて全世界で販売されるグローバルな製品とは反対に、ローカルで作られたものが低い限界費用で周辺地域に配布・販売され、そうして生まれるローカルのエコシステムに価値が見出されるのではないでしょうか。もちろんグローバルかローカルかどちらか一方になるわけではありませんが、ローカルのなかで問題を解決することの重要性が、「新しい日常」以降、高まっていくように思います。

新しいエコロジーにかかわるもうひとつのキーワードは、「新しいゲーム」です。新型コロナウイルスの蔓延によって、世界には次々と「制約」が増えました。これまでは「努力目標」だったものが、より拘束力の強い「制約」になり、何十億もの人がその制約に巻き込まれています。しかし、悪いことばかりではありません。文芸作品に目を向ければ、俳句は五・七・

＊生産量を1単位増やしたときに追加される総コスト。デジタルでは限界費用がほぼゼロとされる。

五、短歌は五・七・五・七・七という制約があるからこそ、高いクリエイティビティが発揮されます。松尾芭蕉も、五・七・五の制約がなかったら、あれほどの作品を生みだすことはできなかったかもしれません。制約を設けない自由な形式もいいことですが、あえて制約を作ることによって、新しい価値観や新しいビジネス上の面白さが生まれ、より付加価値のあるものができる可能性が広がるのではないでしょうか。

落合編集長によるキーワード

■制約による新たな付加価値

■環境問題にイノベーションを取り入れる

こうした価値観の転換が起きている現在、環境のなかで私たちがどうやって生きているかを考える機会は増えています。

落合　これまで、環境負荷を減らすことは経済活動を停止するのと同じ意味にとらえられてきました。そこに「エコロジーのジレンマ」があったわけですが、これからは環境負荷の削減を制約とする「新しいゲーム」を前提に経済活動を展開していくことが求められるかもしれません。

コスト削減より、たとえば税金をかけるといった、環境負荷を減らし、かつ経済活動も続けられることに付加価値を高めるような方向性です。これまでとは違う自然との付き合い方のなかで、さらに生産性を上げていく方法を考えることになるでしょう。

たとえば、微生物によって分解されやすく、環境への悪影響が少ない塗料でしか地面に絵を描けないという制約を定めたとします。そのような塗料は費用がかかるので、コストに見合った制作物を作らなければなりません。イノベーションによって付加価値を高めた最終制作物を作れば、結果的に消費も高まり、GDP（国内総生産）も増えるでしょう。新しいイノベーションという観点をどのように環境負荷の削減や環境問題の解決に向けて組み込んでいくか、そこに重きを置いてエコロジーを考えていくのを「面白がる」。その意識が世界を変えていくでしょう。

落合編集長によるキーワード

■ 環境負荷を減らす「新しいゲーム」を面白がる

新しいイノベーションを環境問題のなかにどのように取り入れるか。その観点でエコロジーを考えることを「面白がる」意識が世界を変えていく。

第2章

ニューエコノミー

世界恐慌中の〝奇跡〟から
起死回生の「経済システム」を探る

個人消費や輸出が落ちこみ、未曾有のGDP下落も経験したなか、経済はどうなっていくのでしょうか。世界恐慌、オイルショック、リーマンショック……過去の危機には、新たな経済へのヒントがありました。

2020.6.25（初回放送）

コロナ禍の「ニューエコノミー」

落合　新型コロナウイルスの蔓延で経済が停滞し、最近の日本経済は平常時の7割ぐらいで回っている感覚があります。小売り店での消費がデジタル消費に流れ、社会のなかにいままでの経済活動になかった要素が2割ほど混入してきている、そんな印象も持っています。何か新しい要素《ニューエコノミー》が生まれている気がします。

これまでも2008年のリーマンショックのように世界的な経済危機はありましたが、今回のコロナ禍はそれとは違う「回転」がかかっているのではないでしょうか。不景気になると「信用」が変わります。たとえば、証券や株価に対する信用が変わると、それによって連鎖的に経済が回らなくなる。それが今回のコロナ禍では、そういった信用は変わらないのに生産停止になるといった行動変容が起き、金融上の問題ではなく、別の理由によって停滞しているのが気になります。

これからの「半歩先」、つまり行動変容のあとでどう変わっていくのか。いま、マクロの視点ではあまり変わっていなくてもミクロで見るとだいぶ変わっているように思います。そういったギャップが、リーマンショックのような不景気のときとは逆回転に働いています。たとえば、いま株価は戻ってきていますが、戻っている理由が株の価値が上がったからなのか、金融緩和政策によって大量に通貨を発行した影響で貨幣の価値が下がっているからなのかはわかりません。そのように目の前のことが不透明なときは、過去の似たような危機を振り返ることで見えてくるものがあるでしょう。

「コロナショック」と「オイルショック」

私たちが生きる資本主義社会は、成長を追い求める過程で数々の危機に直面しました。「コロナショック」とも呼ばれる現在の状況を理解するために、半世紀前の「オイルショック」を振り返ってみましょう。

ズームバック

第1次オイルショックによる経済混乱

「オイルショック（石油危機）」と呼ばれる世界的な経済混乱は、第4次中東戦争で石油産出諸国がとった戦略によって引き起こされました。

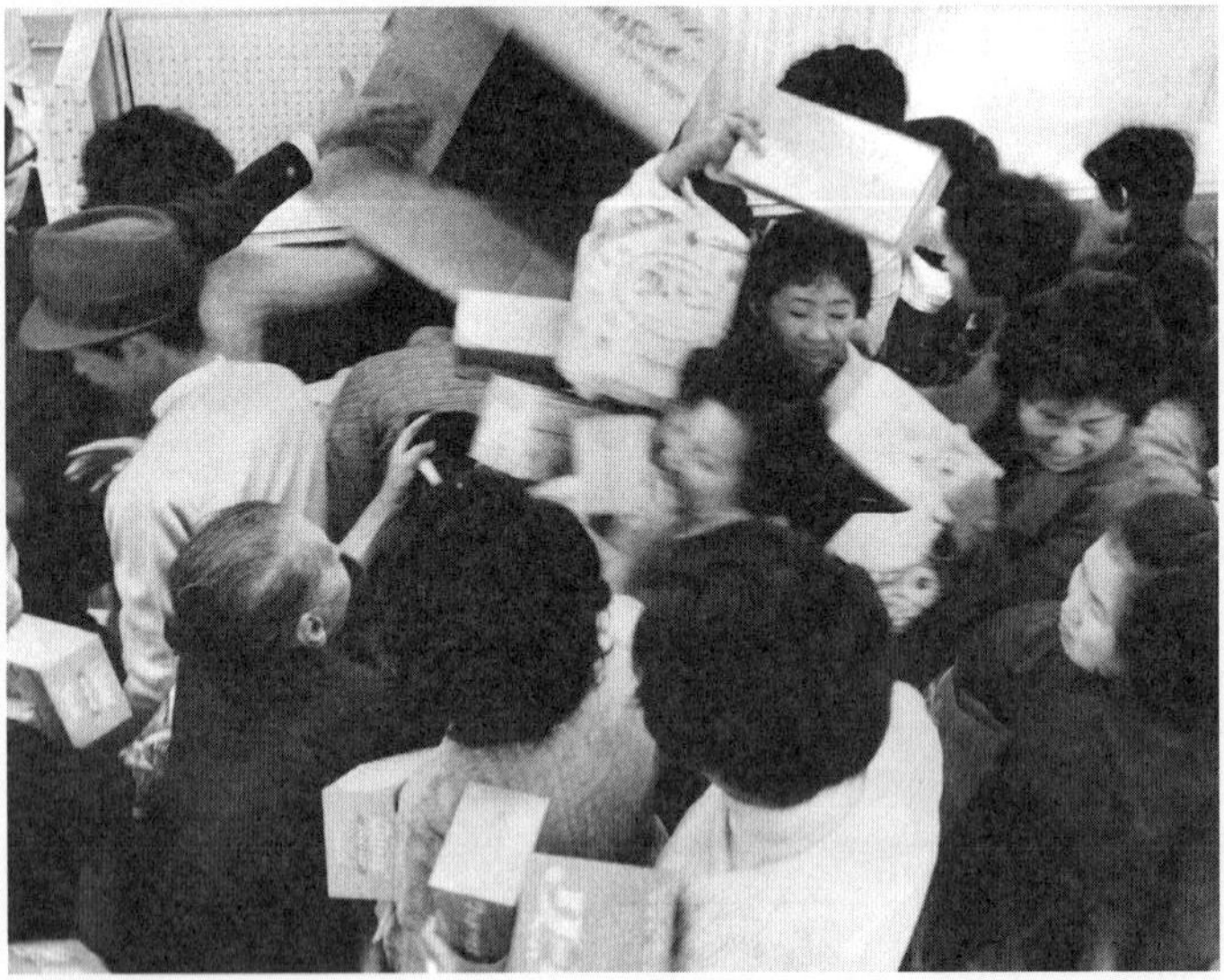

トイレットペーパーやティッシュペーパーを買いあさる客たち（1973）
提供:毎日新聞社

1973年10月、イスラエルとアラブ諸国による第4次中東戦争が勃発すると、OAPEC（アラブ石油輸出国機構）やOPEC（石油輸出国機構）は原油価格を約4倍に引き上げ、石油採掘の削減と敵国イスラエルを支援する国に対する石油の輸出禁止を決定しました。これらの石油戦略は、石油資源の大半を中東地域からの輸入に依存していた日本経済にとって、大きな打撃となりました。

この時代を経験した人なら、多くの人々がトイレットペーパーの買い占めに走った狂乱ぶりを覚えているはずですし、ニュース映像などでその様子を見たことがある人も多いでしょう。石油はトイレットペーパーの原料ではなく、原油の供給が滞った途端にトイレットペーパーが品薄になるとは考えにくいですが、オイルショックを受けて物価が高騰することを不安視し、まず生活必需品であるトイレットペーパーの確保を考えた人が多くいたのです。こうした物不足への不安による買い占めが頻発し、翌74年には物価が約20パーセントも上昇（経済企画庁「年次経済報告」）。〝狂乱物価〟と呼ばれたこの事態は、人々を不安に陥れました。

生活必需品が手に入るかどうか、という不安は社会に大きな影響を及ぼします。コロナ禍でのマスク不足で2020年の日本でも同じような行列風景が再現されたことは、記憶に新しいところです。

さらに、6年後の1979年、日本は再びオイルショックに見舞われます。

■第2次オイルショックでの変化

1978年末以降、OPECが段階的に原油価格を大幅に引き上げたことに加えて、翌79年2月に勃発したイラン革命などの影響が重なり、原油価格は3倍近くに高騰しました。これが「第2次オイルショック（第2次石油危機）」です。日本国内でも再び物価が上昇し、経済成長率も下がりました。

しかし第2次オイルショックでは、最初のオイルショックとは異なる現象が見られました。原油が入ってこないなら皆で徹底的に節約してやりすごす。たとえば、経費削減を目標に「冷房を

オイルショック前後の実質GDP成長率

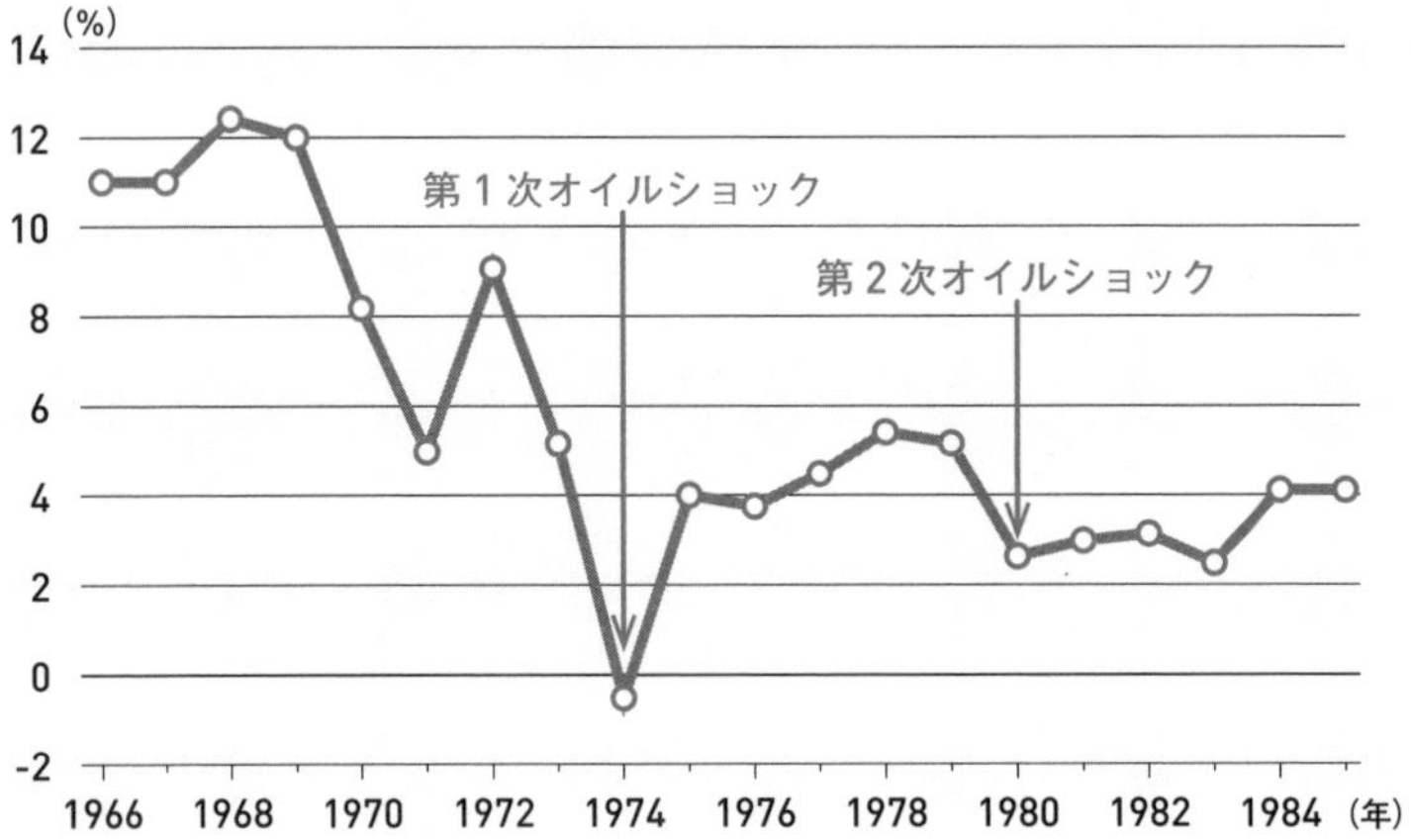

内閣府の調査をもとに作成

使わない」「エレベーターを使わずに階段を上る」「信号待ちのあいだは車のエンジンを停止する」など、人々が「節約は美徳」という意識のもとで行動するようになったのです。

（1979年放送、NHK特集「節油元年～省エネルギー列島報告」）

第1次オイルショックを体験した人々は前回のような買い占めに走ることもなく、大きな混乱はほとんど見られませんでした。

当時制作された番組「節油元年」には、一般企業や交通機関が積極的に電気や燃料を節約する姿が記録されています。番組は、節約の意識の共有もあり、日本はオイルショックの危機を脱することができた、と説いています。しかし、この節約の時代を転機として、日本で動くお金の量は大きく減退。GDP（国内総生産）の成長率は二度のオイルショック以前に戻ることはなく、日本経済は低成長時代に突入していきます。

「連帯の精神」が経済を変える

「お金」は〝社会の血液〟のようなものです。新型コロナウイルス・パンデミックのような危機が起きると、皆がお金を貯め込んで使わなくなるので、社会のなかでお金が循環しなくなり、ますます景気が悪化する——その「エコノミーのジレンマ」が懸念されています。しかし、危機にあるからこそ、ポジティブな変化が起こりやすいとも言えます。

落合　そのポイントになるのが、「コンヴィヴィアリティ」という考え方です。簡単に言うと、個人同士あるいは個人が環境と交わる際に「相互依存のなかで構築された個的な自由」（『コンヴィヴィアリティのための道具』イヴァン・イリイチ著、渡辺京二・渡辺梨佐訳、ちくま学芸文庫）、つまり、生きるためにとか資本主義に対してとか「社会のなかで相互理解の上に成り立つ個性の交わり」を意味します。オーストリアの哲学者イヴァン・イリイチが提唱したもので、学術的にはよく「自立共生」と表現されますが、コンヴィヴィアリティ（conviviality）には辞書で「宴会」の意味もあるので、個人的には「祝祭性」と言い換えられるとも思っています。そこには関係

教育、医療、エコロジーなど多方面に影響を与えたイヴァン・イリイチ(1926〜2002)
写真:Mondadori/アフロ

性を維持しながら機能的になりすぎないような性質、たとえば一緒に物を作るとか、同じ空間を共有するとか、社会のなかで密接な結びつきを感じるといった「共生的な性質」があります。それは、機械にお金を入れたらジュースが出てくるような直接的な関係性だけでは成り立たない、社会のなかで構築された関係性を指します。

イリイチは、第1次オイルショックが起きた1973年に『コンヴィヴィアリティのための道具』*という著作を発表しました。そのなかで「コンヴィヴィアリティとは〝自立しつつ、ともに生きること〟」だと定義したうえで、道具を手作りしたり、隣の人に借りたり、ともに助けあう連帯の精神が経済のあり方を変えうると提言しました。

落合　新しいコンヴィヴィアリティ、「共生的な性質」をどうやってこの社会で維持していくかは「ニューエコノミー」のカギになるかもしれません。金銭をやりとりする行為を介さなくても互いに接続されるような社会性や、社会による祝祭性みたいなものをどうやって維持できるのか。そうしたとき、世界の所得格差を表す「エレファントカーブ」（46ページ）に、社会との接続性の維持という観点を追加すると新たな事実が見えてきそうです。所得の伸びは大きくなっても共生的なコミュニティが小さくなったら、より濃い結びつきにはなるものの祝祭性は低下するでしょう。人と人との密接な集まりが減っている一方で、デモが起こったりもしています。経済的な生活不安や政治に異議を唱えるために参加するのが主流かもしれませんが、社会的連帯性の不安を覚えて集まる人たちもいると思います。そういう状況をどうやって経済とつなげていくのかは、改めて最近考えるところです。

コロナ禍のなか、私の周りでも、急にユーチューバーになったり、料理を始めたり、畑を耕したりする人が増えました。そうした活動に共通して言えるのは、経済的には明らかに生産性が低くても、連帯性を強めるということです。新型コロナウイルスによるパンデミックで社会が分断されているあいだ、社会との距離をどうとるか、コミュニティを育てるための創造性とは何か、共生性とはどういうことか、連帯やつながりについて皆が考えるようになったと思います。その結果始まった連帯性を強める活動やそれにかける時間は、経済活動が再開したあとも

＊イヴァン・イリイチ著、渡辺京二・渡辺梨佐訳、ちくま学芸文庫。コンヴィヴィアリティ（自立共生）を軸に新しい社会について構想する。

あまり減らないのではないでしょうか。むしろ、それだけがフィジカルを求める原動力なのかもしれません。

落合編集長によるキーワード

■危機のときこそポジティブに変化する

新たな社会での連帯をデザインする

ともに助けあい、緩やかにつながるコンヴィヴィアリティの精神は、クラウドファンディングにつながるものがあります。クラウドファンディングとは、群衆（crowd）と資金調達（funding）をかけた造語で、インターネットを通して発信された活動を応援したい人から資金を募る仕組みです。コロナ禍の現在でも、金銭的な支援を求める人に対してその想いに共感し、寄付をするクラウドファンディングが大きな盛り上がりを見せています。

落合　半歩先の未来でも、クラウドファンディングは存在しているでしょう。個人の生き方や健全な精神とは何かというとき、寄付によって社会が回るという考え方もあるので、クラウドファンディングは健全な精神の現われのひとつなのかもしれません。クラウドファンディングの広がりによって、社会に求められる、社会の利益向上に通じる「社会的価値」「ソーシャルグッド*」が着目されることもあるでしょう。

では、違うかたちでの社会の連帯をどのようにデザインできるのでしょうか。クラウドファンディングのようにお金の受け渡しをかたちにすることも経済的に意味があるし、連帯としての社会保障やマイクロファイナンス（小規模金融**）、ソーシャルレンディング***のようなものもいいかもしれません。どれだけこの社会で連帯できるかをもっと考えていくべきでしょう。たとえばソーシャルグッドにお金を分配する――新型コロナウイルス対策や学生に対する援助といった「互助」制度を実装することには意味があるし、いまの時代のトレンドだと思います。第2次オイルショックで節約が美徳という意識が共通認識として報じられていたように、コロナ禍では連帯、自立共生、創作が新しい〝かっこよさ〟となる社会になるかもしれません。

ポジティブな変化に必要な社会保障

危機のときこそ、ポジティブな変化が求められます。広く皆がポジティブさを発揮するために

＊　「社会を良くする」「社会の課題を改善する」など社会貢献を目的とした活動や製品・サービス。
＊＊　おもに貧困者を対象に無担保で少額の融資や貯蓄などの金融サービスを提供すること。
＊＊＊　クラウドファンディングのひとつで「融資型クラウドファンディング」ともいう。インターネットを通して不特定多数の投資者から資金を集め、最低成立金額に達したら借り手に融資する。

1人あたりの所得の伸びを示すエレファントカーブ

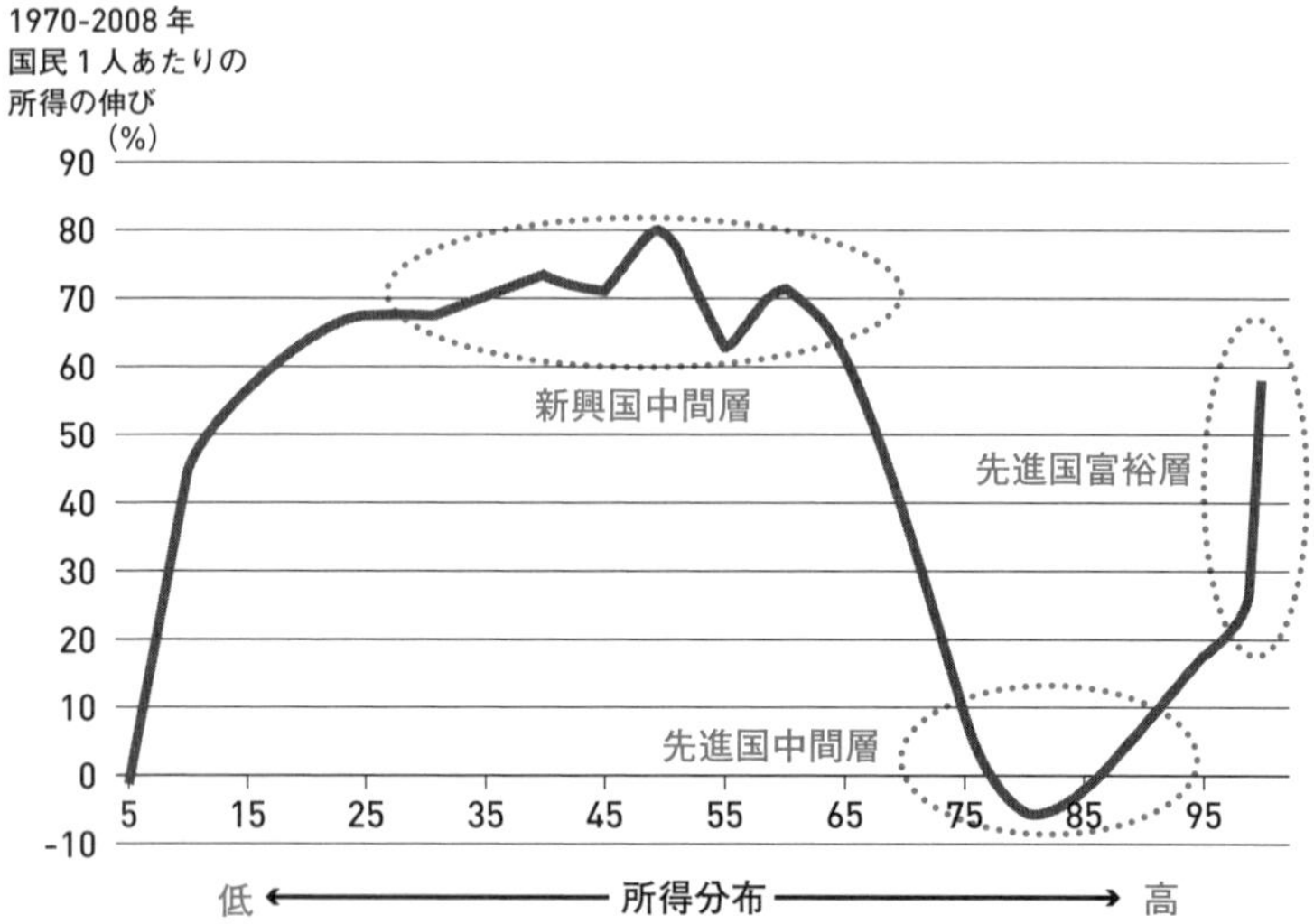

ブランコ・ミラノヴィッチ『大不平等—エレファントカーブが予測する未来』(みすず書房)をもとに作成

大切なのが「社会保障」です。

スペインではコロナ禍で貧困が拡大し、2020年6月、世帯月収で上限約12万6000円の所得を保障する「ベーシックインカム（最低所得保障）」の実験的な導入に踏み切りました（30億ユーロの予算のもと、7万4千世帯に支給された。ガーディアン紙2020年8月30日）。ベーシックインカムとは、すべての国民に生存権を保障するため、定期的に一定金額を給付しつづけるという考え方です。これは日本で支給された特別定額給付金の10万円や生活保護などの限定的な社会保障とは異なるものです。

落合　貧困問題を解決するひとつの可能性として、ベーシックインカムの導入があげられます。貧困問題が解決されれば、世界で変

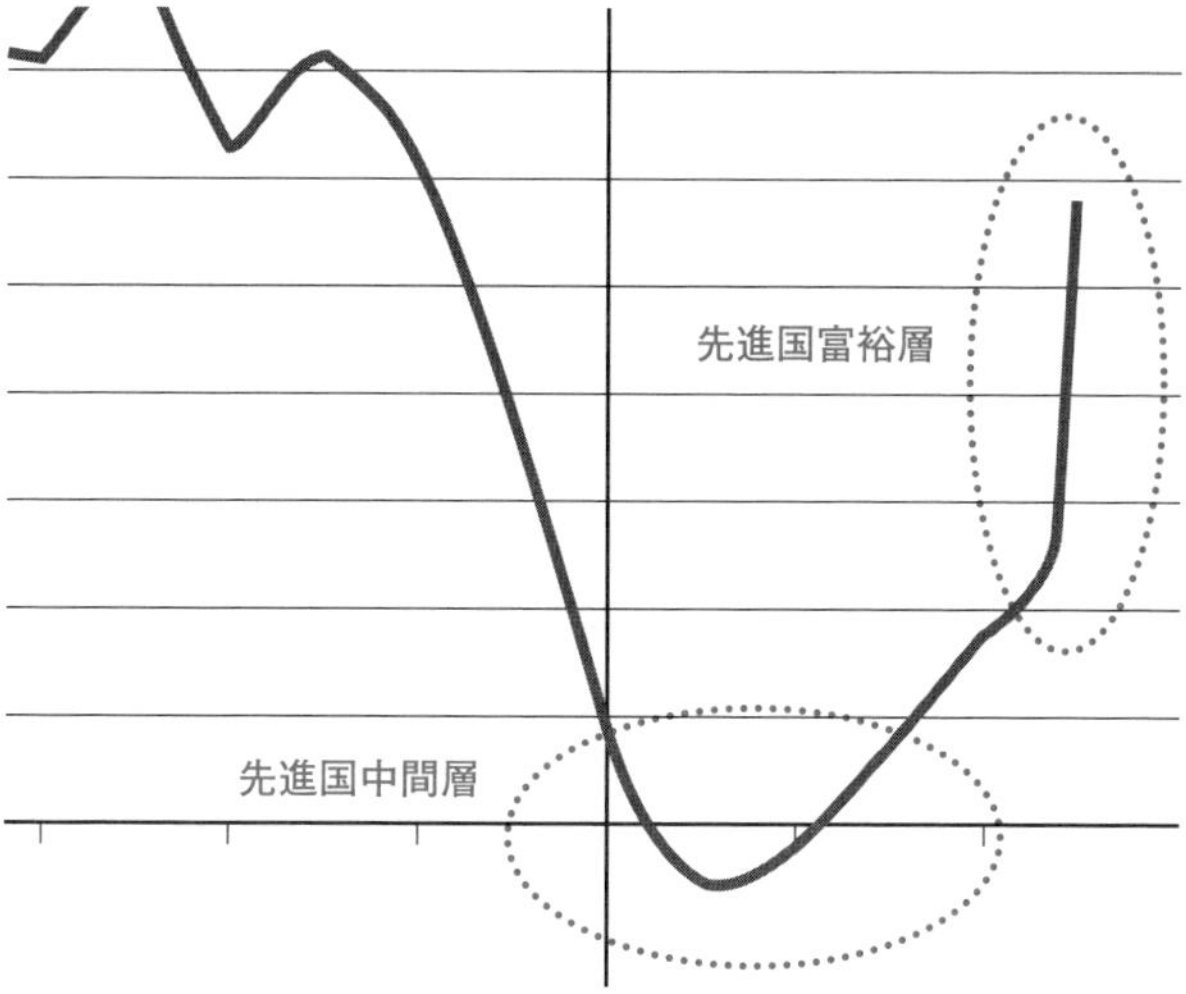

日本では先進国富裕層と先進国中間層の格差拡大が顕著

化が起こるのではないでしょうか。現在の日本の問題点のひとつに、生活保護を受けつづけるとそこから抜け出せなくなるという指摘がありますが、それもふくめてベーシックインカムが解決する問題は多いと思います。

ただ、日本など先進国の経済を考えたとき、もうひとつ大きな課題があります。それは、「誰が豊かになったのか」を示す、いわゆる「エレファントカーブ」を通して見えてきます。

エレファントカーブとは2012年に経済学者のブランコ・ミラノヴィッチが提示したもので(Global Income Inequality by the Mumbers: in History and Now, Branko Milanovic, November 2012)、世界の所得格差を象徴的に示したグラフです。グラフの曲線が、鼻先を上げた象のように見えることからこう呼ばれています。前ページにあげたのは19

70〜2008年で世界の所得がどれだけ伸びたかを示すグラフですが、新興国中間層や先進国富裕層が収入を伸ばしているなか、日本の大多数の国民が属している先進国中間層はほとんど伸びていないかマイナス成長であることがわかります。エレファントカーブは、収入が伸びず、格差だけが広がっていく「富の偏在」という問題を浮かび上がらせているのです。

落合　とくに日本での格差はエレファントカーブの右側部分（前ページのグラフ参照）、つまり先進国の富裕層と中間層の格差が広がっていることの現われであり、難しい課題でしょう。この先進国中間層で言えば、ベーシックインカムでその層が救われるかは疑問だからです。ベーシックインカムで救われる層が先進国の低所得者層だとするなら、中間層の下半分ぐらいは対象に入るかもしれませんが、中間層の上半分だった人たちは逆に中間層の下半分に落ちてしまう可能性があります。そうだとしても、社会保障は手厚いほうがいいのでベーシックインカムには賛成です。ただそれが中間層を没落させるようなものであるなら、ベーシックインカムとは別にそれと対合するような違う政策を考えないといけないでしょう。たとえば副業と課税の割合や、複数の場所で働くために雇用を調整できるようなやり方を見直すといった方向性の政策が考えられます。

さらに、デジタル化によって格差がさらに加速することも予想されます。身体を使って労務を提供するタイプではない仕事をしている人は、リモートワークで十分働くことができます。デジタル化できる仕事は利益率が高いものが多いので、コロナ禍でも収入の確保だけでなく、多くの富を所有できる可能性があります。一方で、デジタル化できない仕事をしている層は、この状況で収入を伸ばすことは難しいかもしれません。そういうなかで働き方が変わってしまったときの社会保障がどうあるべきなのかという議論は、続けていく必要があるでしょう。もちろんリモートワークに関しては職種や業種によって大きく異なるため、「全体」の議論が難しいのが現状です。

たとえ一時的な給付金があっても、いつ仕事がなくなるかわからない人々は収入への不安からお金を使わずに貯め込んでしまう――こうした「エコノミーのジレンマ」をどう解決すればいいのでしょうか？　世界恐慌の時代に行われた取り組みについて見ていきましょう。

ズームバック

経済復興の奇跡を生んだ〝老化するお金〟

1929年10月24日、ニューヨーク証券取引所における株価暴落（暗黒の木曜日）を発端に、世界的に深刻な経済恐慌が起こりました。1930年代後半まで続いたこの世界恐慌によって、世界のGDPは約10パーセントも低下しました。

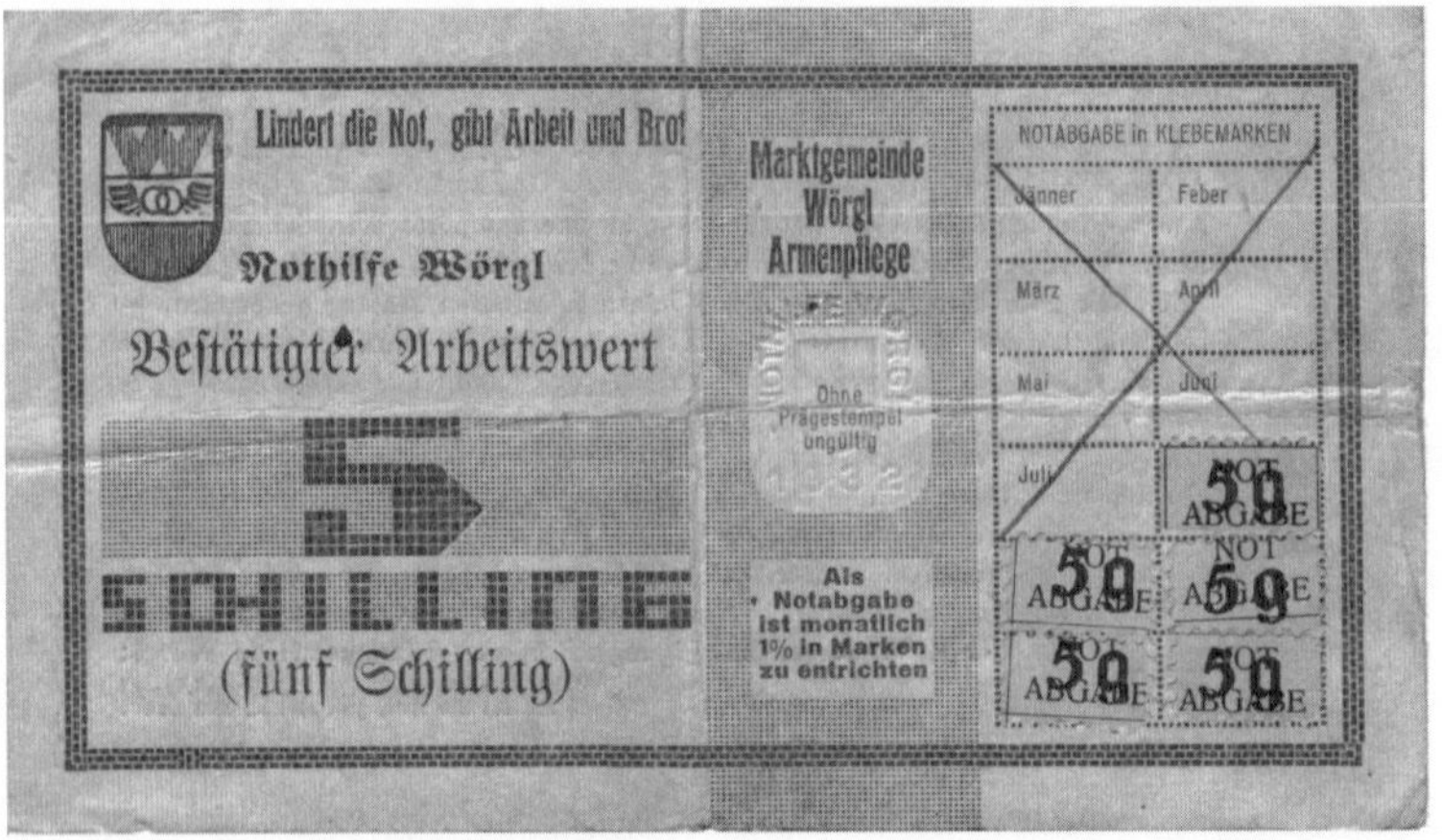

世界恐慌下で流通したヴェルグルの地域通貨

世界恐慌の波は、オーストリアの小さな町ヴェルグルにも襲ってきました。町には失業者があふれ、経済が破綻しかけます。ところが、ある取り組みによってヴェルグルは一気に息を吹き返しました。現行の貨幣以外に、ヴェルグルのなかだけで使える地域通貨を導入したのです。

皆が国家の通貨（オーストリア・シリング）を貯め込んで経済が停滞するなか、町は公共事業を行い、その対価として労働者に地域通貨を支払いました。この地域通貨が通常の貨幣と異なるのは、毎月期日が来るたびに額面の1パーセントを支払ってスタンプ（印紙）を購入し、それを紙幣に貼らないと使えないという点です。言い換えれば、お金を使わないと毎月1パーセントずつ実質的な貨幣価値が減っていきます。この仕組みはドイツの経済学者シルビオ・ゲゼルが『自然的経済秩序』で提唱した理論にもとづくもので、「スタンプ通貨（紙幣）」と呼ばれています。

毎月価値が下がっていくので、早く使わなければ損をする一方です。町の人々は、このお金を貯め込まずに使うようになりました。こうして町じゅうを循環するお金が増え、新たな商業活動が活発になり、その結果、町は「ヴェルグルの奇跡」と言われるほどの復興を遂げたのです。

私たちが普段使うお金は、貸したら利子がつくように増やすことが可能ですが、ヴェルグルで導入されたのは、時間とともに価値が少しずつ下がる〝老化するお金〟でした。「消費期限」付きのお金ですから使わないとなくなってしまいます。そこに経済を循環させる仕掛けがあったのです。

ヴェルグルの地域通貨は、運用開始からわずか1年後、貨幣の発行は国家の独占的権利だとするオーストリア政府によって禁止されました。しかし、ゲゼルの理論をもとにした地域通貨は、通貨の流通不足に陥った欧米諸国で相次いで発行され、経済復興の助けとなりました。

「道具」としてのお金は変わる

落合　いま私たちの手元にあるお金は、基本的に減らないし、預けるとプラスの利子を発生させる通貨です。もし、ヴェルグルの地域通貨のようなマイナスの利子を発生させる通貨、つまり貯めないほうが有用な通貨も同時に流通していたら、どちらかに片寄ることなく「貯める」と「使う」を両立できるかもしれません。カウンターパートがないと片側に落ち着いてしまうので、異なる機能を持つ2種類の通貨がレイヤーを分けて共存しているほうが健全な作用が期待できるとも言えます。貨幣も人間が作り出した道具だとするなら、使い方はひとつでなくてもいいでしょう。いまの貨幣制度を維持しながら、新たな貨幣のかたちを探って、リーマンショック後にブロックチェーン[*]というテクノロジーが出てきたように、世界的な金融危機が起きたあと、あるいは成長の危機のあとには、なんらかの新しいお金のかたちが生まれるかもしれません。ただそのかたちがイメージできている人は少なく、私自身も同様です。「地域通貨ブロックチェーン」から始まることはありえるかもしれませんが、ブロックチェーン並みの別の発明が出てくるのかもしれません。

この1年ちょっとでキャッシュレス決済は一気に普及しましたし、「道具」としてのお金は変わるでしょう。NFT[**]のブームもありました。逆に言えば、お金の貯め方や使い方、支払い方が変わると、かかわるインターフェース（人間と道具の接点）も変わる。それによって、お金のあり方もかなり変化するでしょう。ヴェルグルの地域通貨のような〝老化するお金〟も、半分は資産（貨幣価値）の増減の話ですが、もう半分はインターフェースの話です。インターフェースが変わったことで、人々のお金の使い方も変わったのです。

社会のなかで、通貨の立ち位置をどう変えていくのか。いままさに半歩先を見据えた議論がきっと行われているはずで、そういった変化の只中に私たちは生きていると言えるでしょう。

落合編集長によるキーワード

■ 変化の只中に私たちは生きている

危機の後には新しいお金のかたちが生まれる可能性がある。社会のなかで、通貨の立ち位置をどう変えていくのかの議論が必要。

＊ 暗号技術によってすべてのブロック（取引履歴）をチェーン（共有の会計台帳）に記録・検証する技術で、正しい取引履歴を鎖のようにつないで維持する仕組み。「分散型台帳技術」とも呼ばれる。

＊＊ Non-Fungible Token（非代替性トークン）の略で、偽造できないデジタルデータ。

第3章

「自粛」の半歩先

マスクをする日本人。日本的空気と同調圧力の「可能性」

コロナ禍における日本人の自粛精神は世界から称賛される一方、要請に従わない者を過度に批判する〝自粛警察〟も。日本人特有の「空気」を読む力、同調圧力をアドバンテージにするために必要なこととは?

2020.7.12(初回放送)

世界各地で行われたロックダウン

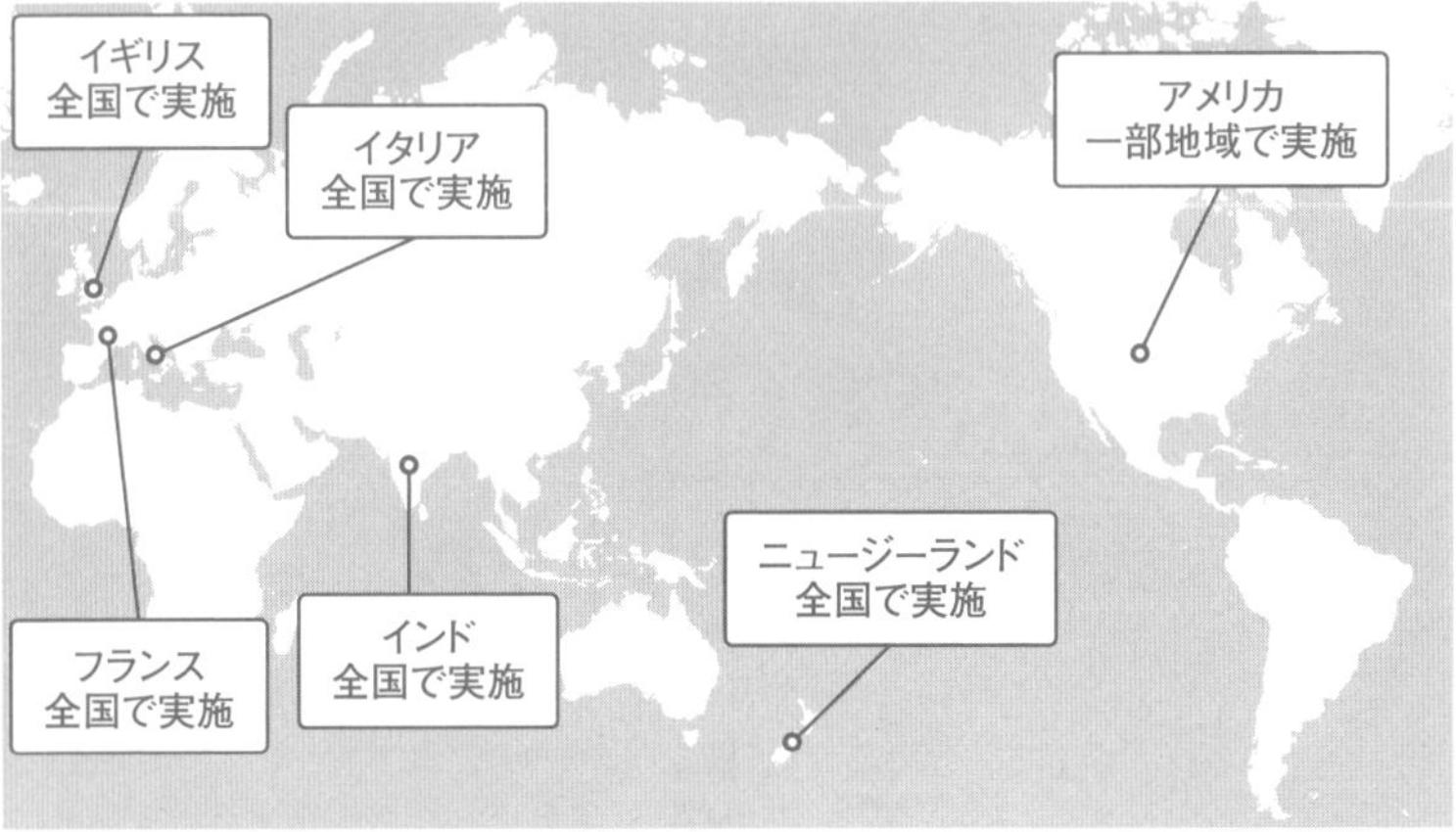

日本独特の「自粛」の不思議

コロナ禍で多くの日本人が、長期にわたってさまざまな「自粛」を余儀なくされています。２０２１年11月現在、コロナの終息がいまだ見えないなか、自粛によって何が変わったのか、私たちの未来はどうなるのでしょうか。

自主的に人との触れあいや外出を制限する日本的な自粛は、他国にあまり例がないものです。その代わりに、世界の１２０か国以上が法の規制のもとで人々に強制的に行動変容を促すいわゆる〝ロックダウン*〟を実施しました。

落合　自粛という制限は、法律のギリギリ外側にあります。法律で行政の行動を縛ることもガイドラインを作成することもないまま、法的拘束力のない自粛を「要請」

していることに、日本独特の不思議さを感じます。

マスク着用はいつから始まったのか？

2020年4月に7都道府県で最初の緊急事態宣言が発令されると、外出の自粛は瞬く間に社会に浸透し、その後もさまざまなかたちで自粛が続いてきました。自粛生活が続くなかで、生活に必要不可欠になったものが「マスク」です。

コロナ禍以前、世界の多くの国では、マスクの着用が一般の人々に浸透していませんでした。花粉症やインフルエンザ対策でマスクをつける人が多い日本は、他国の人にとっては異質で、不思議な国だとさえ思われていたようです。

ところが新型コロナウイルスの感染が拡大すると、マスクに懐疑的だった国の人々もその必要性を認識し、一斉にマスクをつけるようになりました。イギリスのガーディアン紙は、「われわれも早い時期にそうすべきだった」と、日本の姿勢を高く評価しています（2020年4月16日号）。

マスクが人類に身近なものになったのは、いつごろでしょうか？　歴史をひも解くと、世界的に流行したある「病」がきっかけだったことがわかりました。

＊感染症拡大防止を目的として外出・行動を制限する措置。事実上の都市封鎖。2020年以降、各国政府の導入が相次いだが、日本は法律上ハードルが高く、緊急事態宣言下でも外出の自粛要請にとどまる。

ズームバック

スペイン風邪とマスク

いまから約100年前、全世界で感染拡大し、多くの人々に死をもたらしたスペイン風邪（インフルエンザ）。その流行の真っ只中だった1919年、イギリスで「Dr. Wise on Influenza（インフルエンザ予防のためのワイズ医師からの教え）」というサイレント映画が制作されました。スペイン風邪によりヨーロッパじゅうで200万人以上の死者が出るなか、医学関係者が無防備な大衆を啓発するために作られたこの映画は、感染拡大を防ぐために「やってはいけない行動」を示して普段の行動の自粛を訴えました。その行動とは、次のようなものです。

・体調が悪ければ、バスに乗らない。
・くしゃみが止まらなければ、人混みを避ける。
・人と近づきすぎない。

それらは現在のコロナ禍での「ソーシャルディスタンス」の考え方とよく似ていました。映画の最後で、どうしても外出せざるをえないときに最低限必要なこととして示されているのが「マ

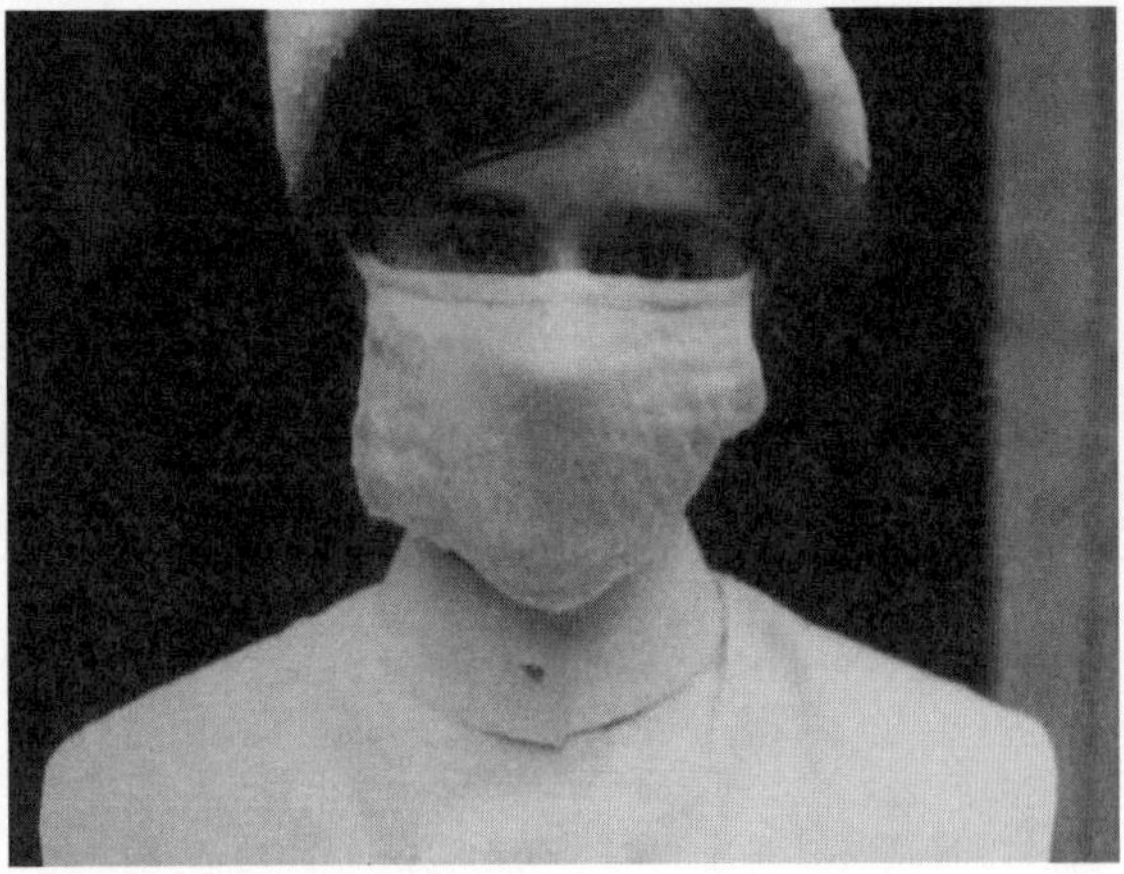

マスク着用を奨励する医療関係者
イギリス国立アーカイブ「Dr. Wise on Influenza」(1919)より

スクの着用」です。マスクの使い方とあわせて「ハンカチや布でマスクを手作りすればいい」というアドバイスもあり、現代から見ても理にかなったメッセージが詰まっています。

　しかし、当時この映画への反響はほとんどありませんでした。感染が拡大するなかでも、パリの劇場は公演を続行します。スペイン風邪の流行は、第一次世界大戦でヨーロッパの人々が疲弊していた時期と重なります。歴史学者ダイアン・プクランの言葉を借りれば、「長かった第一次世界大戦が終わりつつあった当時、人々は行動を制限せず、日常を謳歌《おうか》することを選んだ」のです（Diane A. V. Puklin. ”Paris.”. ”The 1918-1919 pandemic of influenza : the urban impact in the Western World” 所収。Lewiston, NY : E. Mellen Press 1992)。

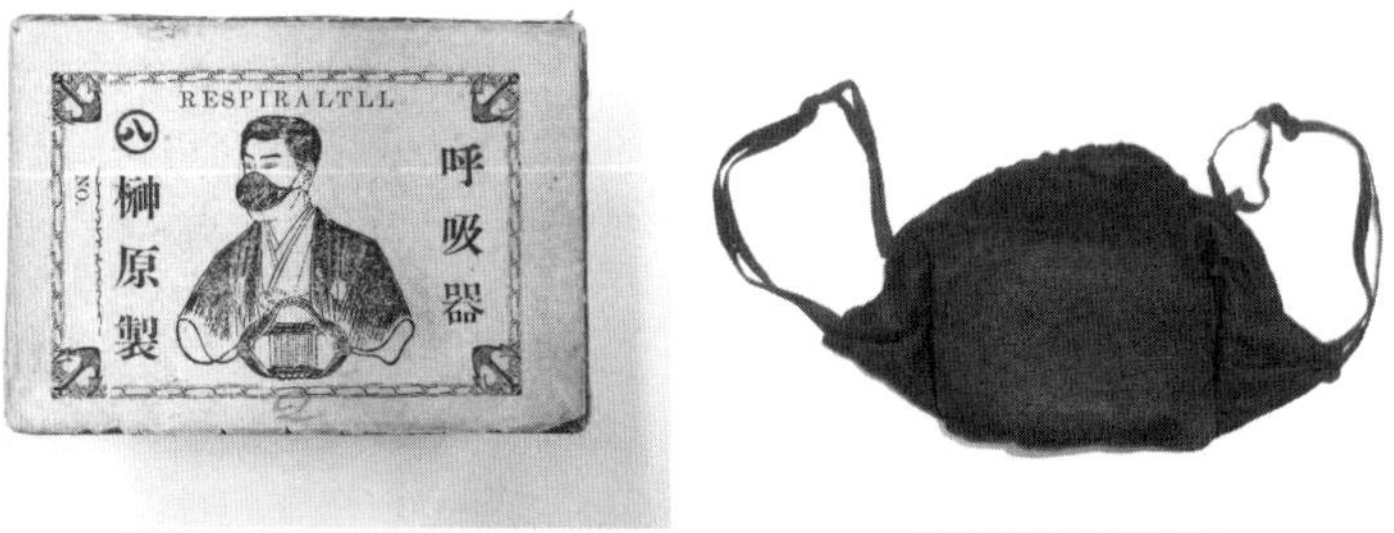

スペイン風邪流行よりさらに40年前に作られた日本初のマスク
重さ約27グラム（現代のマスクの約10倍）。50銭（現在の金額に換算すると約5000円）で売られた

■日本でも感冒予防にマスクが浸透

新型コロナ・パンデミックでも、個人の自由を優先してマスクをしないことについて、とくに欧米では社会問題となりました。

落合　欧米のように個人の自由と尊厳のほうが重要だと考えれば、自粛しないという選択もあるでしょう。自粛に対する考え方には、欧米的な発想と日本的な発想の違いが現れています。

一方で日本でも、スペイン風邪の流行がきっかけでマスクの着用が広がりました。それ以前にも、防寒やほこり除けに使われるマスクはありましたが、高価だったこともあってそれほど流通していませんでした。薬剤師でマスク・コレクターの平井有《たもつ》さんによれば、スペイン風邪が起点となってマスクの効果が認識され、感冒のときはマスクをつけるという知識が日本でも広まったといいます。当時のポスター（次ページ参照）を見ると、「手放しに咳《せき》をされてはたまらない」というキャッチフレーズが使われ、人にう

スペイン風邪流行時に作られたポスター

つさないことに力点が置かれていることがわかります。「うつさない」という意識が、人々を動かしたのです。

マスクは次第に人々に浸透していきます。家庭で手作りされるようになり、企業も新製品を次々と発売しました。なかには立体的マスクのような高級品もあったようです。こうして、またたくまに日本中に広がったマスクは人々の生活に定着し、その後も感染症が流行するたびに使われるようになりました。

日本人は「空気」だけで生きている

コロナ禍における日本のマスク着用を高く評価する記事を掲載したイギリスのガーディアン紙は、日本を「他人にうつさないという利他的でありつづけた国」とも賞賛しています（2020年4月16日号）。ただ、その後の感染状況の変化などを見ると、その賞賛を手放しに受け取ることはできません。そもそも日本人は、そこまで利他的な国民でしょうか?

落合　日本人のマスク着用には、「利他」とは別のベクトルが働いているように思います。それは「マスクをしないと自分が吊るし上げられる」という、利他的に見えて非常に利己的な理由です。マスクをしている自分は社会の一員であり、善良な市民であると認めてほしい。マスク姿には、そんな社会との関係性のメッセージが込められているのではないでしょうか。いかに日本人が「空気」を大切にしているか、もっといえば、いかに日本人が「空気」だけで生きているかの現れでもあるでしょう。たとえば、イザヤ・ベンダサンが指摘したような日本的な「空気」(65ページ参照)の問題がそこにあるように見えます。

日本的な「空気」とは、「俺とお前の仲だろ?」といった、つまり文化的背景が共有された「明文化されない集団の関係性」と言い換えられるかもしれません。その空気のなかでは、あえてすべて言わなくても、その場の雰囲気、グルーブ・バイブス・リズム感といった「暗黙の不文律」で物事が進行します。

明文化されない集団の関係性が裏で進行していて、さらに空気を読むことに敏感なので、誰かが変わりはじめると全体の空気もガラっと変わる。何かが「動く」のはそういうことだと思います。「マスク着用」がまたたくまに広まったのも、コンビニのレジのビニールシートを使用した間仕切りが驚異的な速さで普及したのも日本的な「空気」によるものが大きいでしょう。

明文化されない集団の関係性

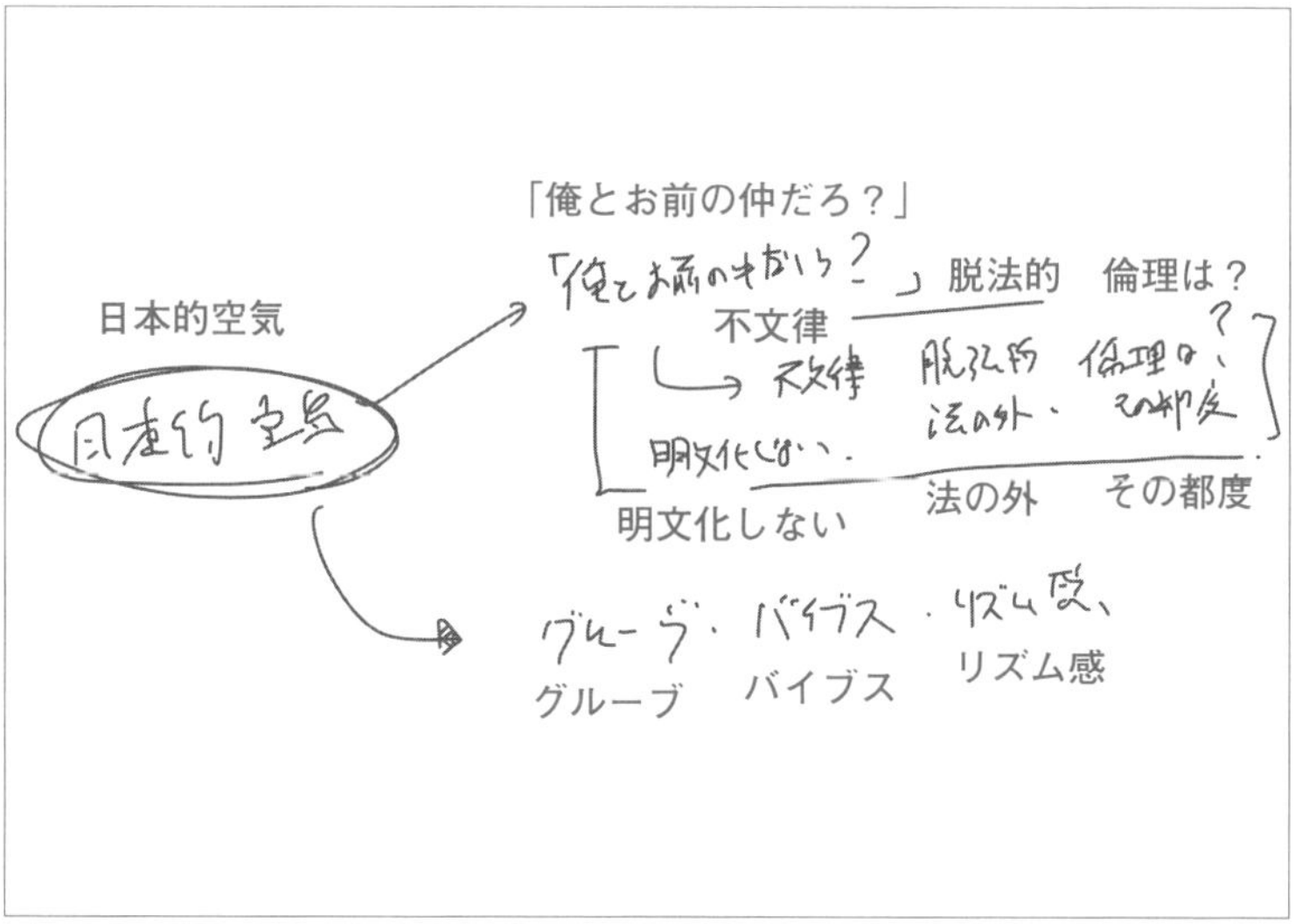

この日本的な「空気」は、コロナ禍のような非常時にさまざまな自粛を後押ししてきました。「空気を読む」ことはネガティブな印象でとらえられることも多いですが、危機的な状況においては役立つこともあります。このメンタリティーを、今後の社会にプラスに活かしていくことはできるでしょうか？

落合　半歩先を考えると、グルーブ・バイブス・リズム感のある社会は少ない人数でないと成立しないので、ローカルで個人的なプロジェクトのなかで「小さいことをたくさん」積み上げていく場面では、日本的コミュニケーションは有効に働くかもしれません。DXが進めば、個人の能力に依存するようなコミュニケーションで作品を作ったり仕事を進めたりもできますし、そうなったら個人間はとても小さいチームでいい。

お互いの家族や人生、興味あることまで知っているような少人数の集団で、より大きな仕事をこなせるようになるのではないでしょうか。

これまで、ビジネスの現場は巨大な企業間の意思決定で進んできました。しかし、先を読みにくいウィズコロナの時代では迅速な意思決定が必要となり、小さなチーム単位でビジネスを進める機会が増えます。そのときに「空気を読み合う力」はアドバンテージになることもあるわけです。ものは使いようですね。

落合編集長によるキーワード

・空気を読むのも悪くない

同調圧力がもたらした〝自粛警察〟

さまざまな自粛が続くなか、自粛や要請を守らない人や店を過度に批判する〝自粛警察〟が現れ、日本人特有のメンタリティーを象徴するものとして大きな話題となりました。

落合編集長おすすめの1冊

日本人の「空気を読む」メンタリティーについて知るために

1971年に刊行された『日本人とユダヤ人』。日本生まれだという謎のユダヤ系作家イザヤ・ベンダサンが、ユダヤ人と日本人を対比するというユニークな視点から展開する日本文化論です。

ひとり目立つ者は無視され、暗黙の了解によって集団の行動が規定されるさまを「日本教」という日本人のなかに無意識に浸透している宗教として分析した本書は、発行部数300万部の大ベストセラーとなりました。

作者ベンダサンの正体とされるのが作家・評論家の山本七平（1921〜1991）です。『「空気」の研究』（1977）の著者でもあり、そのなかで「「空気」とはまことに大きな絶対権をもった妖怪である。一種の『超能力』かも知れない。」「この『空気』なるものの正体を把握しておかないと、将来なにが起るやら、皆目見当がつかないことになる。」と述べました。

現在でも使われる「空気」という言葉。すでに50年前に、山本七平は日本独特の社会を「空気」という言葉で言い表していたのです。

『日本人とユダヤ人』
イザヤ・ベンダサン（角川文庫）

「村八分」という言葉があるように、日本は「同調圧力」が非常に強い国です。同調圧力とは、集団で意思決定を行う際、少数意見を持つ人たちに対して暗黙のうちに多数意見に合わせるように誘導することをいいます。前述したように日本では「俺とお前の仲だろ？」という暗黙の了解にもとづく関係性があり、馴れあいを生む、緊張感を失うなどマイナス面もありながら、そういった同調圧力は社会の前提として共有されてきました。

落合　日本的な「空気」には、プラスとマイナスのふたつの面があります。プラス面で言えば、明文化されなくても通じあえると行動の動機をはぐくみやすく、前章で取りあげたコンヴィヴィアリティ（自立共生）にも通じます。逆にマイナス面は、明文化されない集団の関係性が裏で進行していて手順が明確でなく、組織的なガバナンスをうまく構築するのが難しいという点です。グループ内の同調圧力が強いと個性を打ち出せず、新しいことを始めにくいというのもあります。

同調圧力以上に複雑なシステムになると手が回らなくなったり、「複雑な道具」を手にした途端、進まなくなったりします。なぜなら、ずっと同じ同調圧力のなかにいた人々が道具を手にした途端、個々の世界を持つようになる。それでも前と同じように「俺とお前は同じだろう？」と同調圧力を求めてしまった結果、相手が違うことが許せず、「他者の排除」へとつながってしまうからです。

この「複雑な道具」の最大の例が、インターネット上のＳＮＳです。誰もが世界に向けて「自分」を発信できるようになったことで、世界のあり方を根底から変えてしまいました。テレビや電信の発明以降、人類は遠くまで情報を届けることができるようになりましたが、これまで情報を発信できたのは権力者や著名人、マスコミといった限られた人でした。しかし、ＳＮＳの誕生で一般の人々に発信の場が開放されてはや30年近くたち、誰もが「放送局」になったことで違う世界に移行しました。

ケーブルテレビが登場し、メディアの爆発的増殖が始まった１９６８年、ポップアートの旗手アンディ・ウォーホルは、まるで現在を予見したような言葉を残しました。「未来ではきっと、誰もが世界的な有名人になれるだろう。15分間ならね（In the future everyone will be world-famous for 15 minutes.)」というものです。

アンディ・ウォーホル（1928〜1987）
写真:Alamy/PPS通信社

落合　ウォーホルの言葉は、現実になりました。この後彼は、「誰もが15分以内に有名人になれる（"In 15 minutes everybody will be famous."）」とも言っています。

現在、暑い日にコンビニに入って冷凍庫に頭を突っ込み、その様子を自撮りしてSNSに投稿すれば、すぐに有名人になれるかもしれません。そうした発信による「炎上」はこれまでSNSでたくさん起きています。人と違ったことをして目立ちたいという思いがいきすぎてしまったり、ひとつのつぶやきが意図せぬ数の怒りや憎しみを生んでしまったりすることもあります。現代は、ウォーホルが予測した未来を、SNSの炎上といういびつなかたちでかなえてしまったのかもしれません。

その炎上を逆手にとった不思議なSNSがあります。2020年に限定公開されたSNS「Under World」（バンダイナムコエンターテインメント、現在終了）は、自分以外の全員がAIというもの。ここにどんな投稿をしても、人工知能が「大切だから」「こっちへおいで」など優しいコメントを返してくれるのです。誰も傷つかない、優しさだけで作られた新感覚の世界。けれど、これもまたひとつの過剰な同調圧力なのかもしれません。

短文で人間とAIを見分けるのはきわめて難しく、人間だからうれしいのか、ボット（自動化プログラム）だからうれしいのか、あるいは同様に腹が立つのか立たないのかを気にする時代はもう終わっているでしょう。そういう世界観からすれば、同調圧力だと見えているものは「偉大なる虚無」というか、本当は誰も意味がわかっていないし個人の意見も存在しないにもかかわらず、集まったカオスのような印象を強く受けます。コアが存在していません。

いつでもどこでも世界とつながっているという感覚はたぶん〝気のせい〟で、つながっていない自分も存在しうるはず。だから、「いつでもどこでもつながっていない自分自身」を作ること、少なくともこの世界から断絶している瞬間を意図的に作ることが大切です。たとえば、自転車に乗っているときはスマホを操作できないのでその時間は断絶しています。そういったネットワークから少しでも「すっと」いなくなる瞬間を自分で意識するのは大切だと思います。耳と目を閉じて、孤独に暮らす時間を何パーセントか持つこと。〝デジタルデトックス〟と言う人もいますが、必要な時間でしょう。つながりすぎてはいけないし、つながらない時間が長すぎてもいけない。そのバランスが大事です。

落合編集長によるキーワード

■耳と目を閉じ、孤独に暮らす時間を

いくつもの同調圧力を渡り歩く

自粛生活が始まった2020年3月の終わり、ある噂がインターネット上で広まりました。「4月1日、東京がロックダウン」「緊急封鎖」というデマが拡散されたのです。皆が不安な状況にあるとき、SNSなどでもっともらしい情報源から回ってくると、それをデマと否定するのは難しくなります。

緊急性の高い情報は、誰もが知りたがるあまり、事実かどうか十分確認されないまま拡散されてしまいます。こうした状況を「インフォデミック」と呼びます。インフォメーションの「インフォ」と、パンデミックとエピデミック*の「デミック」を合わせた造語で、大量の情報が氾濫するなか、不正確な情報や誤った情報が急速に拡散され、社会に影響を及ぼすことを意味します。新型コロナウイルスに関する不確実な情報の拡散に国連が警鐘を鳴らしたことで、世に知られるようになりました。

落合　リテラシー（理解力）が高いと思いこんでいる層が、じつはインフォデミックを牽引していることがあります。そういう人の多くはSNS上で影響力があるため、発信が多くの人を扇動するかたちになり、結果的に同調圧力のオピニオンリーダーになってしまうのです。また、情報を正しく理解しないまま、「誰かがそう言っていたから」というだけで行動に走る人たちの存在もインフォデミックの一因となります。

では、どうすれば少数意見が圧殺されず、他人に追従するだけではない自分を持つことができるのか。いまいる集団の同調圧力がつらければ、自分が納得できる同調圧力を持った別のコミュニティに動けばいいでしょう。「内輪ノリ」の空気を変えるのではなく、違う同調圧力、違うコミュニティにこちらから飛び込んでみるのです。仕事のコミュニティだけでなく、遊びのコミュニティも持つ。子どもであれば、学校の外のコミュニティにも属してみる。昔はゲームセンターのような学校外のコミュニティがありましたが、いまは物理的なコミュニティがどんどん減っているので、インターネット上でコミュニティを見つけるのもいいでしょう。

自分を持つために、いくつもの同調圧力を渡り歩く。これもまたデジタル時代だから可能になったことです。

＊パンデミックは感染症の世界的大流行、エピデミックはある地域での短期的な流行を指す。

落合編集長によるキーワード

■ 同調圧力を渡り歩く

自分が納得できる同調圧力を持つコミュニティに飛び込んでみる。仕事と遊びなどコミュニティを分けるのもいい。

第4章

「教育」の半歩先

古代ギリシャの教えをもとに、
これから求められる人材を考える

休校、分散登校、遠隔授業。いま問い直される教育のあり方。伝えるべき「本当の豊かさ」、教育とデジタルの理想の関係とは？　世界初の視聴覚教育、日本の戦後教育を振り返り、学びの未来について問います。

2020.7.19（初回放送）

オンライン授業の拡大

コロナ禍の影響は、大人だけでなく子どもにも及びました。感染拡大に伴って全国各地の学校では臨時休校や行事の中止が相次ぎ、子どもたちの日常も大きく変化しています。

影響が長期化するなか、子どもたちの学びの時間を確保するため、遠隔授業《リモート》などのオンライン学習も拡大しました。地域によっては、最新のメディアを使った遠隔授業や動画配信で対応したところもありましたが、初めてのリモート授業には、準備が整わなかったり、家庭での通信環境が不十分だったりといった問題も生じました。

落合　聞いた話だと、学校からわら半紙に印刷されたテスト問題がポストに投函されただけだったという家庭もあれば、休校の期間はずっとオンラインで授業が行われていたという家庭もあったようです。ひと言で「リモート授業」といっても、学校によってその差が大きいことがうかがえます。

視聴覚教育の歴史

では、メディアを用いた教育、いわゆる視聴覚教育*はどのように始まったのでしょうか。いまから約360年前の17世紀のドイツへと遡《さかのぼ》ってみましょう。

＊写真や映像、音響機器など視覚・聴覚に訴えかけることで学習効果を高めようとする教育方法。

ズームバック

世界初の視聴覚教育

教育学者コメニウス（1592〜1670）

モラビア（現在のチェコ）の教育学者ヨハネス・アモス・コメニウスは、17世紀に一貫性と普遍性のある教育論を提示し、「近代的な教授学の祖」と言われています。その普遍性がよく現れているのが、1658年に発表した『世界図絵』です。これは、文字ではなく「絵」を使って、あらゆる科目を教える、それまでになかった子ども向けの教科書でした。

『世界図絵』より。絵の上に「土地」（左絵）、「人間」（右絵）と文字が書かれている

コメニウスが『世界図絵』を執筆するきっかけになったのは、1618年に始まった三十年戦争*でした。カソリックとプロテスタントの対立から始まった三十年戦争は、ヨーロッパ全域を巻き込む宗教戦争に発展し、主戦場となったドイツでは人口が激減しました。コメニウス自身はモラビアからポーランドへと逃げのびましたが、この戦争で妻子を失ってしまいます。

過酷な経験を通して「教育こそが人間を人間たらしめるもの」であり、戦争を避けられる唯一の手段と考えたコメニウスは、さまざまな教育論を提示しました。そのひとつが、「あらゆる人にあらゆる事柄を教える**」という普遍的な教育法です。この新しい教育のための教科書として生みだされたのが『世界図絵』でした。絵で表されたものに文字を対応させることで親しみやすくなり、文字や文章が読めな

テレビの画面に釘付けになる子どもたち
NHKアーカイブ「山の分校の記録」(1959)

い人にも絵で伝えられます。言語や文化の壁を超え、全員が同じ知識を得ることができる『世界図絵』は、その後ヨーロッパじゅうで広く愛読されました。これが、現代まで続く視聴覚教育の原点となったのです。

■テレビを使った視聴覚教育

コメニウスが『世界図絵』を著してから約300年がたち、20世紀中頃になると、テレビが日本の教育現場にやってきます。1959年、栃木県の山間部にある学校にNHKが当時最先端のメディアだったテレビを1年間貸し出し、子どもたちの様子を追った記録があります。教室に据えられた受像機に、子どもたちは釘付けになりました。17インチの小さな画面の向こうから、彼らがまだ一度も見たことのない世界がまぶしく飛び込んできたのです。

＊ 1618〜1648。新旧キリスト教派の対立が再燃したことから勃発し、ヨーロッパの覇権争いに発展した最大の宗教戦争。
＊＊ 万人の教育の必要性を説いたコメニウスの著作『大教授学』(1657)より。

落合　テレビが最先端だった時代には、メディアを使った視聴覚教育は学校で盛んに行われていました。視聴覚教育はまさに「百聞は一見にしかず」、さらに音声まで流れるのは有効だと思います。テレビ放送の場合、同じタイミングで見ないといけないので、学校がうまく放送に合わせて授業を行うのも大変ですし、適切な視聴覚資料を用意するのも手間がかかるでしょう。最小コストを考えると、映像に記録したものを生徒が時間差で見るのがいいのかもしれません。

日本にインターネットが登場した１９８０年代以降、ＩＴ化が急加速すると、教育現場が世の中の変化に追いつきにくい状況に陥ります。２０２０年、ようやく全生徒にタブレットを配布する政府の「ＧＩＧＡスクール構想*」がスタートしましたが、日本におけるデジタルメディアの教育利用は、まだ世界の先進国に比べて20年遅れとも言われています。

落合　コロナ禍の現在、学校教育へのデジタルメディアの活用が急がれていますが、メディアが整ってもコンテンツをどうするのかという問題が残ります。コンテンツを提供するのはおもに教員の役割ですが、いまの日本の教員にはそこまで余裕はないかもしれません。

日本の教員は業務が多く、常に時間に追われています。仕事時間は、小学校・中学校ともにＯＥＣＤ（経済協力開発機構）諸国で最長という調査もあります（２０１８年「ＯＥＣＤ国際教員指導環境調査」）。school（学校）の語源となったsclola（スコラ／ラテン語で「学校」）は、ギリシャ語で「暇」

を表すskhole（スコレー）からきている言葉ですから、本来教育にとって「暇」は重要です。教員の業務を改善し、時間不足を解消して「暇」をつくらなければ、コンテンツを充実させることも、GIGAスクール構想を進展させることも難しいでしょう。むしろそのためにコンテンツは、一括で提供する姿が正しいのかもしれません。

教育とデジタルの理想の関係

日本のデジタルメディアを活用した教育が遅れているとはいえ、いずれデジタルネイティブ世代[**]が教師になる時代がくれば進むだろうとの見方もあります。メディア活用のさまざまな課題は時間が解決してくれるのかもしれませんが、そもそも教育とメディアはどんな関係が理想なのでしょうか？

落合　教育には、新しいメディアと向きあう機会が多くあります。社会には新しいメディアが次々と現れていて、子どもはそれを学ぶもっとも〝みずみずしい〟人々です。たとえば、スマートフォンという新しいメディアを子どもが「発見」したら、学校でスマホとは何なのかをともに考え、教えて、「学校に持ってきちゃいけない」「使っちゃだめ」と排除するのは避けたほうがいいでしょう。子どもたちが得たもの、発見してきたものと常に対峙しながら、子どもたちの

＊　Global and Innovation Gateway for All（全児童・生徒のための世界につながる革新的な扉）の意。全国の児童・生徒ひとりに1台の端末と高速ネットワークを一体的に整備する文部科学省の取り組み。
＊＊　インターネットが普及し、幼い頃からコンピューターやスマートフォンなどのデジタル機器に慣れ親しんでいる世代のこと。

感性を伸ばすために率先して教育に活用することが大切です。ヨーロッパの人々がそういうことを得意なのは、新しい産業が生まれた瞬間に〝飛びつく〟ことの重要性が広く認識されていて、アーリーアダプター[*]（飛びつく人）でいることの価値が根付いているからではないでしょうか。日本のデジタルメディアの教育利用が遅れているのは、おそらく時間に解決させようとしているからで、逆に言えば日本の教育はまだアップデートのチャンスがありそうです。

戦後教育の転換

コロナ禍によってさまざまな学びのかたちが生まれたいま、学校とはどうあるべきなのかが問い直されています。ここで、日本の戦後教育に大きな影響を与えた世界的事件について振り返ってみましょう。

＊新しい製品・サービスを早い段階で使う人のこと。ほかの消費者やユーザーに大きな影響を与える。

ズームバック

スプートニク・ショック後の教育問題

冷戦**時代の1957年、ソ連が世界に先駆けて人工衛星スプートニク1号の打ち上げに成功しました。アメリカをはじめとする西側諸国ではその衝撃、いわゆる「スプートニク・ショック」が広がり、これ以上ソ連に後れをとるまいとして、科学教育や研究の重要性が高まりました。同じ西側陣営だった日本でも、学校の授業で教える要素が一気に増加し、内容も高度化しました。1970年代半ばには、学歴社会や受験戦争といった言葉も生まれ、教育の変化に伴って「詰め込み教育」「落ちこぼれ」などが社会問題になりました。

さらに、学校内にも大きなひずみが生じます。それが「校内暴力」です。教師を殴ってケガをさせる、学校の施設を破壊するといった、中学生による暴力事件が続発したのです。なかには、中学生とは思えないほど凶暴な事件もありました。

問題解決に向けて、学習内容を見直す動きが生まれます。1977年に行われた学習指導要領***の改訂では、「人間性豊かな児童生徒を育てる」ことが教育の大事な要素であると、明記されました。これがのちに「ゆとり教育」と呼ばれる新たな教育スタイルのはじまりとなったのです。

** 第二次世界大戦後の世界を二分した、西側諸国のアメリカを中心とする資本主義と、東側諸国のソ連を中心とする共産主義との対立構造。1991年にソ連が解体するまで約45年間続いた。

*** 全国のどの地域で教育を受けても、一定の水準の教育を受けられるようにするため、学校教育法などに基づいて文部科学省が定めている教育課程(カリキュラム)の基準。およそ10年に一度改訂される。

「半歩先」の学校とは？

２０２０年３月、学習指導要領が新たに改訂され、今回は文部科学省から「生きる力」をはぐくむという理念が示されました。詰め込み、ゆとり、生きる力……。紆余曲折《うよきょくせつ》を経てきた日本の教育と学校の未来は、どうなっていくのでしょうか。

落合 学校は勉強する場ではありますが、それ以外の役割が重要です。勉強ができれば何をやっていても授業中に怒られないというのは本質的に間違っているように思えます。勉強ができることと、授業をちゃんと聞かない（ルールを破る）ことは規範として違う話ですから。また、ルールを守ればいいということではなく、大切なのはルールの「適用基準」です。何かの価値判断にテスト、つまり数値で測れるものを取り入れるのはあまり意味はないでしょう。

では、「半歩先」の未来の学校とは、どういうものでしょうか。一例として私が思いうかべるのは、２０１４年にアメリカで設立された私立大学のミネルバ大学です。世界中から応募者が殺到し、合格率は１パーセント未満（２０２０年秋入学）。ハーバード大学などの名門校を辞退してまで進学する学生もいるほどの難関校として注目を集めています。

ミネルバ大学は、キャンパスを持たず、全授業をオンラインで行うのが大きな特徴です。全寮制で、在学中の4年間はサンフランシスコ、ソウル、ハイデラバード、ベルリン、ブエノスアイレス、ロンドン、台北の7都市を移動しながら学びます。カリキュラムによってさまざまな課外活動があり、移動先の地域での社会活動も課題にふくまれているため、世界各国で地域貢献活動に参加することになります。キャンパスを持たずにオンライン授業を徹底させることは、コスト削減だけでなく、グローバルで多文化的な教育の実現にもつながります。ミネルバ大学の高度でユニークな少数精鋭教育は、新しい学びのかたちのひとつと言えるでしょう。

落合　オンライン授業が広がっても、教育においては身体性をともなうイベントを行う「場」の共有も必要でしょう。いまは多くのハード的な選択肢があるので、学びの形態も多様でいいと思います。学校の教室に限らず、食事や運動といった勉強とは違う軸でひとつの空間に子どもたちが集まる「場」が提供されてもいいのではないでしょうか。

「豊かさ」の教育

落合　小中学校が掲げる教育方針に、よく「豊かさ」という言葉が使われています。多くの場合、その「豊かさ」は「知識の豊かさ」に限定されています。たしかにコンテンツを知る豊かさというのはありますが、それはたくさんある豊かさのひとつにすぎません。勉強も豊かさのひとつではあるけれど、勉強ができなくたっていいのです。世の中に豊かなものはたくさんあるのですから。

たとえば、私にとってチェーン店の牛丼を食べている時間は「豊かな瞬間」ですが、「値段が安いものを短時間でかき込んで食べるのは豊かじゃない」と思う人もいるでしょう。あの牛丼はギリギリまで原価を削ってものすごいコストパフォーマンスを発揮した、大衆消費財としてとても豊かな食べ物だと個人的には思うのですが。あるいは、鮎《あゆ》を食べながら、鮎が育った川の味に地球の豊かさを感じたり、料亭で提供される食事に技巧性の豊かさを感じたりすることもあります。どれもまったく違う豊かさですが、結局のところ、何かが豊かだと思えていればよく、そこに優劣の差はないのです。ひょっとしたら豊かさとは、主体的な選択の積み重ねなのかもしれません。

心が豊かである、技能が豊かである、知的好奇心が豊かである……。豊かさのかたちは多様です。豊かさの意味も、感じるポイントも、人や状況によってさまざまです。それぞれの豊かさを感じられるように、皆が時間や心に余裕を持つことが、社会にとって良い状態ではないでしょうか。一方で、「豊かではない」とされるものをどう豊かにしていけるかを考えることも重要です。そのためには、全員が同じ教育を受け、同じ方向を向き、同じ仕組みで評価されるシステムを見直す必要があるでしょう。「豊かさ」の教育は難しいことですが、人生でもっと

落合編集長おすすめの1冊

豊かさを考えるために

豊かさを考えるうえでおすすめしたい1冊は『夜と霧』です。著者のヴィクトール・E・フランクルはユダヤ人で、ナチスによって強制収容所に囚われ、奇跡的に生還しました。終戦後の1946年に刊行された『夜と霧』は、現在でも世界中で読まれつづけている名著です。

『夜と霧』のなかに、収容所から夕日を見たフランクルが、自然が美しいことに心を奪われる場面があります。

ある夕方、フランクルが疲れ果てて休んでいたとき、囚人仲間が「夕日を見にいこう」と声をかけてきます。西の空には刻々と色が変化する雲が輝いていて、その美しさに心を奪われて皆が沈黙し、そのあとで誰かが「世界はなんて美しいんだ」と言うのです。

どんな絶望的な状況に置かれても、人間が自然を見る心の豊かさを失わないことを感じさせる一節で、この場面を読むと、豊かさについて考えさせられます。

死と隣り合わせの収容所では、そこにいる全員が豊かさとはほど遠い状況に置かれています。それでも心はいつでも豊かさを求めていて、どんな状況であっても豊かである瞬間が存在することを訴えかけます。

心理学者ヴィクトール・E・フランクル（1905〜1997）
写真:Ullstein bild/アフロ

も重要なことのひとつです。ＳＤＧｓ*（持続可能な開発目標。１７１ページ参照）が掲げる目標のひとつに貧困の撲滅がありますが、貧困に対する概念は豊かさなので、貧困をなくすためにも豊かであることは何かを教えることは大切だと思います。

落合編集長によるキーワード
■学校の役割は「豊かさ」の教育

「役に立つ」人材という考え方をやめる

最後に、教育の根本的な命題である「どんな人を育てるか」について考えてみます。「自分の頭で考えられる人が大事」。そんな理想が掲げられることがよくありますが、はたしてそれは正しいのでしょうか。

落合　自分の頭で考えることができ、問題を発見し、解決できる人材が重要だということは、大昔から言われていることです。たとえば、文豪ゲーテは２００年前に「思考や知恵すなわち人間の一番の強み」と言っています。それどころか、儒教を説いた孔子は「博《ひろ》く学びて篤《あつ》く志し、切に問いて近く思うべし」と語り、ソクラテスも２４００年前に「教育とは、炎を燃え上がらせることであり、入れ物を満たすことではない」と訴えています。自分の頭で考える人を育てる教育の重要性は２４００年間も言われつづけてきたのに、いまだ改善の余地があります。

私は大学の教員でもありますから、教育者という立場から言わせてもらえば、自分の頭で考えて、努力して課題を見つけて、少し謎めいた言い方になりますが「他者の共感性を見捨てずに、かつ他者の共感性を無視する人」になってほしいです。この言葉が意味するところは後述します。

ところで、先ほどあげたゲーテ、孔子、ソクラテスの3人は、少なくとも自分の頭で考えることが大事と知っていた人たちですが、ソクラテスは死刑になり、孔子は大臣の座を失い、ゲーテは74歳で失恋しています。彼らの不遇な姿を知ってしまうと、自分で考える人間は実際には「求められる存在」ではないのではないか、という疑問が浮かんでくるでしょう。

落合 彼らの存在は「求められていなかった」というのとは少し違うと思います。人類の歴史上、彼らのような自分で考える人間のことを理解できる大衆がいなかった、というのが本当のところかもしれません。そこはある意味で人類の失敗と言えるかもしれません。では、もし理解して

＊「Sustainable Development Goals（持続可能な開発目標）」の略称で、２０１５年９月に開かれた国連サミットで採択された。「貧困をなくす」「ジェンダーの平等」など２０３０年までに達成すべき17の大目標とそれに付随する１６９の目標を指す。１７２ページ参照。

酒の甕に住むディオゲネスに声をかけるアレクサンドロス大王

もらえないのだとしたら、人は何のために「自分の頭で考える」のでしょうか。

為政者が自分で考える理由は、「乗るしかない、このビッグウェーブに」（2008年のiPhone発売時に行列に並んだ客が発したことで話題となった発言）といわんばかりに大衆が作り出す「人間の波《ヒューマンウェーブ》」に乗るためなのかもしれません。為政者がヒューマンウェーブに〝乗る人〟だとすれば、サーフィンから逃げる、つまり海の底に〝潜って〟まったく違う社会へのかかわり方をする人もいます。たとえば、〝潜る人〟と思われるのが、古代ギリシャの哲学者ディオゲネスです。

ディオゲネスは「コスモポリタン」という言葉を生みだしたことでも知られる秀でた哲学者

にして、稀代の皮肉屋。家を持たずに酒の甕《かめ》に住み、「なんでも欲しいものを与える」と訪ねてきたアレクサンドロス大王に対して、「日陰になるからそこをどいてくれ」と答えたと言われています。

落合 いまの時代、意外とこの〝潜る人〟が重要で、もしかしたら育てるべきは〝潜る人〟のような、一見すると社会に必要とされない人間なのかもしれません。

実際のところ、私も社会に必要とされていないという面もあると思います。写真家としての作品も新しいものを見るために撮っているのであって、誰かの役に立とうと思って撮ったことは一度もありません。テレビに出て話をしているときも、まったくといっていいほど視聴者という「お客さん」のことを考えません。誰かが見ていること自体は大切だと思いますが、見ている人を満足させるためには、見ている人について「考えないこと」が重要だと思うからです。

「多くの人々は見せられたときにはじめて自分がそれを欲しかったのだと気づくものだ」とスティーブ・ジョブズは言ったと記憶しています。iPhoneができるまえに、お客さんが「iPhoneがほしい」と言うことはないでしょう。客が何を求めているかについて考えないことが、結果的に客を満足させる製品・サービスのイノベーションの入口ではないでしょうか。

これまで私たちは、役に立つ人間を育てることばかりにとらわれてきたのかもしれません。世の中に必要とされなければならないという観念から解き放たれ、海の底に潜って考える——。

それがもしかしたら、世界を救ったり、世界を変える大発明を生んだりするのかもしれません。だからこそ、前述したように「他者の共感性を見捨てずに、かつ他者の共感性を無視する」のがいいと思えるのです。

落合編集長によるキーワード

■ **他者の共感性を見捨てずに、かつ他者の共感性を無視する**

社会に必要とされなければならないという観念から解き放たれる。

特別編

1

オードリー・タンに会う

知の最前線を走る2人による未来予想図

台湾のIT担当閣僚オードリー・タンと落合編集長が特別対談！　新型コロナウイルス流行初期、台湾の迅速な対策に世界中が着目しました。混迷の経済、揺れる民主主義……危機の時代に求められる変化と可能性について2人が鋭く切り込みます。

2020.10.3（初回放送）

特別対談
オードリー・タン×落合陽一
——コロナ対策、デジタル民主主義……危機のときこそ、変化とスピードアップを

コロナ対策の成功をきっかけに世界中の注目を集めている台湾のＩＴ担当閣僚、オードリー・タン。８歳からプログラミングを独学し、15歳で開発した検索ソフト「Fusion Search 捜尋快手」がひと月で１万ユーザーを獲得して「電脳神童」と呼ばれるように。その後、19歳でアメリカに渡るとアップルで人工知能「Ｓｉｒｉ」の開発に携わり、同社の顧問などを歴任。台湾に戻ると33歳でビジネス界からの「引退」を宣言し、その２年後の２０１６年、台湾史上最年少の35歳で閣僚に就任しました。男性として生まれ、思春期に女性だと自認したトランスジェンダーであることも広く知られています。

オードリー・タンの存在が広く知られるようになったのは、新型コロナウイルス流行初期の２０２０年２月でした。深刻なマスク不足に見舞われるなか、タン率いるチームが台湾中のマスク

の在庫データを可視化し、アプリを使えば誰でも確実にマスクが手に入るシステムを開発したのです。迅速な対策の結果、台湾でのコロナ感染は限定的なものとなり、その手腕に世界中から注目が集まりました。

落合　私が友人から「オードリー・タンが面白い」と聞いたのは、２０１５年頃のことです。どんな人なのか調べてみると、デジタルで牽引する市民運動をやっていて、たしかに面白い。トランスジェンダーでもあるので、ダイバーシティ＆インクルージョン*（多様性と包摂性を目指す社会）にどんなお気持ちをもとに意見をぶつけるのかというところにも興味がありました。タンさんには世界各国のメディアから取材が殺到していますが、この対談ではその他メディアでよくある質問ではなく、対話それ自体を楽しみながら、いろいろなことをお聞きします。

「境」が問われる現在

――まずは、タンさんの人柄を知るための一問一答から始めましょう。好きな食べ物は何でしょうか。

タン　炭水化物とたんぱく質と脂質です。

――犬派ですか、猫派ですか。

＊性別、年齢、国籍、民族、障がい、性自認などの外面の属性や、ライフスタイル、職歴、価値観などの内面の属性にかかわらず、多様性（ダイバーシティ）を尊重して包摂（インクルージョン）し、ともに活躍・成長していくこと。

タン 私は「人間派」ですね。
――寝るまえに必ずすることは何でしょう。
タン 目を閉じます。
――小さいころ何になりたかった?
タン 人間の大人になりたかったです。
――2020年を表す1文字を選ぶとしたら、何でしょう。
タン それは、中国語でもアラビア語でも、ほかの文化でも同じように書く「0」です。もし「1」だとすると、漢字では横の棒、ほかの文化では縦の棒になります。大きな違いですね。でも「0」は、いくら回しても同じ。地球のみんなが同じ「原点」を共有したということで「0」を選びました。
落合 私が選ぶなら、英語で言えば「border(ボーダー)」、境界の「境」かな。
タン 中国語で「境」という文字は状況や状態を指し、なにかしらの良い状態に向かっていたり、逆に後退していったりということを表しています。ですから「境」は中間地点で、0と1とのあいだにあると思います。そこから月のように満ちていく可能性もあれば、欠けていく可能性もある。
落合 面白いですね。バイナリー(2進法*)で言えば、0と1のあいだは「境」ですし。2020年で

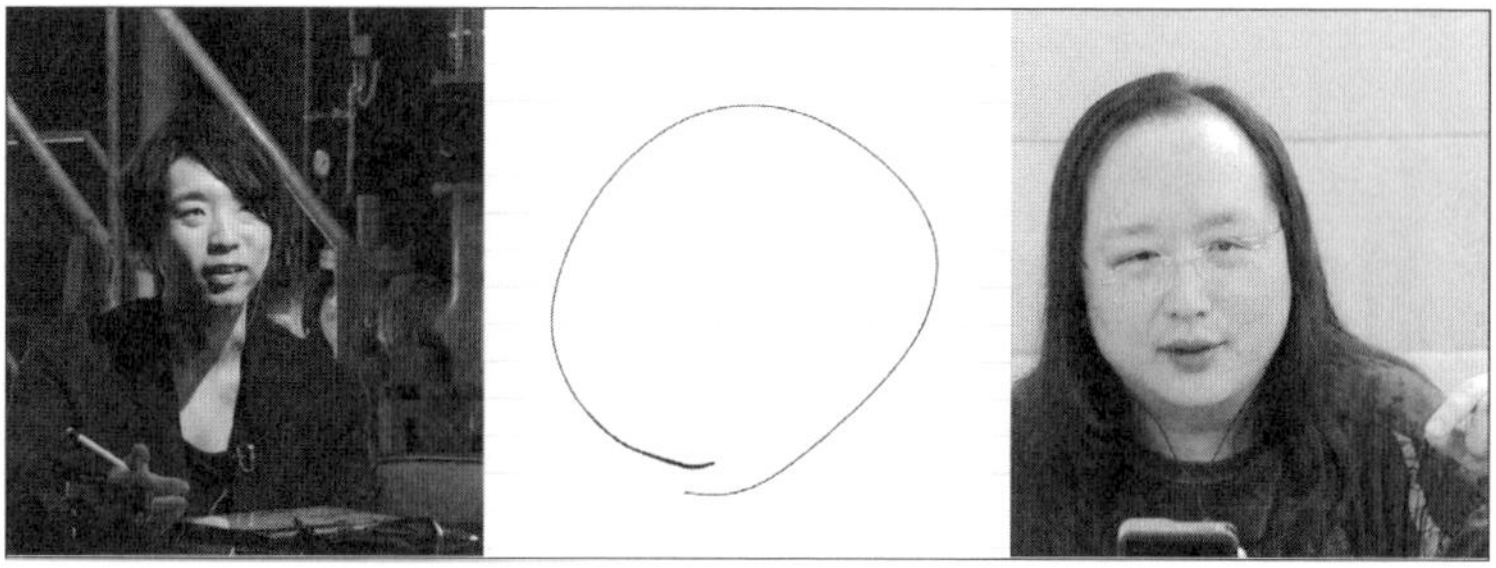

2020年を表す1文字は「0」だと語るタン氏（右）

象徴的だった言葉は、アメリカのトランプ大統領が3月にツイートした「だから、われわれには国境が必要だ！」というものでした（アメリカの感染拡大前の3月23日に発信）。この言葉に対してはいろいろな批判や批評があり、もちろん考えることはたくさんあるのですが、これほど「ボーダー」のことを考えた年もないと思って「境」を選びました。

タン　そうですね、まさに「境」がどうなるかが問われていると思います。いまはマスクをして自分とほかの人のあいだに境界線を作らないといけません。手から体内にウイルスを吸収しないためには自分の顔と、汚れた手のあいだにも境界線を引かなくてはならない。でもここで手を洗えば、この境を取りはずすこともできる。これもひとつのテクノロジーです。

コロナ禍の状況を見て「人間にはどうしようもない」という人がいますが、そうではありません。未来はどうなるか。テクノロジーで何ができるか。すべては「人」次第なのです。

＊全情報を0と1で表すデジタルのデータ形式のこと。

危機の時代の「ファッション」の変化

落合 私はとくにここ半年くらい、ほかの人に見せる服というより自分が着たい服を着ていますが、いま「ファッション」はどうなのでしょう。コロナ禍の後と前で、着ている服やファッションに対する考え方はどこか変わったでしょうか。

タン 一番変わったのは、マスクをするようになったことですね。

落合 マスクは、ネクタイのようになると思いますか。身体の一部に儀礼的に残っていくような。

タン ネクタイより重要になるかもしれません。ネクタイとマスクは「よそいきのフォーマルなもの」という点がよく似ていると思いますが、マスクのほうが覆っている面積が大きいように見えるのではないでしょうか。一度実験して確かめてみたいですね。それに「第二の顔」という意味でも重要だと思います。ほかの人のネクタイをしげしげと見ることはありませんが、マスクの場合は逆です。

こんな面白い「事件」もありました。医療用のピンクのマスクしかなかったとき、小学生の男の子が「ピンクはいやだ」といったのです。でも男性の閣僚たちがズラリとピンクのマスクをつけて「ピンクパンサーの色だ！　かっこいいだろ」と見せると、今度は男の子たちに大流行しました。コロナ禍で学んだのは、「変化をいとわない人間こそ強い」ということ。固定観念にとらわれていたら危険な目にあいます。

ヨウイチさんがいったように、見せるためだけの服、固定観念を守るためだけの服の時代は終わった気がします。居心地の悪い「危機」の時代だからこそ、本当の居心地の良さを求めて「変化」が起きるのでしょう。

危機の時代、これまでも多くの偉人たちが「変化」を巻き起こしてきました。そのひとりが、デザイナーのココ・シャネル（1883〜1971）です。シャネルが起こしたファッション界の変化の背景にも、ある危機の存在がありました。

ズームバック

女性の「呪縛」を解放したココ・シャネル

女性のファッションといえば、きついコルセットに派手な帽子が当たり前だった20世紀初頭のフランスで、ココ・シャネルは動きやすいパンツルックやシンプルな帽子を提案し、ファッションに革命を起こします。

シャネルが起こした変化の背景にあったのは、第一次世界大戦（1914～1918）、さらに大戦中に始まったスペイン風邪の流行（1918～1920）でした。相次ぐ危機により、世界で4000万人が亡くなり、労働者不足を補うために女性たちの社会進出が活発化します。そのような働く女性たちのため、シャネルは動きやすい服をデザインしたのです。けれど彼女は、単に「働きやすい服」を作ることを目指していたのではありません。シャネルの本当のねらいは、次の言葉に現れています。

今日、最悪の敵に会うと思って服を身につけなさい。(Dress like you are going to meet your worst enemy today.)
装いはあなたの知恵！　美はあなたの武器！(Adornment, what a science! Beauty, what a weapon!)
つつましさはあなたのエレガンス！(Modesty, what elegance!)

シャネルはそれまでもっぱら男性が用いていた「黒」を女性の服に取り入れました。さらに、ひと握りの上流階級しか使えなかった香水を、一般向けに量産しました。男尊女卑の激しかった時代、危機を足がかりにシャネルは女性たちをさまざまな「呪縛」から解放しようとしたのです。

シャネルがデザインしたパンツルックとシンプルな帽子
写真:GRANGER.COM/アフロ

タン　危機はあらゆる面で民主化を促します。シャネルは、ファッションの面で香水を民主化しました。たとえば当時、女性の選挙権獲得の運動がありました。社会にとってもちろん重要であり、闘うのは大事なことですが、それはけっして「がめつい」ということではありません。シャネルのように、闘いはより「エレガント（優雅）」にできる。ここに世間のイメージとギャップがあるのです。

さらに指摘したいのは、先ほど紹介されたシャネルの言葉には「もう一言」あるということです。彼女はこう言っています。「つつましさ（modesty）はあなたのエレガンス」だと。誰かの目を気にして、お定まりのきらびやかな服装をする必要はない。自分の内面に合った服を着ればいい。

今回のコロナ禍でも、人々の虚栄心は減りましたね。インスタグラムに派手な写真をあげるのはやめて、誰もが謙虚になった。コロナ禍のあと、大事になるのはこの「謙虚さ（modesty）」です。謙虚ななかで、いかに自分だけのエレガンス（優雅さ）を求めていけるかだと思います。

落合　わざわざ人に見せるためのブランド品を身につけてパーティーに行くかと言われたら、そうではない時代が近づいている、あるいは人に自慢するために高い酒を飲んだりするかと言われたら、そうではない。自分の内面を深めるために対象物と向かいあうことが、より重要な意味を持つようになっていると思います。私はよくコンヴィヴィアリティ*という言葉を使いますが、いかに「自立共生」的に社会での対話関係や「共に創る」環境を構築していけるかが、これからの世界のひとつのキーワードではないでしょうか。

そのなかで、タンさんが言った「modesty（謙虚）」は「清貧」とも近い言葉です。ただ、人と文化は「レジリエンス」**を持っていますが、それは虚栄心も同じです。いまは清貧な状態に置かれているとしても、人はいつかまた虚栄心を持つかもしれない。私たちは今後、どう元の状態に戻っていくのか、あるいは戻らないのか。コロナ禍で導入された文化がどう維持されていくのかを、キーテーマのひとつにしたいと思っています。

落合編集長によるキーワード

■以前の虚栄に戻らず、今後も人々は「共に生きて」いけるか？

タン　共に生きる「コンヴィヴィアリティ」という考えは、私の解釈では、日本の「侘《わ》び寂《さ》び」にも通じると思います。それは、よそから価値を輸入したり奪ってきたりするのではなく、いま目の前の環境にあるものを活かして、共に生きていこう、という考えですね。そういう点で私が

＊哲学者イヴァン・イリイチが説いた「共に生きる」価値観のこと。42ページ参照。
＊＊「回復性」「弾力性（しなやかさ）」の意味。

コロナ禍で注目するのは、先進国と途上国という枠組みをはるかに超えた「地球規模のコンヴィヴィアリティ」です。

今回のパンデミックで、人類は歴史上初めて世界中が等しく同じ悩みを持つことになりました。言い換えれば、「同じ環境」「同じ文化」を生きているということです。

時差や物理的距離の「壁」もインターネットが超えてくれました。私は最近、朝起きたら北米・南米の友人とオンラインで話し、夕食後はヨーロッパやアフリカの友人とオンラインで会話しています。これはひとつの新しい文化です。こんなに「皆で共に地球に生きている」という感覚を持つことができた時代は初めてでしょう。

オードリー・タンによるキーワード

■人類が初めて手にした「地球規模の共生《コンヴィヴィアリティ》」

タン　地球規模のコンヴィヴィアリティが実現した以上、前に「戻る」必要はありません。ワクチン完成後も、地球規模で連帯して物事を考えていくべきです。

落合　共に生きることが時間と空間を超えて「大きな文化」になり、それが「新しい文化」になるという考え方は面白いですね。地球の皆で語りあうことができたら、それが一番の楽しみであり、喜びでもあります。私も対話のために移動しなくてよくなり、以前より多くの国の人々と会話できるようになりました。

危機に耐えられる「長期的な価値」を求めて

次に、経済について考えます。2020年4〜6月のGDP（国内総生産）予測（2020年12月時）では、台湾がマイナス0・73パーセント、韓国がマイナス3・3パーセントと影響を最小限に抑えたのに対し、アメリカはマイナス32・9パーセント、イギリスはマイナス20・4パーセントと大きく落ち込みました。日本も、8月の速報値では戦後最悪のマイナス27・8パーセントとなりました。

数字だけを見れば経済への不安が募りますが、いまの時代はGDPだけを気にすべきではないと2人は言います。

落合　経済指標で示される価値は、すごくあやふやなものです。持続可能性は、生産性指標では評価できませんから。たとえば、私が山のなかに住み、畑を耕し、神社仏閣の手入れをしながら自

経済学者J・M・ケインズ（1883〜1946）

給自足の暮らしをしているとします。社会に接続されていない状態で、通貨のやりとりもありませんから、経済活動としてはゼロに近いかもしれません。でも、その活動には「神社仏閣が持続可能なかたちで維持される」という、100年後の人にとっては計りしれないほど大きな価値になる可能性があります。

タン　私もまったく同意見です。GDP予測で台湾の数字はたしかに日本ほど悪くはありません。でもこれは、わずか3か月の数字です。危機はもっと続きます。危機のときこそ、短期の数字に一喜一憂せず、何がこの先「長期的な価値」となるかを考えなくてはなりません。

危機にも耐えうる「長期的な価値」を求め、そのビジョンを示す。約90年前、同じ思いを抱いた経済学者がイギリスのJ・M・ケインズです。

ズームバック

ケインズによる「孫たちの経済的可能性」

1930年、ケインズは「孫たちの経済的可能性」というエッセイを発表しました。その内容は、前年に起きた世界恐慌に対する世間の「進歩の時代は終わった」「絶望しかない」という悲観論に真っ向から反対するものでした。

いまの苦しみは過去の行いのツケではなく、「急速な成長の痛み」にすぎない。石炭、蒸気、電気。ニュートン、ダーウィン、アインシュタイン。人類は科学の力で飛躍的進歩を遂げてきた。このまま科学が進歩し労働効率が高まりつづければ、100年後、孫たちの世代では労働の必要すらなくなる。

(J・M・ケインズ「孫たちの経済的可能性」より)

さらに、「金儲けは悪、金貸しは下品、金の貯め込みは汚らわしいものとなる。美徳と正気、そして知恵の道を歩む者だけが未来を見つめるだろう」との言葉も残しています。はたして、ケインズのこの予言は実現するのでしょうか……

タン　ケインズの予言から、まだ100年はたっていませんよね（笑）？　まだ90年ですから、あと10年の猶予があります。10年後の2030年はちょうど、SDGs（持続可能な開発目標）の達成目標年でもありますね。

今後、「誰ひとり取り残さない公正な社会を作ること」を考えていくうえで、ケインズは素晴らしい予言を残してくれたと思います。大切なのは、単なる「金儲け」と「価値ある仕事」とは違うということです。

世界が目指すと決めたSDGsの169の目標のなかで、GDPについては、1項目だけです。GDPに悩むのは、169分の1の時間でいいんです。科学技術はこの90年間、目まぐるしく進歩しました。このままいけば、いずれケインズの言うとおり、お金のためだけに働く必要はなくなります。そして、自分の心を満足させるために働く社会がやってくるでしょう。いまは苦しいこともあります。しかし、私は10年後にはGDPなんて完全に意味のない指標になっていると考えます。

オードリー・タンによるキーワード

■10年後、GDP（国内総生産）は意味を失う

落合　成熟した国では、そうかもしれません。GDPからの価値転換へ人々がコンセンサスを持つのは、意外と2030年より前かもしれません。ただ、アフリカなどの発展途上国では、まだ成長の問題が根深く残っています。2030年、もしくはそこを超えるかもしれませんが、SDGsが「誰ひとり取り残されずに」達成されるといいと思います。

タン　そうですね。コロナ禍で、事態はよりはっきりしました。お金がいくらあっても病気にはなる。だからこそお金よりもっと大事な価値、つまり「生きていくこと」に必要なものは、等しく世界中の皆に行きわたるようにしなければなりません。
ケインズは「100年後」と言いましたが、あと10年、技術の発達を信じて、世界が歩み寄りつづければ、人類はお金に悩む段階から「次の段階」へと歩み出すことができるでしょう。

落合　90年前、ケインズは「孫たちの経済的可能性」のなかで「人類の物質的環境に空前の大変化が

起きるだろう」という予言もしていました。

物質的な生産と「非」物質的な生産で分けるとすれば、90年前はおそらく、非物質的な生産がほとんどなかった時代でしょう。成熟した先進国で、非物質的な生産である「ゲーム産業」が非常に伸びていることは、ケインズの言う「物質的環境に起きる空前の大変化」に近いのかもしれません。そういうなかで「生産性のあるもの」と「生産性のないもの」という議論は本質的に無意味で、「労働生産性」と呼ぶときに、それは物質なのか情報なのかという区切りもとくに意味がなくなってきているのは面白いところですね。

落合編集長によるキーワード

■生産性の議論は、無意味

■デジタル時代の経済

落合　最近、自分をハリウッド映画並みの高精細さでデジタルヒューマン化してみたんです。これ（次ページの上図参照）は32歳の私のデジタルコピーですが、50年たったら、デジタルに50年分歳をとらせることはできるし、かつ若返らせることもできるでしょう。ライトなものはいままで

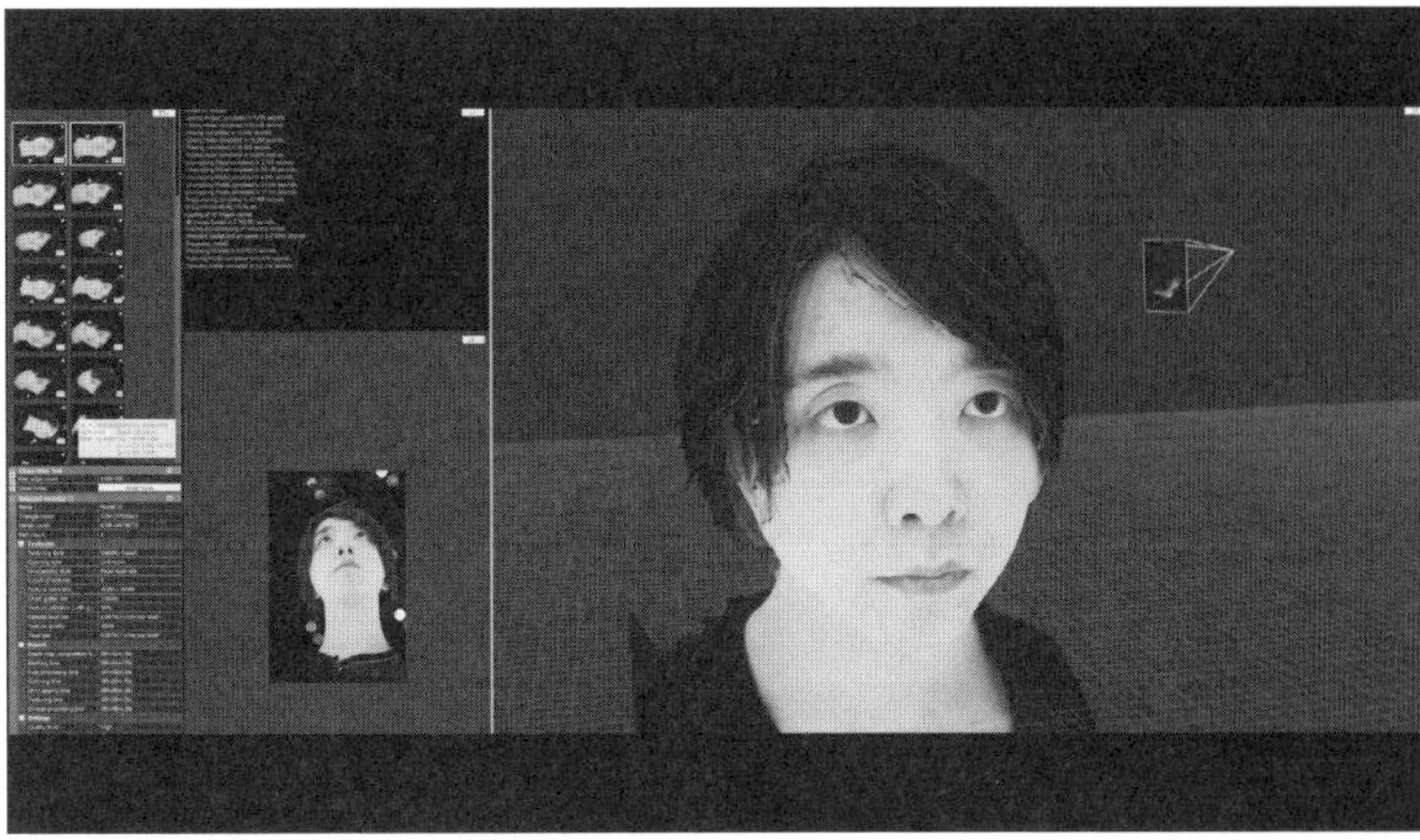

デジタルスキャンされた落合陽一

デジタルスキャンされたオードリー・タン

も行われてきましたが、解像度が変わると意味が変わります。つまり、人間がデジタルに移行すると、あらゆる装置を使って、形や大きさやスケールや時間の保存性からも離脱できそうですね。

タン　じつは私も4年前に自分をスキャンしました（前ページの下図参照）。これを見ると、現実の自分なんてひとつの「入口」にすぎないとわかります。よく「デジタルスキャンはどれだけリアルでも実物のコピー、鏡に映った像にすぎない」と言われるのですが、デジタルにはもっと無限の可能性がある。スキャンするたびに自分が増えていき、ひとつの鏡に映った像だけでなくいくつもの自分を「万華鏡」のように持つことができます。

デジタル空間ではひとつの肉体に縛られず、複数の人生を歩むことができるのです。これはけっしてSFの世界の話ではありません。ロンドン大学が発表したデータ（2020年8月19日）によれば、いまの最高の技術を使うと、1秒間に17万8000ギガバイトの情報を1本のネット回線で流すことができるといいます。

これに対し、1人の人間が目や耳などを通じて知覚できる情報の限界は、1秒あたりおよそ17ギガバイト。1本の回線で流せる情報量の1万分の1です。言い換えれば、たった1本の回線で、1万人がつながった世界をデジタル空間に作ることができます。映画「マトリックス」の世界も、理論上は不可能ではないのです。

1999年の映画「マトリックス」は、人類が完全なデジタル空間に生きる世界を描いていました。当時はまだSFの世界の物語でしたが、それから20年たった現在、私たちはゲームのなかに構築された仮想空間で友達と遊んだり、そこで行われるライブに世界中のファンと集まったりしています。デジタルな世界は気づかないうちに私たちの「現実」となりつつあるのです。

このデジタル空間には、経済の仕組みそのものを変える可能性もあるのではないでしょうか。

落合 現実世界では、何かを作るには限りある資源を使わなくてはならないので、資源の奪いあいや、大量生産による環境の破壊が起きます。しかし、動画やゲームなどデジタルな「情報」は資源を消費せず、無限のコピーが可能です。

たとえば人とつながったり、楽しい環境を作ったりするときに、資源を消費する物質的な生産なしでも、デジタルの世界で互いにコミュニケーションをとれるようになった。その状況では、限られた資源を奪いあってきたこれまでの時代とは別の論理で生産活動を考えることができるでしょう。

空間や時間の解像度が、いまあるディスプレイやスピーカー、システムを使うと下がるのは現状のハードウェアの制約によるものです。そこでデジタル化による時間の永続性やコピーの限界費用（もうひとつ作るための費用）の低さを考えると、いま物理的に存在する空間と時間の解像度より「重い」意味がデータ化したあとにそのデータが持つ時間性や空間性にはある。そういった意味で、デジタルはとても重要だとあらためて思います。

タン　そのとおりですね。これまでの経済では、必ずどこかで資源の搾取、物的資源あるいは人的資源の搾取が行われています。誰かが凹んだぶん、誰かが得している。でも、デジタルの世界なら、資源は無限にあるから、ほかの誰かを凹ませる必要はありません。皆が同じスタートラインに立てるのです。この新しい経済には、人類の未来の大きな可能性があると思います。

オードリー・タンによるキーワード

■デジタルの世界は無限。皆が同じスタートラインに立てる

番外編

ここでしか聞けない!
雑談タイム

落合　くだらないことを聞きますが、いいですか?

タン　私もくだらない答えをするかもしれませんが、どうぞ。

落合「マジック:ザ・ギャザリング*」で好きな色は?

タン　絶対に「青」です。

落合　私は「青」と「黒」が好きです。なるほどね。「青」は駆け引きの色で、「黒」は捨て身の攻撃の色ですね。
では、好きな音楽は何でしょうか。

タン　今日はヒップホップミュージカル「ハミルトン**」の曲を聴いていました。

落合　1日にお茶を何杯くらい飲むんですか。

タン　だいたい3杯から4杯のあいだでしょうか。3杯以上は飲みます。

落合　1つひとつ、違うお茶を作るのでしょうか。それとも、だいたい1日同じ茶葉?

タン　ときどき、2種類の茶葉を特別にブレンドすることがあります。ふたつの茶葉を混ぜると、私にとって新しい時間の地点になります。覚えておきたい何かがあって、新しい「時間のしおり」がほしいと思ったときです。あとになって、その瞬間のことを思い出したいときには、同じブレンドをするんです。

* 世界初のトレーディングカードゲーム。カードの色でプレイスタイルが変わる。オードリー・タンは17歳で台湾チャンピオン、落合陽一は元世界トップ20(オンライン)の経歴を持つ。
** 2016年トニー賞11部門受賞のミュージカル。18世紀のアメリカ建国秘話をヒップホップで描く斬新さと、人種の違いを超えたキャスティングが称賛を集めた。

これからの「民主主義」

最後に、「民主主義」のこれからについて考えます。コロナ禍の日本では、営業自粛や学校の休校要請をめぐって「もっと厳しい統制が必要」「より自由を与えるべき」など、さまざまな意見が対立し、地方が独自の対策に乗り出すなど政治に大きな注目が集まりました。そして世界では、長い間耐えてきた「不公平」「不自由」な状況をいまこそ打破しようと、ブラック・ライブズ・マター(BLM*)のような民衆の運動が繰り広げられています。

未曾有の事態のなかで民主主義のあり方が問われていますが、その未来を考えるための大きなヒントが、台湾で行われた斬新な投票方法にあります。

タン　民間からSDGsに関する政策のアイデアを募集したところ、全部で200あまりのエントリーがありました。従来のやり方だと、そこから20くらい選んで、政治家があれこれ議論して優先順位を決めるのですが、今回はそういうのはなし。一般の人たちも携帯電話のアプリを使って投票できるようにしました。その対象は、台湾の人口の過半数(約1000万人)に達しています。

クアドラティックボーティングの仕組み

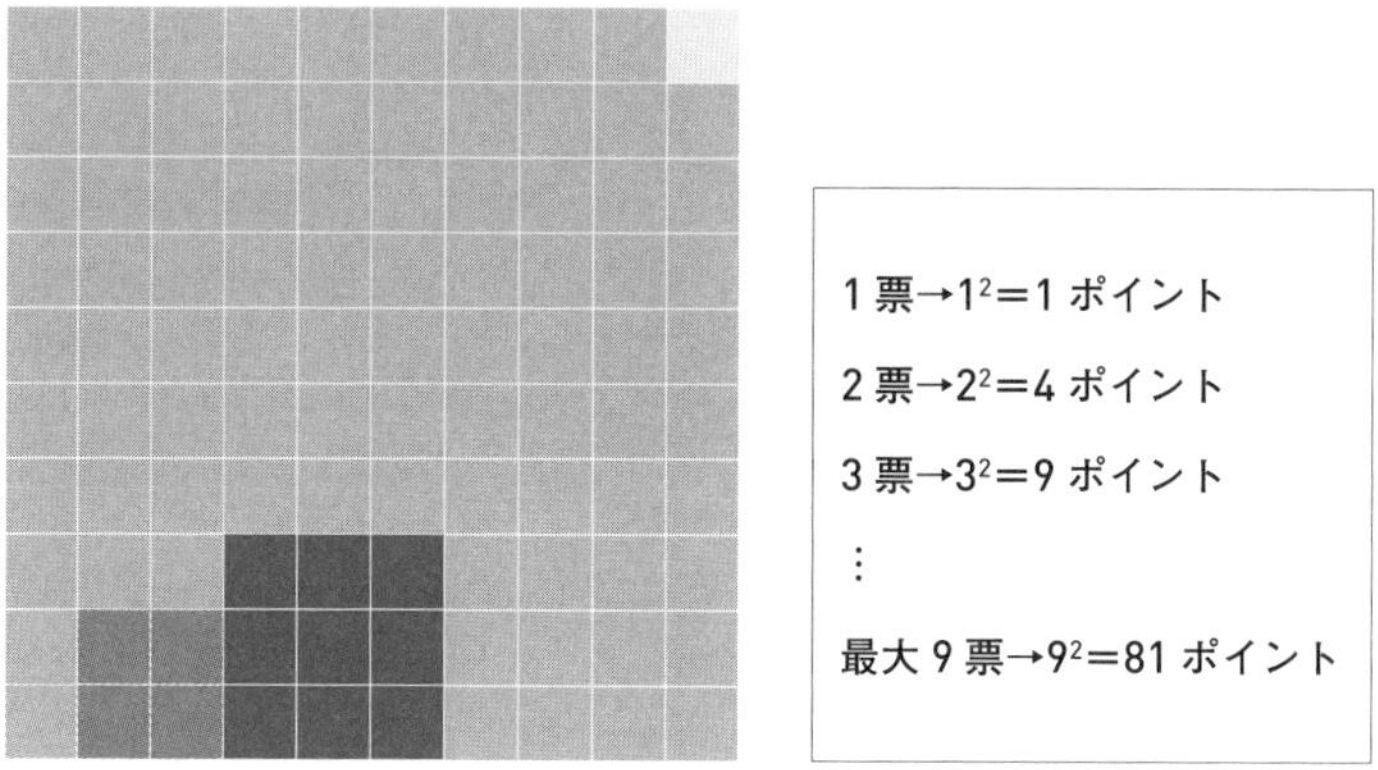

投じる票の数の2乗分のポイントを使って票と交換する

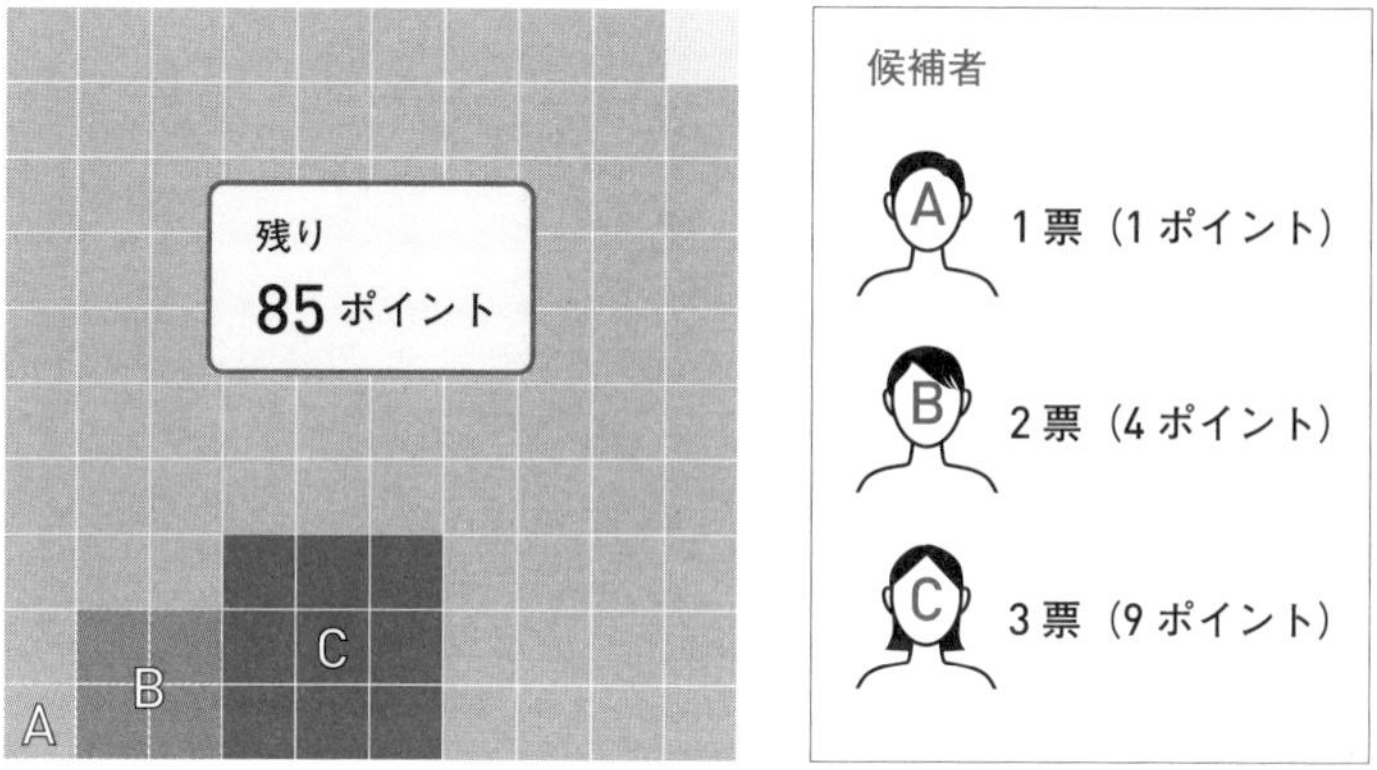

「支持度」に応じて複数の候補に分散投票できる

＊ Black Lives Matter（ブラック・ライブズ・マター）。2020年5月、ミネソタ州ミネアポリス近郊で黒人のジョージ・フロイドが白人警官の暴行によって死亡した事件をきっかけにアメリカで高まった、黒人に対する暴力と人種差別への抗議運動。

そして、その投票方法として選んだのが「クアドラティックボーティング*」でした。今回はまず全員に99ポイントを配り、このポイントを票と交換してもらいました。

重要なのは、10×10の100ポイントではなく、「99」ポイントにしたことです。全部使っても10票と交換はできないので、1候補に投票できるのは最大で9票。9×9で81ポイント使っても、18ポイント余ります（前ページの図参照）。これを使いきらないといけないので、必ずふたつ以上の候補に「分散投票」がされます。

従来の1人1票しかないやり方だと、どの候補に絞るか決められず、投票を棄権してしまう人もたくさんいます。でもこの方式を使えば、自分の「支持度」に応じて、複数の候補に投票できる。1候補にすべてを託すリスクをおかす必要がなくなりますし、自分で「支持度」を決めるため、より真剣に投票に参加するようになります。

携帯電話で投票できるので、国民投票を24時間ごとに行うことが可能であり、人々の「いま」の思いが常に細やかに把握できます。

■民主主義の「回線速度」

クアドラティックボーティングは、「1人1票」という民主主義の原則を問い直す画期的な方法です。タンさんが、いきなり1000万人もの人にこの投票を呼びかけたのは、驚くべきことでした。もともと台湾は投票率が高く、2020年1月に行われた総統選の投票率は74・9パーセントに上っています。

タン　台湾では投票は「楽しい」もの、「ワクワクする」ものだと考えられています。なぜなら台湾は民主化に非常に苦労したからです。1980年代半ばまで長く戒厳令下にあり、民主主義を手に入れるための戦いを続けてきました。だから票を投じるという行為それ自体がひとつの「祝祭」になっています。票の数が未来につながっているという実感は、ほかの国よりも強いかもしれません。

落合　かたや日本では、2019年の参議院選挙の投票率は24年ぶりに50パーセントを下回りました。社会制度は、自分たちで獲得した経験がないと感覚的に体得できないという話をよくしますが、そんな気はします。日本でも60年代に学生運動がありましたが、あまりうまくいきませんでしたし、台湾とは「元気の良さ」が少し違うのかもしれません。いまの日本の選挙は、台湾で言うところの「祝祭性」が失われた状態になっています。その祝祭性を回復するために、もしくは台湾が遠い将来、祝祭性を失ったとしたら、どうやって「再着火」しますか。

タン　投票のレベルを変え、投票の「回数」を増やすことだと思います。限られた重いテーマばかり

＊法学者のエリック・A・ポズナーと経済学者のE・グレン・ワイルが著書『ラディカル・マーケット』のなかで提案した、新しい投票方法。投票者には一定数のポイントが与えられ、そのポイントと票を交換する。交換には投じる票の二乗（クアドラティック）分のポイントを使う。

投票を募ると、ハードコアな「思想が固まった」人しか参加しなくなる。投票の項目を細分化し、1つひとつは、数秒でも時間があれば投票できるようにするのがカギです。
いまは、民主主義の「回線速度」をあげることが大事です。この変化の目まぐるしい時代、4年に1度しかない選挙で何もかもすませるのは、旧式のコンピューターを使いつづけるようなものです。アクセスの回数を増やせば増やすほど、フィードバックもアップデートも多くなる。それがいまの時代の新しい民主主義のあり方だと思います。

オードリー・タンによるキーワード

■新しい民主主義のためには、民主主義の「回線速度」をあげる

■生活を便利にするテクノロジー

落合　人口規模についてもお聞きしたいです。人々の意思を尊重する、コンセンサスを得るといった場面では、人口規模によってそのスピードや難度が左右されるように思います。日本の人口*は台湾に比べてかなり多くなってしまいましたが、その規模感についてはどう思いますか。

タン　人口の規模について言えば、物理的に皆の意思を一人ひとり聞いて回ろうとしたら、古代の民主主義が行われたギリシャの都市国家くらいの規模が限界だと思います。でも、デジタルは違います。デジタルのネットワークは「スケールフリー**」です。ひとつの情報を無限に、そして一瞬で共有することができます。とくに皆にとって価値があると判断された情報は、すぐに世界中に拡散されます。

タン　私が東京都のコロナ対策サイトにプログラマーとして参加したとき***も、同じことが起きました。そのときの私のプログラムは、東京都のサイトからあちこちに拡散されました。京都、奈良、和歌山、広島……とにかく無数にあります。

ネットワークのなかで民主主義的に支持され、導入されたアイデアは、まさにスケールフリーで、どれだけ規模の大きい人口に対してもどんどん広がりつづけていきます。スケールフリーなネットワークのなかで共通の価値観を持っている人を早く見つけられるようになる。そうすることが、素早い民主主義を構築していくうえで大事だと思います。

たとえば、クラウドファンディングやクラウドソーシングといった、共通の価値を通じたクラウド形成を市民あるいは国民の多数に展開していくことが、民主主義をスケールフリーに提供するカギになってくると思います。

こういう新しい民主主義のやり方を広めるうえでも、日本と台湾の距離は近いと思います。それは物理的な距離の近さではなく、テクノロジーのレベルが同じくらい高いということです。

＊　日本の人口は約1億2600万、台湾は2300万。
＊＊　ひとつの情報を無限に拡大・共有できること。
＊＊＊　同サイトはプログラムの文字列を公開し、誰でも改良・修正が可能な「オープンソース」形式であり、オードリー・タンも参加した。

進んだ理想も、進んだテクノロジーがなければ実現は難しいですが、進んだテクノロジーがあれば、進んだ理想を叶えることができます。

民主主義を「人の生活を便利にするテクノロジー」だと考えれば、クアドラティックボーティングのような新しい考え方も導入できます。民主主義は完成された「化石」などではなく、生きたテクノロジーなのですから。

オードリー・タンによるキーワード

■民主主義は、生きたテクノロジー

■民主主義を「進化」させる

落合　生きた民主主義を「進化」させるカギは多様性にあると思います。では、民主主義のなかでどうやって多元性、多様性を確保していけばよいかを考えたとき、大事なのは「ほどほど」ではないかと思っています。多様な文化圏を持つ国では比較的この「ほどほど」に価値が置かれていて、お互いに理解し得ない文化の違いに関して「ここまでは理解しよう」というほ﹅ど﹅ほ﹅ど﹅のラインを持っています。

でも、いまの日本のように、あるひとつの文化圏が大多数を占めている場所では、「違う文化を完璧に理解しよう」「お互いに理解するまでやりきろう」ということに時間と力を割いてしまう。8割でいいのに、残り2割を達成するのに多くの時間を使ってしまうのです。そうなると社会のなかで、たとえば皆が同じ規律を求めるので、そこに収まらない子どもがいじめられる。ほどほどに勉強ができるのでよければ、違う教科書を持っている子が同じものにそろえる必要はないですし、同じ教科書を使わなくても、たいして変わらないかもしれません。

洋服や鞄《かばん》、ファッションについてもすべて同じで、お互いに共有している部分がそれほど大きくなくても、「ほどほど」のコンセンサス（合意）で成り立つようになれば、働き方や生き方が多様になります。そのためにハードウェアやソフトウェアが導入されれば、それらが急に生活から取り除かれる可能性は低いでしょう。そういったハードウェア的に前進したもの、つまりテクノロジー的に前進した民主主義から生まれてくる未来への遺産《レガシー》は、これからの人の多様性や時間の使い方に直接跳ね返ってくるものではないかと思っています。

タン まさに、「ほどほど」が大事ですね。

落合 そう、「ほどほど」です。

落合編集長によるキーワード

■「ほどほど」のコンセンサス（合意）で、多様でいられる社会へ

落合　最後に、お聞きしたいことがひとつあります。
よく私は、「変わらないものってなんだろう」と考えます。自然のかたちも変われば、人のかたちも変わります。そのなかで「人」のもっともチャーミングなところはタンさんにとってどこでしょうか。

タン　ヒトは「賢人《サピエンス》」ですから、知恵ですね。

落合　なるほど、ありがとうございます。とても楽しかったです。

タン　こちらこそ、いい問いかけをありがとうございました。これからも知恵を振り絞っていきましょう。

オードリー・タンによるキーワード

■ヒトは「賢人《サピエンス》」。人間の魅力は知恵にある

特別編

2

「大回復《グレートリカバリー》」へのプロローグ

危機の直後のブレイクスルー、「新しい啓蒙」の意義

「ニューノーマル」に抑圧される日常。過去の検証の結果、戦争やリーマンショックなど世界的な危機の後にはブレイクスルーが起きていたことが判明。そこに回復のヒントが？　さらに「哲学界のロックスター」マルクス・ガブリエルと落合編集長が特別対談。困難を切り拓く「新しい啓蒙」について語ります。

2021.1.3（初回放送）

ワクチンのジレンマ、歴史、課題

——いま考えるべき「自然と人類」との関係

「ニューノーマル」からの回復をめざして

落合　この「特別編」のもとになっている「ズームバック×オチアイ　新春スペシャル」が放送されたのは、２０２１年１月３日。そのちょうど１年前の２０２０年１月３日、私はシンガポールにいました。元日は茨城県の大洗神社で初日の出を撮り、その後三重県の伊勢まで電車で移動して、今度は伊勢神宮で沈む夕日を見ながら写真を撮りました。２日は伊勢神宮で初詣をして、その夜の飛行機でシンガポールに向かい、３日にはシンガポールでマリーナベイ・サンズの社長と日本のＩＲについて対談……。コロナ禍の現在ではありえない動き方でした。

そのころ、「異変」に気づいていた人は、世界でもほんのわずかでした。「武漢市を中心に広がっていた未知のウイルス」の危険性について警告した中国の医師は、1月3日に「悪質なデマを流して社会秩序を乱した」として当局に処分されます。その医師は、2月7日に新型コロナウイルス感染によって亡くなりました。日本国内でも、1月16日に初めて新型コロナウイルスに感染した肺炎患者が確認されると、大型クルーズ船での集団感染など未曾有の感染症が引き起こすパニックが急速に広がっていきました。そして4月7日、国内初の緊急事態宣言が発令され、「異常」な事態は「新しい日常」になったのです。

落合　「ニューノーマル（新しい日常）」のなかでは、多くのことが抑圧されています。私たちはオフィスを便利にするツールはたくさん作ってきましたが、レクリエーションや連携、社会の連帯といったものをはぐくむツールは、デジタルでもまだ作り出すことができていません。社会への帰属意識が薄い人が大勢いる現在、大学に入学したけれど対面授業がないままの「ニューノーマル」世代の学生が、それまでの大学生と同じとは思えませんし、それはおそらく職場でも同じでしょう。そういった抑圧からどう大回復《グレートリカバリー》していくのか考えていく必要があります。

回復への道を探るべく、過去に見舞われた歴史的危機とそこから踏み出した「半歩先」の未来にヒントを探していきます。

ワクチンのジレンマ

最初に考えるのは、２０２０年から２１年へと進むなか、世界で最も話題となった「ワクチン」についてです。78・5億（２０２０年12月5日）、79・5億（２０２０年12月12日）、82億（２０２０年12月21日）。この数字は、新型コロナウイルスワクチンの「予約確保数」、各国政府が医療メーカーに予約した数です（bloomberg調査）。

次ページの地図で、日本をふくむ青色の部分は、国民全員に打てる量のワクチンをすでに確保している「ワクチン確保率１００パーセント以上」の国です。

２０２０年12月初めの時点で、予約確保されているワクチンは、世界全体で78・5億。数だけを見れば、世界全体の人口の77・9億（「国連統計」２０２０年12月5日時点）をカバーしています。しかし一方で、半数以上の国と地域の人は、ワクチン接種を受けられるかどうかわからないという、大きな格差が広がっていました。

しかも一般的にワクチンには、副反応と効果のどちらをとるかというジレンマもあります。「副反応」とは、ワクチンを打ったときに免疫以外に起きてしまう反応のことで、肌が腫《は》れる、熱が出るといったものから、重い障がいを引き起こしたり、最悪の場合は死にいたったりする

人口に対するワクチン確保率

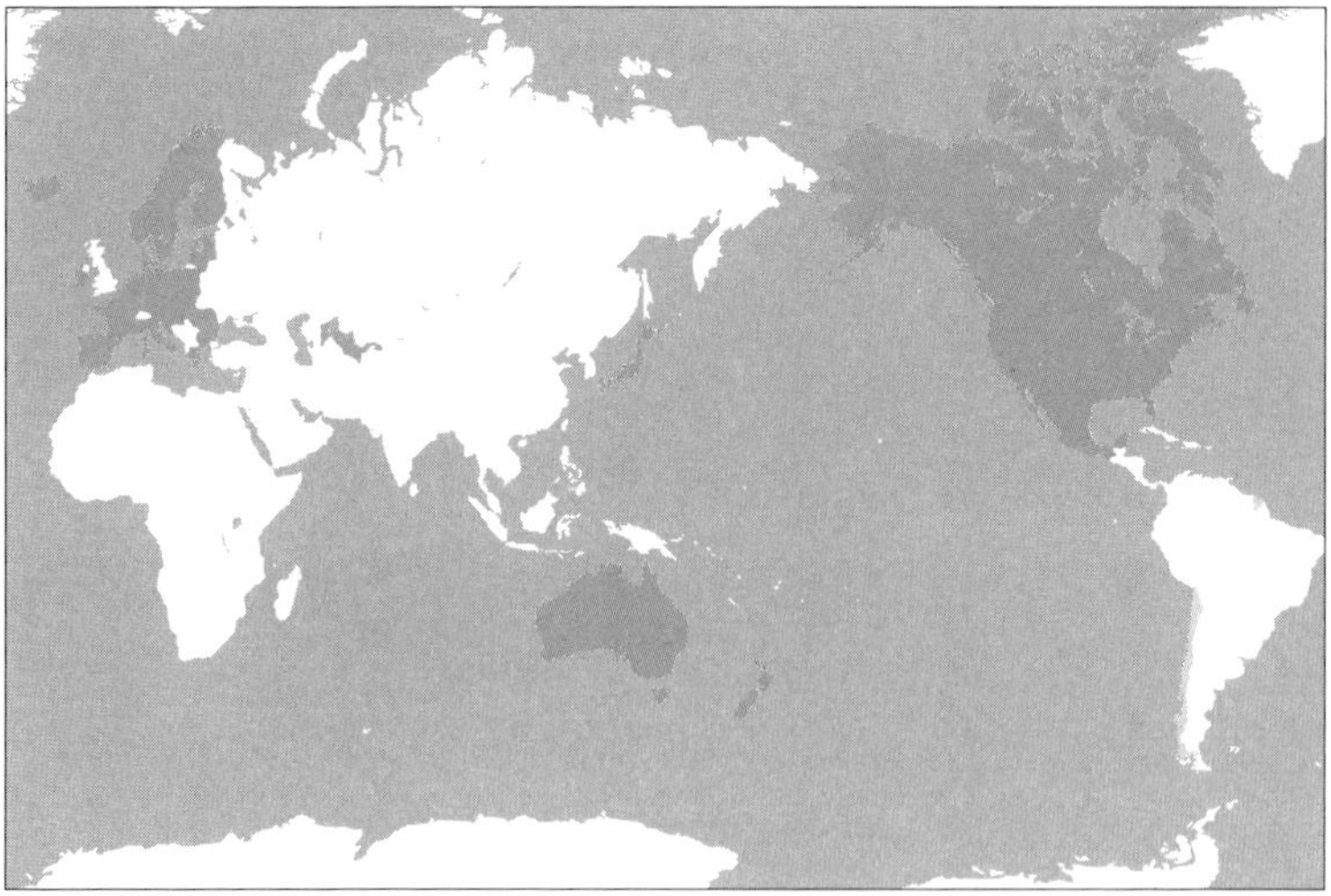

青色の国はワクチン確保率100%以上（2020年12月27日時点）
bloomberg調査より

ケースもあります。副反応のリスクを限りなく減らす医療的な努力はされていますが、ゼロにはできません。

日本で使われている新型コロナワクチンのうち、ファイザー社製とモデルナ社製のワクチンは、ウイルスの遺伝情報を解析して作る「メッセンジャーRNA（mRNA）ワクチン」です。これまで私たちが接種してきたワクチンとは免疫を獲得する仕組みが異なり、mRNAワクチンが一般に接種されるのは今回が初めてです。人類がいままで向きあったことのない「未知のワクチン」であり、いち早く接種が始まったアメリカやイギリスでは、重い副反応の例も報告されています。

落合　個人的には、副反応と効果のジレンマを感じつつ、ワクチンは「打たないといけない」と思っています。30代半ばという年齢を考えると、ワクチンを打たずにコロナに感染して死ぬ確率は低いかもしれませんし、副反応も重いかもしれません。本音を言えば、2020年末の段階ではそこまで積極的に打ちたいとは思っていませんでした。ただ、私が「少し怖いから打たない」と発言すれば、ほかの人の判断に影響があるかもしれませんし、「ワクチン打ってきたよ」というのが自分の仕事だと思っているところはあります。新型コロナウイルスは、克服していかなければならない病気です。社会全体を守るためにワクチンを打たなければならないなら、その要求には従って、先陣を切って打つのが私のスタンスです。

ワクチン接種には、感染すると命に関わる人や感染しやすい人を守るためという意味合いが多分にあります。ただ、ひとりの人間として考えると、自分の人生で自分の身体なわけですから、そこで起きる副反応は何よりも重いものです。それでも社会全体としては、コロナで亡くなる人の数と重い副反応を起こす人の数を比べて、亡くなる人の数を減らすほうを良しとするなら、それは「正義と正義の闘い」と言えるのではないでしょうか。

ジレンマと向きあう

たくさんの人が打ち、免疫を持つことでウイルスの感染自体を減らすことができる。しかし、予防のために接種したにもかかわらず、重大な副反応を起こす可能性もわずかながらある。この「ワクチンのジレンマ」と、61年前に真正面から向きあった人々がいました。

ズームバック

小児麻痺「生ワクチン」緊急輸入

1960年、北海道を中心にポリオが大流行しました。ポリオ（急性灰白髄炎）とは、ウイルスによって急性の麻痺《まひ》が起こる病気です。感染性が高く、とくに5歳未満の子どもが感染しやすいため、日本では一般に「小児麻痺」とも呼ばれます。

当時日本で認可されていたポリオのワクチンは、サルの腎臓を使う「ソークワクチン」だけでしたが、量産が困難だったことから深刻なワクチン不足に悩まされていました。アメリカやソ連では、量産しやすく口から飲むだけの「生ワクチン」の接種が行われていましたが、日本では「効果や安全性が確認されていない」（『厚生白書』1960年度版より）として導入が見送られていました。日本でのポリオ感染拡大を知ったソ連からは10万人分の生ワクチンが贈られました。しかし、当時の厚生省は「未承認薬品」として輸入を拒否します。自衛隊によるＤＤＴ（殺虫剤）散布や石灰散布で対応したものの、感染拡大は止まりませんでした。

■生ワクチン緊急輸入へ

ポリオ大流行という「危機の翌年」の1961年、事態が大きく動きます。全国の母親たちが国会で早急なワクチン輸入を陳情したのです。当時の男性社会には、「母親と子ども」の組み合わせによる訴えは、大きなインパクトを与えるものでした。

母親たちが連日政府と交渉を重ねた結果、この年の4月、当時の古井喜実厚生大臣は党内の反対を押し切って生ワクチンを緊急輸入する方針を決めました。日本の治験を経ずにソ連から生ワクチン1300万人分が輸入され、これを機にポリオの流行は一気に沈静化します。

生ワクチンの輸入を求めるデモ
提供:朝日新聞社

異例の決断をした古井大臣は「予想外の副反応が出たらどうするのか」という問いに対し、「平常時守らなければならぬ一線を越えて行う非常対策の責任はすべて私にある」と答えました。

落合　古井大臣の答えで最も印象的なのは「責任はすべて私にある」という言葉です。事態が堂々めぐりになったり、停滞したりしたとき、「責任はすべて私にある」と動ける人をどれだけ作れるかは、政治や社会にとって重要なことではないでしょうか。事態を動かす人を作るためには、危険を承知で自らリスクをとりにいった人を周囲が理解し、評価する必要があります。事なかれ主義では事態が動きませんし、世の中には八方よしなものはほとんど存在しません。未経験なことは、なおさらそうです。それにどう向きあうかが大切ですし、自分が「リスクをとった人を批判するだけの人間」になっていないかにも注意しなければならないでしょう。

■人類最初のワクチン

たとえワクチンができても、病との闘いには時間がかかります。「184年」。これは人類最初のワクチンである天然痘《とう》ワクチンが開発されてから、天然痘の根絶までにかかった年数です。人類最初のワクチン開発のヒントはどこにあったのか。なぜ根絶までに長い時間を要したのか。それを知るために、今度は天然痘ワクチンが誕生した18世紀まで遡ります。

ズームバック

天然痘ワクチンの開発とジェンナーの警告

1796年、イギリスの医学者エドワード・ジェンナーは、当時致死率4割にのぼっていた天然痘の治療に取り組んでいました。ジェンナーは、乳しぼりをしている女性は牛から感染する「牛痘《ぎゅうとう》」にはかかっても天然痘にはなりにくいことに着目。実証のため、ひとりの少年の腕に傷をつけて牛痘の膿《うみ》を接種し、それからしばらくして天然痘の膿を接種します。

この実証は成功し、牛痘の膿を接種された少年は、天然痘を発症しませんでした。ジェンナーは、ラテン語で「牛」を表す「ヴァッカ（Vacca）」から種痘を「ワクチン（Vaccine）」と名づけ、人類最初のワクチンが誕生したのです。

しかし、人類が天然痘を根絶できたのは、1980年5月（WHO「天然痘根絶宣言」による）。ジェンナーのワクチン完成からじつに184年後のことでした。「体が牛になる」というデマによりワクチン接種が広がらなかったこともありますが、根絶までにこれほどの時間がかかった最大の要因は、開発と侵略による感染地域の拡大でした。中米のアステカ帝国も、南米のインカ帝国も、滅びてしまった大きな原因は、侵略者である西洋人が天然痘を持ち込んだことにありました。人間の移動によってウイルスは世界中に拡散され、感染者の発見と治療に膨大な時間を要し

天然痘の治療に取り組んだ医学者エドワード・ジェンナー（1749〜1823）

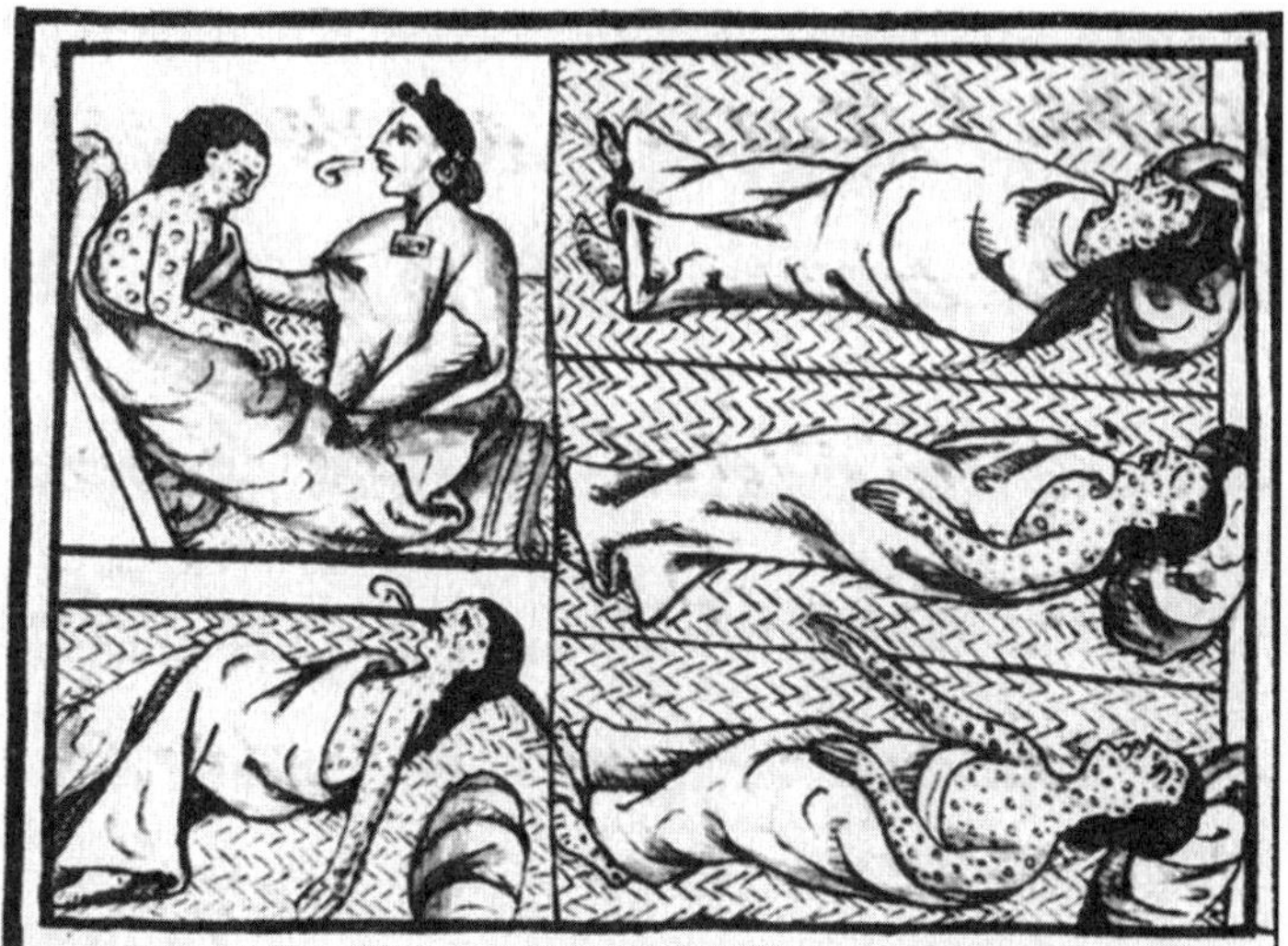

天然痘に感染したアステカ人（1585年）
写真：Alamy/PPS通信社

たのです。

そんな未来を予見していたのか、ワクチンの父・ジェンナーは次のような言葉を残しています。

――病の本来的な原因はヒトが本来住むべき環境から逸脱していることにある。病になるのは、無駄に飾り立てたため、過ぎた贅沢をしたため、快楽に溺れたため。

地球により負担をかけない生き方

ジェンナーの警告は、いまも人類を苛《さいな》みつづけています。2016年、ロシアの永久凍土が温暖化で溶け、埋まっていたトナカイの死骸から炭疽《たんそ》菌が流出。地元の村で集団感染が起きました。エイズ、エボラ出血熱、ジカ熱などのウイルスは、いずれも森林の過剰な伐採や野生動物のいき過ぎた捕獲によって人間界に侵出したと言われています。そして、新型コロナウイルスもまた、自然界から「あふれでた」ものだと考えられています。次から次へと登場する新たなウイルスを前に、ワクチンの開発は人類の急務になりつつあります。

落合　都市構造のなかで安定的に暮らしていくため、人間は自然と対峙し、川を埋め立てたり、木を切ったり、土をコンクリートで舗装したりしてウイルスや病原体を遠ざけてきた歴史があります。闘う対象はわれわれと同じ社会の内側に存在しているわけですから、ウイルスや病原体といったその「自然」が社会のなかに入り込んだとき、人類が自然を切り離すプロセスはきわめて難しいものになるでしょう。

温暖化をはじめ、環境破壊はさまざまなかたちで人類をおびやかしています。2020年、各国政府は「ガソリン車撤廃」「二酸化炭素排出量削減」など、新しい環境政策を一斉に掲げました。いま人類には、地球環境により負担をかけない生き方、新しいウイルスを呼び込まない生き方が求められています。

日本は、比較的環境政策を実行しやすい国だと思います。レジ袋も有料になりましたし、いまに本当にガソリン車は姿を消し、「あの人まだガソリン車で走っているんだって」と驚かれる時代が来るかもしれません。

これまでは、多くの人が「環境負荷を減らす」ことは「経済活動を停止する」のと同じ意味だと考えていました。しかし、これからは世の中に対してある程度「良いこと」をしようと思うなら、それに役立つ経済活動を支援することも大切でしょう。間接的な支援であっても、意外と世の中を変える力はあるものですから。

自分たちの行動自体を変えなければ、問題は解決しません。ジェンナーの警告から約200年。いまこそ私たちは「自然と対峙せず、自然と調和する」道へと大きく踏み出すことが求められています。

落合編集長によるキーワード

■自然と対峙せず、自然と調和する

落合編集長おすすめの1冊

環境や経済について
考え直すために

イギリスの経済学者であるエルンスト・フリードリッヒ・シューマッハー(1911〜1977)が1973年に刊行した『スモール・イズ・ビューティフル』。その第4章の章題にもなっている「仏教経済学」は、シューマッハーによって提唱された経済学です。シューマッハーは仏教に「木を植えて、成長を見守れ」という教えがあることに注目し、西洋の経済との違いをこう説きました。

> 仏教経済学は、一定の目的をいかにして最小限の手段で達成するかについて、組織的に研究するものである。
> 現代経済学では、再生可能の物質と再生不能の物質とを区別しない。
> 仏教経済学者にいわせれば、もちろんこれでは駄目である。
> 再生不能財は、やむをえない場合に限って使うべきもの。
> (E·F·シューマッハー『スモール・イズ・ビューティフル』小島慶三、酒井 懋訳、講談社学術文庫)

この本が出版されてから6か月後の1973年10月、シューマッハーが本書のなかで警告したオイルショック(第一次石油危機)が現実のものとなり、事態を予言した「警告の書」とも呼ばれました。環境や経済を考え直し、新しい社会への道を探るうえでおすすめの1冊です。

ブレイクスルーから「大回復」の道を探る

――「危機の後」の教え

危機の翌年の「変化」

人類は、長い歴史のなかでさまざまな危機を乗り越えてきました。一方、危機の後、とくに翌年には何度も劇的な変化が起きています。過去の「危機の翌年」に注目し、そこで起きた3つの「ブレイクスルー」を見ていきます。

ズームバック

世界恐慌翌年、「職業婦人」の登場

日本初の女性専用アパート「大塚女子アパート」
提供:朝日新聞社

最初は、「ジェンダー（社会的・文化的につくられた性別）」のブレイクスルーです。危機の翌年に注目すると、女性の社会進出が一気に進んでいることに気づきます。たとえば、1929年に起きた世界恐慌では世界が未曾有の不況に陥りましたが、その翌年の1930年、都会で「職業婦人」が激増しました。それまで女性は「学校を卒業したら花嫁修行」というのが一般的なライフスタイルでしたが、不況で世帯収入が著しく低下し、父親や夫の収入に頼らずに働こうとする女性が増えたのです。

そうした働く女性たちのために東京都文京区大塚に建てられたのが、日本初の女性専用アパートでした。「大塚女子アパート」は鉄筋コンクリート5階建てで、当時まだ珍しかったエレベーターや浴室、水洗トイレも完備していました。月収50円（現在の40万円程度）以上を入居条件とするハードルがありながら、１５０戸が即満室になり、働く女性たちの「城」となりました。

■終戦翌年の男女普通選挙

「職業婦人」の台頭から15年後、太平洋戦争が終結します。終戦の翌年の１９４６年にも、女性たちは社会で大きく存在感を増します。この年行われた戦後初めての衆議院議員選挙で、戦前は男性にしかなかった選挙権と被選挙権が初めて女性にも認められたのです。日本初の男女普通選挙となったこの選挙では、女性が投票所に殺到し、39人の女性議員が誕生しました。これは女性立候補者82人のおよそ半数にあたり、２００５年に更新（43人）されるまで約60年、１回の衆議院議員選挙で当選した女性議員数の最高記録でありつづけました。

世界恐慌と終戦という2度の危機の翌年には、明らかな女性の社会進出が起きていました。では、２０２１年はどうなるのでしょうか。

ここで、あるデータを紹介します。テレワークに移行すると、日本人の労働時間の変化は１・

テレワークを継続したいか？

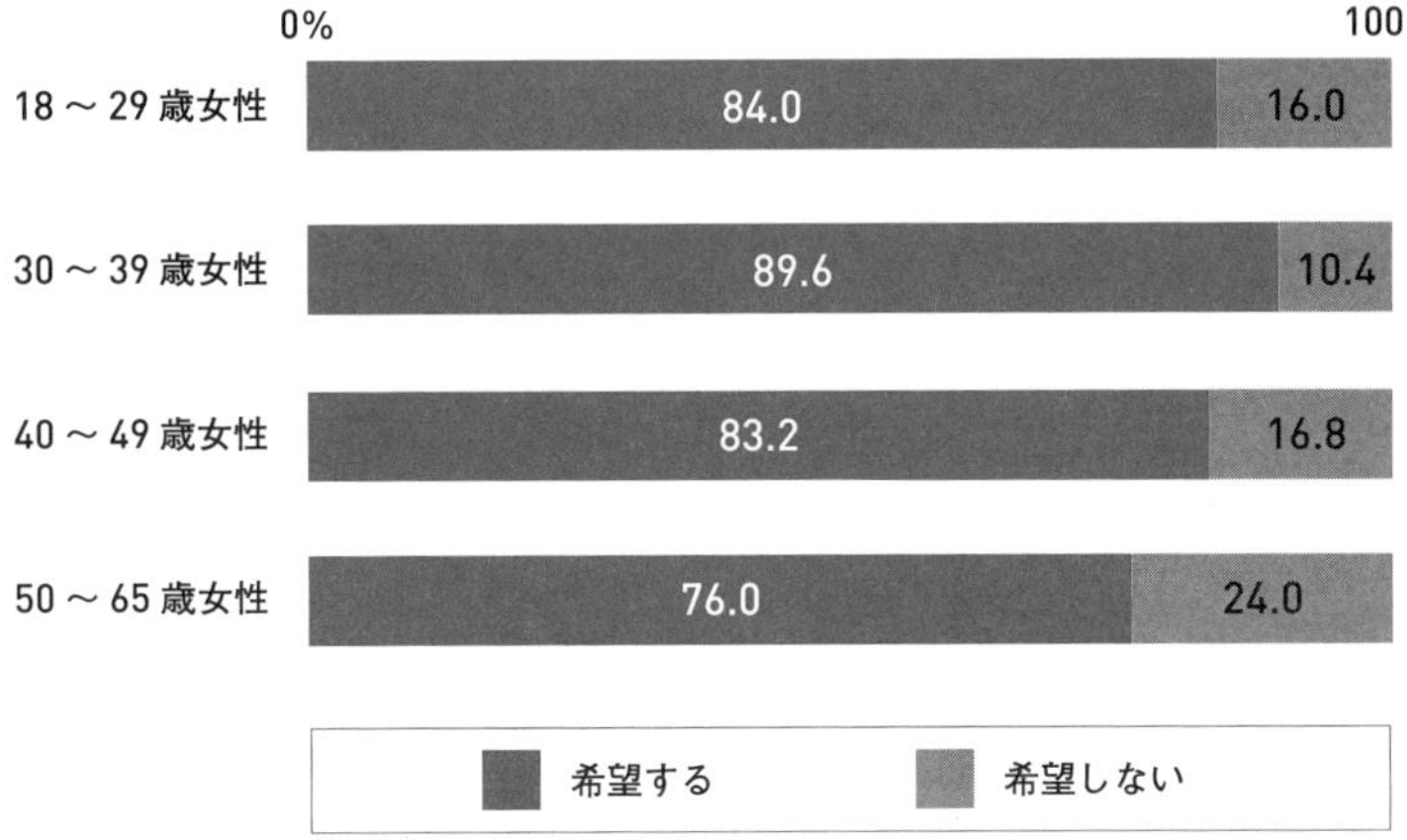

連合調べ（単一回答形式）

5時間程度変化すると言われていますが（2020年。内閣官房日本経済再生総合事務局、基礎資料，第42回未来投資会議配布資料）、「1・5時間」は1941年から2006年までの労働時間の変化に匹敵します（黒田祥子「日本人の余暇時間――長期的な視点から」日本労働研究雑誌2012年8月号）。

1942年と2006年の時間の使い方を比較すると（142ページのグラフ参照）、働く時間が増え、休みが減ってきたことがわかります。一方、2019年と2020年を比較すると、2020年にはコロナ禍のわずか1年間で働く時間が減り、休みが増えるという真逆の変化が起きています。多くの業種で在宅勤務やテレワークが浸透し、通勤や移動の時間が激減したことで、人々の働き方が大きく変わったのです。

連合の調査によると、テレワークを今後も「続けたい」と答えた女性は8割以上いました。コロナ禍は

1941年と2006年の労働および余暇時間の変化

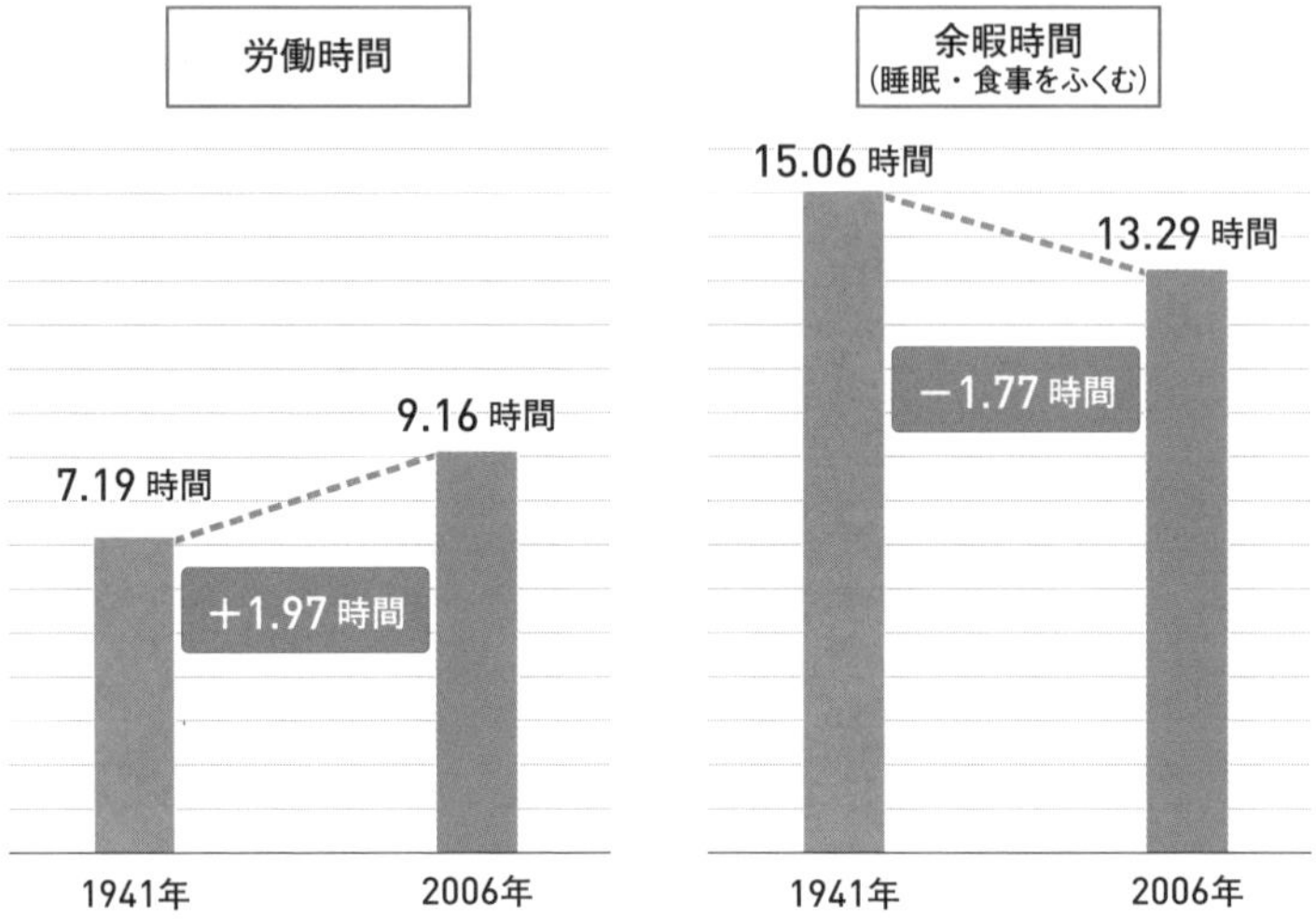

日本放送協会／総務省調べ

2019年と2020年の労働および余暇時間の変化

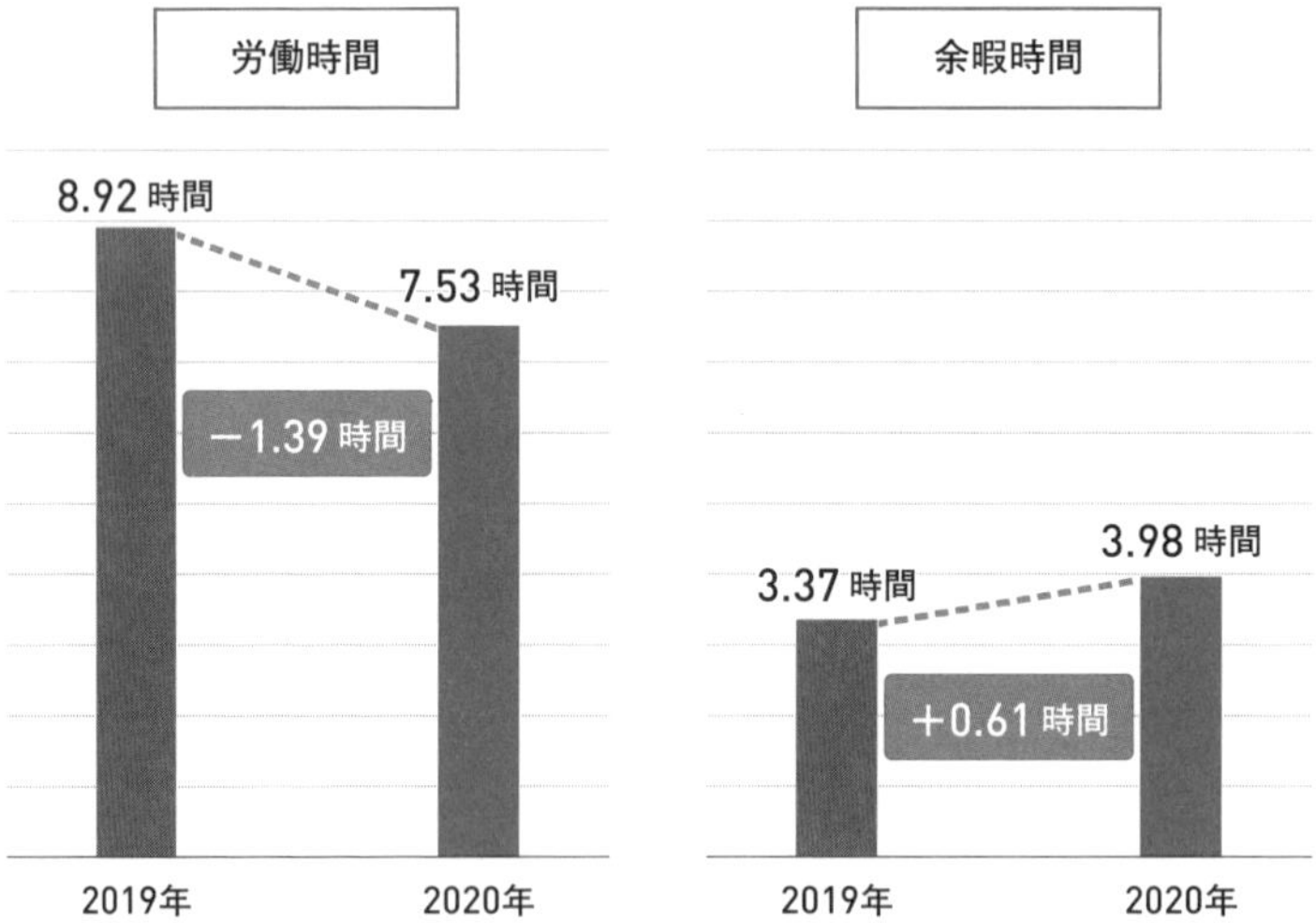

リクルートワークス研究所調べ

人々の意識を変え、女性の働き方も大きく変えようとしています。

オードリー・タンによる「危機の後のジェンダー」

ジェンダーについて、コロナ対策の成功で世界の注目を集める台湾のIT担当閣僚オードリー・タンさんにもお聞きしましょう。自身もトランスジェンダーであるタンさんが考える、危機の後のジェンダー像とはどのようなものでしょうか。

タン　新型コロナウイルスが明らかにしたのは、危機の前では男も女も関係ないということです。病には誰だってなる。敵が迫っているのに、こっちが窮屈なまま対応する必要はありません。もう「男が上」とか「女が上」とか、左翼とか右翼とか関係ない。皆で上を目指すときです。台湾はいま政府内のあらゆる部署で、ジェンダーのバランスにとても気を配っています。でもそれは以前の不公平の「罪滅ぼし」ではない。どの性にも偏らないことで、出てくる政策のインパクト、種類がまったく変わるからです。

落合　日本のジェンダー指数*は最低レベルです。それを考えると、パラダイムが変わったタイミングで、ジェンダーのバランスを良くしていくことを考えたほうがいいと思います。結果的にです

＊世界経済フォーラムによる「ジェンダーギャップ指数」のこと。各国の男女の格差を数値化したもので、教育・経済・保健・政治の４部門を評価する。２００６年から毎年発表されており、日本は２０２０年が１５３か国中１２１位、２０２１年が１５６か国中１２０位で、先進国のなかで最低レベルとなっている。

が、大きな外圧あるいは内圧によって社会が変わろうとしていることは、好意的に受け止めたいですね。いままでと違ったことをしないといけない、社会は弾力性を持たないといけないという流れになるのは、いいことだと思います。

オードリー・タンによるキーワード

■男が上でも女が上でもなく、「皆で」上を目指す

危機から生まれたイノベーション

次に、危機の翌年に起きた第2のブレイクスルー「イノベーション」について見ていきます。危機のなかでは、当たり前のことが「当たり前」ではなくなります。そのようなとき、思いもよらないイノベーションが生まれていたことがわかりました。

ズームバック

リーマンショック後に登場したブロックチェーン

2008年、アメリカの不動産市場の崩壊から始まったリーマンショックは、世界経済に大きなダメージを与え、資本主義への信頼が揺らぐほどの事態へと発展しました。その翌年の2009年、世界にまったく新しい「お金」が生まれます。謎の人物「サトシ・ナカモト」が発案した、どの国にも属さない仮想通貨ビットコインです。貨幣に必要な「信用」を暗号化技術・ブロックチェーンによって担保するビットコインのシステムは、「お金」の危機が引き起こした貨幣の〝イノベーション〟でした。

■オイルショック後のイノベーション

ビットコインの登場から遡ること36年。1973年、第4次中東戦争をきっかけに世界中が石油不足に陥るオイルショックが起き、石油輸入国である日本は重大なエネルギー危機に直面しました。

しかし翌1974年には、エネルギーの一大イノベーション「サンシャイン計画」が始まります。サンシャイン計画は、化石燃料に頼らずにエネルギーを確保し、公害のない社会づくりを進めるなど、環境問題の抜本的な解決を目指していました。約5000億円の国費を投入して太陽光、地熱、風力、水素エネルギーなどあらゆる自然エネルギーの研究が企業とともに進められ、この計画で生みだされた充電型の水素電池などの技術は、現在世界中が推し進める再生可能エネルギー開発の礎になっています。

落合　危機のなかではイノベーションは生まれやすくなります。コロナ禍以前は、「社会は変わらないんじゃないか」という〝圧〟がかなり大きかったように思います。しかし、コロナ禍をきっかけにリモート会議やリモート教育などデジタルなコミュニケーションは、一気に活性化しました。東京オリンピックは社会にこれまで以上の「デジタル」をもたらすだろうと予測されていましたが、2020年にあるはずだったオリンピックで起きたであろう変化より、はるかに大きく日本社会は「デジタル」に移行しています。

しかし一方で、お花見、お祭り、忘年会といった身体性《フィジカル》を伴うコミュニケーションの機会は、根こそぎ奪われています。祭りやイベントなど社会における「祝祭性」をどう維持していくのかについては、考えなければならない問題でしょう。テクノロジーが進化し、優れた会議システムは生まれていますが、祭りやフェスで解放されるような人間の衝動的な性質へのケアは手つかずの状態です。身体性から生まれる人間の「野生」のようなものを解放する祝祭の維持は、無視してはいけないテーマだと思います。

落合編集長によるキーワード

■身体性《フィジカル》の喜びを取り戻す

「革命」のチャンス

危機の翌年に起きる3つめのブレイクスルーは、「レボリューション（革命）」です。危機に直面すると、それまで当たり前のように受け入れていた権威や常識が大きく揺らぎます。一方でそれは、すべてを変える「革命」のチャンスとも言えます。このブレイクスルーが起きたひとつの例として、1929年の世界恐慌の翌年にインドで起きた革命運動を振り返りましょう。

ズームバック

インド独立への革命運動「塩の行進」

「塩の行進」で海に向かって行進する人々
写真：Alamy/PPS通信社

1930年、インドで「塩の行進」という一風変わった名前の革命運動が起きました。当時イギリスの植民地だったインドでは、塩は専売制がとられ、民間での販売が禁じられていました。そして塩の専売による利益は、世界恐慌後の不況にあえぐイギリスにとって貴重な収入源でした。

この専売制に対し、インド独立運動の指導者マハトマ・ガンディー（1869〜1948）は「塩は自然の恵みであり、外国政府が独占すべきものではない」と反発します。

塩をイギリスから買うことをやめ、かつてのように自分たちで海水から作ろうと、ガンディーたちは海に向かって長いデモ行進を始めました。最初は78人だった参加者は、数千人にまで拡大していきます。
非暴力・不服従を象徴するこの大規模なデモ行進は、インド独立への大きな足がかりとなったのです。

落合　ガンディーたちが塩を「手作り」したことに、日本が2021年に起こすべき「革命」の可能性が見えてくるように思います。日本にとっての「塩の行進」は、「テクノロジーを取り戻す」ことにあるでしょう。

かつて「技術立国」と呼ばれていた日本ですが、いまやスマートフォンやタブレット端末などの主要IT製品の多くがアメリカ製や中国製です。この30年間で世界経済の構図は一変し、世界中の富がアメリカと中国のIT企業に集中しています。

もしiPhoneの画面上ですべてのモノを買い、iPhoneの画面を通じて幸せを築く生活を送っている人がいるとしたら、その人はおそらく税金以上の金額をアップルに〝納めて〟いるのかもしれません。そういう人生の幸せもあるかもしれませんが、GAFA（グーグル、アマゾン、フェイスブック、アップル）に取られてしまうのに違和感を覚える人もいるでしょう。こうした現状にどのような「革命」を起こしていけるのでしょうか。

結論としては、フェイスブックのようなSNS、グーグルのような検索システム、マイクロソフトのワードのようなソフトウェアを皆で発明すればいい、ということだと思います。自動車メーカーは世界各国にあって製造も多様であるように、ローカルのITサービスがもっと力を取り戻す手立てはいろいろあると思いますし、きっとそれを次の10年でやっていくことになるでしょう。

グローバルではない、そうした「ローカル」の技術革新について、オードリー・タンは次のように語っています。

いまはテクノロジーに使われている「言語」が限られすぎています。人類の新たな発明の可能性が、限られた国の言語に絞られてしまうのはもったいない。

もう世界規模に展開する必要はありません。ローカルごとに技術開発して「あそこのあれはいい、こっちでも使えるな」と思ったら、デジタルなら会わずとも一瞬で共有できます。パンデミック後の技術革新は、そうした「ローカルの知恵の重なりあい」によって切り拓くべきです。

落合　要は「いま私たちの周りにあるテクノロジーを、明日から自前で作ることができるか」という

世界時価総額ランキングTOP20

1989年

順位	企業名	時価総額（億ドル）	国名
1	NTT	1,638.6	日本
2	日本興業銀行	715.9	日本
3	住友銀行	695.9	日本
4	富士銀行	670.8	日本
5	第一勧業銀行	660.9	日本
6	IBM	646.5	アメリカ
7	三菱銀行	592.7	日本
8	エクソン	549.2	アメリカ
9	東京電力	544.6	日本
10	ロイヤルダッチ・シェル	543.6	イギリス
11	トヨタ自動車	541.7	日本
12	GE	493.6	アメリカ
13	三和銀行	492.9	日本
14	野村証券	444.4	日本
15	新日本製薬	414.8	日本
16	AT&T	381.2	アメリカ
17	日立製作所	358.2	日本
18	松下電器	357.0	日本
19	フィリップ・モリス	321.4	アメリカ
20	東芝	309.1	日本

ダイヤモンド社のデータをもとに作成

2019年4月

順位	企業名	時価総額（億ドル）	国名
1	アップル	9,644.2	アメリカ
2	マイクロソフト	9,495.1	アメリカ
3	アマゾン・ドット・コム	9,286.6	アメリカ
4	アルファベット（グーグル）	8,115.3	アメリカ
5	ロイヤル・ダッチ・シェル	5,368.5	オランダ
6	バークシャー・ハサウェイ	5,150.1	アメリカ
7	アリババ・グループ・ホールディングス	4,805.4	中国
8	テンセント・ホールディングス	4,755.1	中国
9	フェイスブック	4,360.8	アメリカ
10	JPモルガン・チェース	3,685.2	アメリカ
11	ジョンソン・エンド・ジョンソン	3,670.1	アメリカ
12	エクソン・モービル	3,509.2	アメリカ
13	中国工商銀行	2,991.1	中国
14	ウォルマート・ストアズ	2,937.7	アメリカ
15	ネスレ	2,903.0	スイス
16	バンク・オブ・アメリカ	2,896.5	アメリカ
17	ビザ	2,807.3	アメリカ
18	プロクター・アンド・ギャンブル	2,651.9	アメリカ
19	インテル	2,646.1	アメリカ
20	シスコ・システムズ	2,480.1	アメリカ

Yahoo!ファイナンスのデータをもとに作成

話になります。そして私は案外、作れるかもしれないと思っています。そういう希望や、自分が使うものは自分で作るという「民藝《みんげい》」的な精神を、私たちは忘れてはいけないと思います。し、著作でもテクノ民藝的な動きをいままで取り上げてきました。自生している竹を切ってきて水差しを作るように、ローカルの〝畑〟で作られた液晶ディスプレイを〝収穫〟してきてスマホを組み立てるくらいのことはあってもいい。足りないものは皆で作ればいいのではないでしょうか。

落合編集長によるキーワード

■ 民藝×革命

特別対談

マルクス・ガブリエル×落合陽一

「哲学界のロックスター」と考える「新しい啓蒙」

いま、哲学界に旋風を巻き起こしているひとりの哲学者がいます。マルクスやニーチェも学んだドイツの名門ボン大学の哲学科で、史上最年少の29歳で教授に就任したマルクス・ガブリエルです。痛烈で歯に衣着せぬ語り口から「哲学界のロックスター」の異名を持つガブリエルと落合編集長が「大回復」を果たすための方策を語りあいます。

――新型コロナウイルスが感染拡大する2020年末、メルケル首相が「多くの人と接触することで、祖父母と過ごす最後のクリスマスになってはならない」と、国民にクリスマス前の外出自粛を呼びかけました。ふだんは冷静なメルケル首相が感情をあらわに強く訴えたこのスピーチは、世界的に大きな注目を浴びました。

ガブリエル　すばらしい演説だったと思います。でもあれは同時に、政治の「限界」を示したものでもありました。

「科学者の声を聞こう」* とメルケル首相は言っていましたが、科学者の声が「本当に」届いていたら、ドイツのロックダウンはあと2か月早く始まっていたはずです。

私は、メルケル首相の側近で科学アドバイザーを務めるカール・ローターバッハ議員と頻繁に話をしています。彼は国会議員であると同時に感染症の専門家ですが、「ロックダウンは本当は2か月前にやらなければならなかった」と悔やんでいた。その根拠や数字を聞いて、私も納得しました。

でも実際は、政府や各地方自治体は経済を優先させ、クリスマスショッピング用に店を開けていた。それで結局、クリスマス直前に店を閉めるはめになったのです。

この遅れた2か月で、2万人もの死者が出てしまいました。科学は「式」と「答え」を持っていても、その「式」が成立するときに実行しなければ、意味はありません。

落合　2020年の世界を見ていて、人々の意思決定に対して、エビデンス（科学的証拠）があったり論理的な結論が出ていたりするものが及ぼす影響が「少ない」という点は、とても重要だと思っています。リーダーたちは、結論が正しければ皆が従うと思っているのでしょう。でも、そんなことはまるでなかった、ということを日々突きつけられています。

ガブリエル　そうですね。私はドイツのやり方が「反科学的だ」と言っているわけではありません。メルケル首相は物理学の博士号も持っています。ただ、「科学だけ」では機能しない。民主主義においては、経済も大事ですから。

科学も、民主主義も、それだけでは不十分です。事態を切り拓くには「ニュー・エンライトメント（新しい啓蒙）」しかありません。

■「新しい啓蒙」の意義

――民主主義も科学もうまく機能しないなかで求められるという「ニュー・エンライトメント」。「エンライトメント（enlightenment）」は「啓蒙」「悟り」とも訳されますが、コロナ禍の現在、この「新しい啓蒙」はどんな意味を持つのでしょうか。

ガブリエル　「新しい啓蒙」とは、「ある人が、次にどうすべきか自分で気づくよう促す」ことです。そのためには、誰も「排除しない」ことが大事です。

今朝も私は、12歳から16歳ぐらいの子たちがマスクをしないで、タバコまで吸っているのを見かけました。だから、こう言ったのです。

「今日1000人が死のうとしているときに、きみたちをそのままにはしておけない。きみたちの誰かひとりでも感染するのを避けたいし、誰かひとりでも無症状の感染者になって、ほか

＊国民へのスピーチの前、ドイツ国立科学アカデミーは「絶対に必要な接触以外は本当に回避すべき」とメルケル首相に進言した。

「新しい啓蒙」の意味を語る哲学者マルクス・ガブリエル

の人にうつしてしまうのを避けたい。だからいますぐやめたほうがいい」
彼らはすぐにバツの悪そうな顔になって、「悪かった」と言いました。
この行動では、私に勇気があるように見えますが、「新しい啓蒙」とは、相手自身が気づくこと。気づくまであきらめないことが大事です。彼らは、エイリアンではないのですから。

落合　エイリアンではないし、彼らにもソーシャルケアは絶対に必要です。誰も排除しないことを忘れてはいけないし、議論のテーブルは常に用意しておかねばなりません。

ガブリエル　そのとおりです。ウイルスは、科学や政治の手の届かない暗闇にまで来てしまいます。その暗闇に光を照らし、「気づく」人を増やしていくことが大切です。

落合　互いに「気づき、気づかされる」関係が「新しい啓蒙」だとして、日本にこの「気づき」をもたらしていくにあたって、気がかりなことがあります。

日本では「恐怖による個人的倫理観の高まり」のようなものがすごく顕著だと思っています。自粛警察、マスク警察などいろいろな人がいました。たとえば街のなかでマスクをつけていないと、テレビの取材スタッフが近寄ってきたり、ＳＮＳに載せる写真を撮られたりすることもありました。

私は「ディストピア＊」という言葉をよく使いますが、非常に監視社会的なもの――それは政府が権力として監視しているわけではなく、個々人が個々人に対して監視をしている、そういった「個人による監視社会」に対して、どう警鐘を鳴らしつづけていくべきでしょうか。

ガブリエル　ヨウイチは最も大事な点を指摘してくれたと思います。

「新しい啓蒙」の目的は「悪者探し」ではなく「改善」です。マスクをしていない状態からマスクをしている状態に「改善」することは大事ですが、わざわざ写真に撮ってそれをインターネット上にさらす必要はありません。マスクをしていないのはいけないことですが、それを撮影することも同じくらいいけないことです。

改善が伴わないことは、やっても時間の無駄です。ただ気づかせる。それだけでいいのです。

「そんなのは役所や警察の仕事だ」と言う人もいます。でも役所や警察では足りないほど、い

＊ユートピアの反義語で暗黒世界のこと。小説や映画では政府の徹底的な管理下に置かれた自由のない社会として描かれる。

まは問題が広がっています。それに、個人の行動をすべて公権力にゆだねてはならないことは、われわれは過去の経験からよく知っているはずです。

そういう点で、じつは日本こそ「新しい啓蒙」が芽生えているように思います。ほかの国のように厳しく法律で行動を制限することなく、これだけ感染の拡大を防いでいる。欧米の人はよく「日本人には個性がない、集団で同じ方向を向いている」などと言いますが、そうではありません。「他人に迷惑をかけない」という考え方は、いま世界に最も求められるものです。日本は、個人個人が高い「倫理」をすでに持ちあわせていて、それが「文化」になっています。だからあとは「気づき」で満たしていくだけです。間違っている人を見捨てず、改善を繰り返していく。そうすれば、パンデミックを最初に克服する世界の大都市は東京になるかもしれません。日本が世界の手本となれるか、これからが楽しみです。

マルクス・ガブリエルによるキーワード

■「新しい啓蒙」が世界をアップデートする

落合　その「倫理と文化によって成り立つ国」が、早くウイルスに勝てるように願います。そして、同じ倫理と文化を「輸出」できることを。民主主義自体がテクノロジーによる発明品であり、それが世界中に輸出されたと考えている人はそれほど多くはありませんが、私自身はそう思っています。民主主義を輸出するように、たとえば新しい倫理なり、エコシステムを支えるような文化なり、考え方なりを輸出するという思想は、とても面白いと思います。

ガブリエル　そのとおりです。ドイツと日本の私たちはかつて戦争の痛みを国民に強いた経験から、戦後、ひと握りの人が富むのではなく、皆で豊かになる福祉国家を築こうとしてきました。その「倫理」と「文化」の意義を、ほかの国にも伝えていきましょう。

マルクス・ガブリエルによるキーワード

■大切なのは「倫理」と「文化」

■「寡占」を変えるチャンス

――ガブリエルさんは今、その倫理と文化の「輸出先」としてアメリカをあげています。いまはアメリカのデジタル企業による「寡占」に異議を申し立てるチャンスなのでしょうか。

ガブリエル　バイデンが大統領になったからといって、アメリカが変わることはありません。それは幻想です。「ネット空間を公平にする」なんて言葉は、アメリカからは出てきません。経済力や軍事力でエゴを押し通してきた国に対して「倫理」や「文化」の価値を示すことができるのは、いましかありません。病からの解放とともに、デジタル世界のアンバランスを是正する——それが２０２１年、私たちが踏み出すべきところだと思います。

落合　そういった観点に対して、アメリカのＩＴ帝国、ある意味帝国主義とも言えるような部分に対して、諸外国が対話をどう始めていくかは考えなければならないでしょう。結果的に中国とアメリカという二大帝国になってしまうのかもしれませんが、ここに対するヨーロッパと日本の立ち位置はきわめて似ているように思います。ですから、個人が持っている「倫理」をきちんと提供したり考えたりしないといけないと、お話を聞いて思いました。

——世界の不均衡に、倫理と文化で立ち向かうという大それたことができるのでしょうか。

落合　「信じきる力」が大切です。ネガティブでいることや、物事を考えないことを格好いいと思いだしたらおしまい。ネガティブな考えが頭をよぎってもいいですが、「よぎっても口に出さない」のは、意外と重要なことです。短絡的に結論を急いだり、空気を作ったりすることはときに犠牲を生みます。
対談中、ガブリエルさんは第二次世界大戦中のナチスの事例について話しませんでしたが、それはナチスを無批判に受け入れているわけではありません。あえて口に出さず、最悪の場合の想定が喉元までできているような状態で話していたのです。社会は良い方向にしかいかないと信じるかどうかだとしたら、私は良い方向にしかいかないと思っています。

落合編集長によるキーワード

■社会は「良い方向にしかいかない」と信じる

第2部

「大回復《グレートリカバリー》」への道

【社会編】

繰り返される緊急事態宣言。一度は収束に向かうかにみえたコロナ禍はふたたび勢いを増しました。

落合

対面での授業、飲み会、イベントなどコロナ禍で断たれた「祝祭」や身体性をどうやって回復していくか、そこをいま考える必要があります。「リセット」ほどのダメージはなく、完全に元に戻ることもなくても、私たちは回復《リカバリー》しなくてはならないのです。

ニューノーマルの抑圧のなか、「大回復」への希望を探していきます。

第5章

まったなしの「環境論」

かつての「公害大国」日本、考えるべき緊急課題

気候変動により地球規模で相次ぐ異常気象。環境に対する人々の意識にも、SDGsなど本格的な変化が見られるようになりました。環境問題の本質をとらえ、変革への力と変えるために私たちに何ができるでしょうか。デジタル時代の最新環境論!

2021.4.16(初回放送)

〝まったなし〟の地球環境

気候変動による地球環境の変化は、すでに〝まったなし〟の状況です。北極に近いグリーンランドでは氷床*の融解が加速し、2020年に起きたサンフランシスコの山火事では煙と灰が強風で運ばれ、200キロ以上離れた都市部の空をオレンジ色に染めました。気温や海水温の上昇にともなって巨大化したハリケーンや台風は、世界各地で甚大な被害をもたらしています。北極圏の永久凍土は融けつづけていて、未知のウイルスが発見される可能性もあると言われています。新型コロナウイルスとの闘いが終息しても、私たちはまた新たなパンデミックにのみこまれてしまうかもしれません。

はたして、こうした地球の状況を打開する策はあるのでしょうか？　そのヒントを見つけるために、本章ではさまざまな環境論について考えていきます。

▪ひとつの宇宙船地球号

はじめに、そもそも「環境問題」とはどんな「問題」なのでしょうか。

データによると、気候関連災害の数は上昇傾向にあり、災害による経済損失は3000億ドル

気候関連災害数と経済損失（1980—2019）

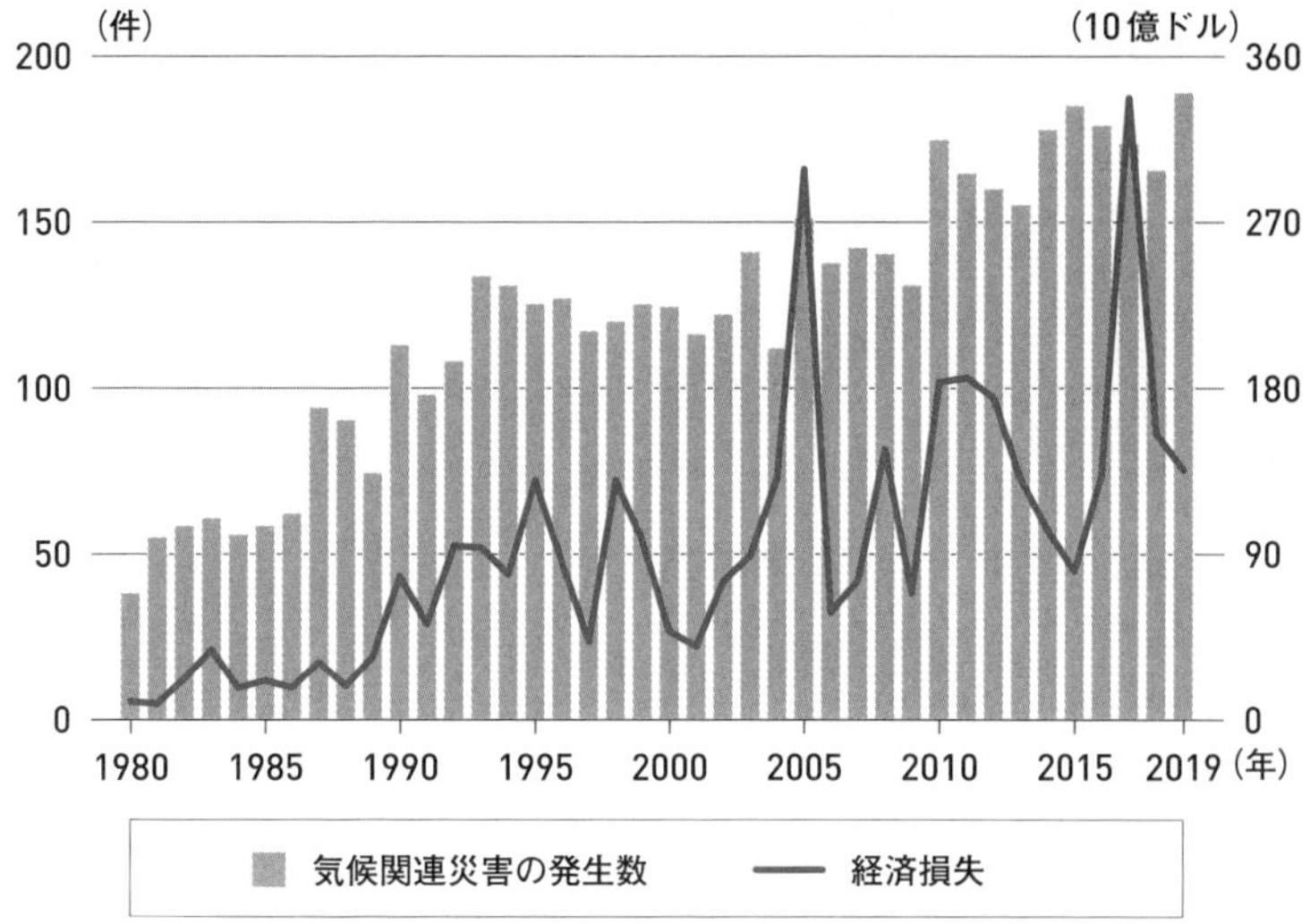

© Swiss Re and UNDRR

以上におよんでいます。

地球環境の危機は、いまから50年も前にすでに叫ばれていました。1972年に放送された番組「70年代われらの世界／宇宙船地球号」（NHK）では、司会の鈴木健二アナウンサーと識者2人（三菱総合研究所の牧野昇氏、東京大学法学部の藤木英雄氏）のあいだでこんなやりとりが交わされています。

鈴木　私たちは文明を進歩させてきました。生活を向上させてきました。しかしその裏側に破滅への現象が同じスピードで進行しているということを気づかなかったか、あるいは知っていても、知らん顔をしていたのです。

牧野　人類が滅亡するかといったら、私は滅亡すると思うんですね。どれくらいで滅亡するかと

＊広大な陸地の表層部を覆う厚い氷河で、現在は南極大陸とグリーンランドにだけ見られる。グリーンランドは国土の80パーセントが氷床に覆われ、厚さは現状で平均1700メートル程度。

いう問題だと思います。

藤木　結局はやはり、いままでモノをたくさん作りすぎてきた。人間の活動を少しスローダウンしていくほかないのでは。

この番組も、現在の私たちと同様に、危機を訴えてはいても具体的な解決策を示すことはできていません。ところで、番組名の「宇宙船地球号」という言葉は、アメリカの思想家で建築家のバックミンスター・フラーによる「人類は長いあいだ、ひとつの宇宙船で暮らしていることに気づかずにいました。しかし、この船に乗り合わせた仲間だとわかれば意識は変わるはずです」という一節から引用しています。

思想家、建築家バックミンスター・フラー（1895〜1983）
写真:Ullstein bild/アフロ

落合　フラーの言葉でいちばん好きなのは、「自分の時間をより有効な探査的な投資に解放すれば、それは自分の富を増やすことになる」というものです。「探査的な投資」とは、要はリサーチのことで、リサーチに自分の時間を解放することが自分の富を増やすことにつながるという考え方が好きです。フラーの言う「富」は通常の意味とは違っていて、人的資本や経済資本、あるいは環境資本かもしれません。いずれにしても、一般的な貨幣のようなものではなく、人間の生命を維持し、保護し、成長させるものを指しています。

「探査的な投資」は、一人ひとりの探究心を地球の豊かさを活かすために使うことを意味します。フラーの言葉には、「皆でひとつの宇宙船地球号に」という考えのもと、人間が持つテクノロジーを地球のあらゆる生命を守ることに活かそうという、エコロジーの思想が予言的に示されているのです。

環境への意識を変える

地球環境を守るために求められるのが一人ひとりの意識の変化だとしたら、どうしたら個人の意識を変えることができるのでしょうか。

「環境への意識」を実践的に変えていく新たな試みは、日本でも数多く始まっています。たとえば、アメリカで始まった循環型ショッピングプラットフォーム「Ｌｏｏｐ」は、飲料や洗剤などのメーカーが協力し、日用品の容器をリサイクルする取り組みです。再利用可能なボトルの商品

Loopの再利用可能な詰め替え用ボトル
提供:Loop Japan合同会社

が宅配され、中身がなくなったらまた業者が中身を充填《じゅうてん》して家庭に戻すというサービスで、多くの日本企業が参加を始めています。

ファッション界にも新たな動きがあります。ジーンズを１本作るのに数千リットルの排水が生まれている現状を危惧し、生産工程で出る排水を浄化するシステムが作られ、廃棄された服を利用した新たなデザインブランドも誕生しています。

落合　ファッションが服飾と見た目だけを意味する閉じた世界だったのは、１９９０年代まではないでしょうか。８０年代は「何を着るか」が重要でしたが、９０年代にはライフスタイルもファッションとして考えられるようになり、着るものに合わせてポケベルや携帯電話などアイコン的な道具もそれに加わりました。２０１０年代にはさらにファッションの範囲が広がり、インスタグラムやユーチューブのようなＳＮＳ、テクノロジーやアプリをふくめてファッションになっています。たとえば、何かメッセージを送るのにフェイスブックとツイッターとＬＩＮＥでは要素としては同じですが、ユーザー側はブランド性の違いを使用するＳＮＳによって表明しているということです。

もはや私たちを取り囲んでいるものすべてがファッションだと考えると、どの党に投票してどのような社会活動を行っているかといったことさえも他人に見られているファッションのひとつです。そうなると、ＳＤＧｓであげられているジェンダーやサスティナビリティ（持続可能性）のような問題も、すべてファッションとしてとらえることができるでしょう。

ＳＤＧｓとは、国連が掲げた17の持続可能な開発目標です（次ページ参照）。「貧困をなくそう」「気候変動に具体的な対策を」など、これまで解決できなかった目標を国際的に定め、各国政府には達成の進捗報告が義務付けられています。

一方で、環境に配慮しているように見せかけて消費者に誤解を与えるような企業や商品を、エコなイメージの「グリーン」と、「ごまかし」を意味する「ホワイトウォッシュ」という言葉を組み合わせた「グリーンウォッシュ」と揶揄《やゆ》する動きもあります。流行やファッションに乗ってアクションを起こすとき、それが「グリーンウォッシュ」になっていないか、消費者側が意識を

SDGsの17のゴール

1 | 貧困をなくそう
2 | 飢餓をゼロに
3 | すべての人に健康と福祉を
4 | 質の高い教育をみんなに
5 | ジェンダー平等を実現しよう
6 | 安全な水とトイレを世界中に
7 | エネルギーをみんなに そしてクリーンに
8 | 働きがいも 経済成長も
9 | 産業と技術革新の基盤をつくろう
10 | 人や国の不平等をなくそう
11 | 住み続けられるまちづくりを
12 | つくる責任 つかう責任
13 | 気候変動に具体的な対策を
14 | 海の豊かさを守ろう
15 | 陸の豊かさも守ろう
16 | 平和と公正をすべての人に
17 | パートナーシップで目標を達成しよう

高めていく必要があるでしょう。

落合　現在、世界では大量のマスクが消費されていますが、年間15億枚以上にのぼるマスクが海洋プラスチックごみとなり、海洋生物に被害を及ぼしたり環境を汚染したりしているというニュースを目にしました。新型コロナウイルスの感染対策のためにマスクを生産するという企業の行動は、「すべての人に健康と福祉を」というSDGsの目標に合っています。ところが、消費者側がマスクを適切に廃棄しなかったために海洋環境が汚染されました。SDGsの目標にもある「つくる責任　つかう責任」を達成するには、モノの流れをデジタル化し、生産されたものが最後にどうなったかまで企業と消費者が互いに監視しながら追いかけて、全体を把握することが必要でしょう。

落合編集長によるキーワード

■エコロジー＝企業＋消費者の相互関係

「気候問題」は「格差問題」

落合　ＳＤＧｓのような国際基準が浸透していけば、たしかに環境はよくなるかもしれませんが、注意は必要です。ＳＤＧｓに関していつも思うことは、一般消費者がそれを認識したり自分の手で何かやることによって得られるメリットがとても少ないということです。その前提では消費者が行動を変えるのは一番最後で、消費者が行動を変える以前にすべてのメーカーが環境に配慮したグリーンな製品しか生産しなくなれば、たとえ高価であっても消費者は買うしかなくなります。そうすると、消費者の生活に変化のしわ寄せがいくでしょう。

グリーンでない製品を排除する店とグリーンな製品しか作らないメーカーが存在し、その組み合わせが市場においてかなりの割合を占めてきています。それを高価格で買うのが消費者にとって普通になっているなか、低価格かつグリーンでない製品を買う人が周りから排斥されるような雰囲気を作り出すのは、ある種のディストピア的ＳＤＧｓかもしれません。

これは格差問題とも直結しています。石油製品を使っているのは、環境に配慮した製品を買う金銭的余裕がないためかもしれません。それなのにプラスチックを使っている人を「なぜいまだに石油製品を使っているのか」と責めるような世界はディストピアで、そういう時代が経済

グローバル・サウスの国々

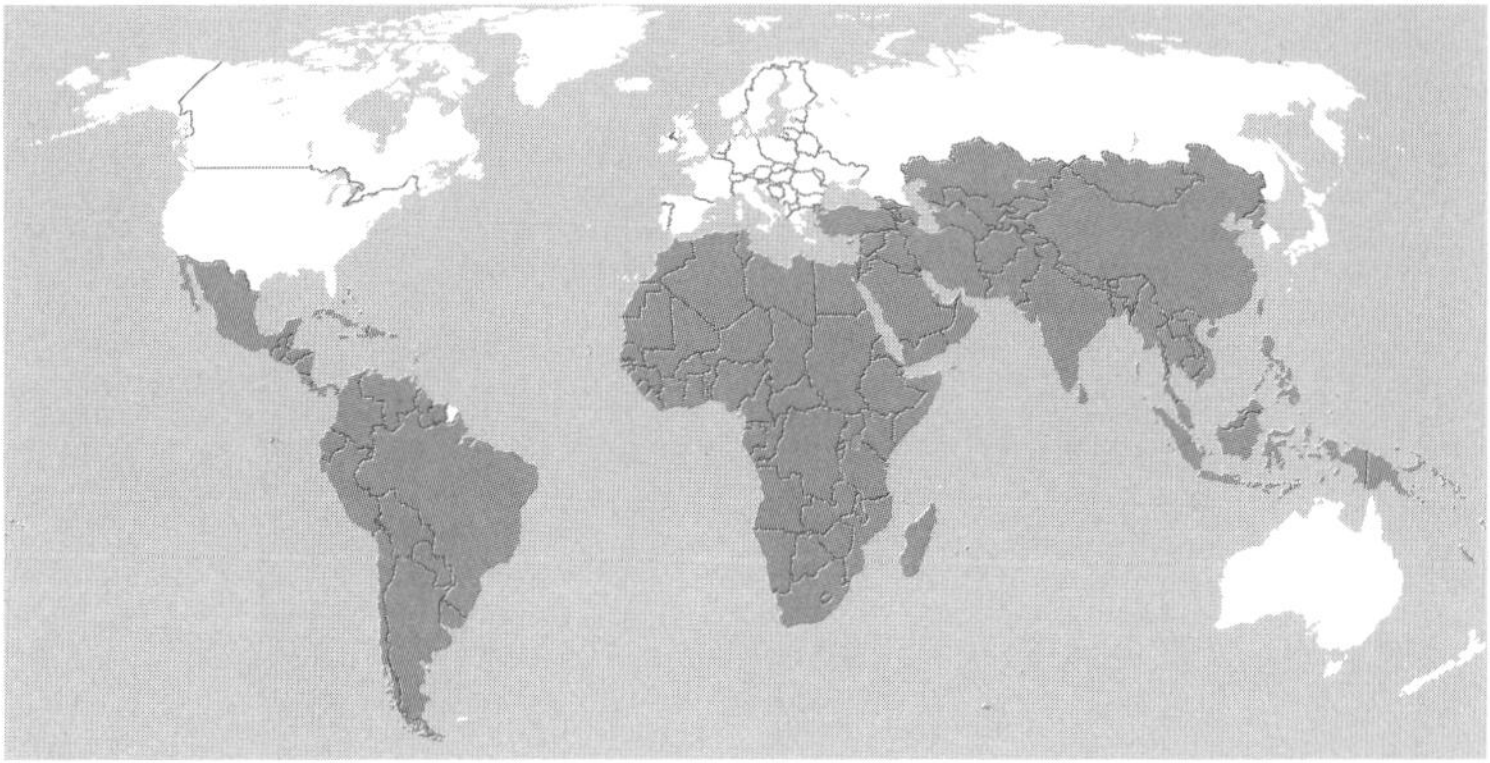

青い地域がグローバル・サウス

格差によって近づきつつあります。消費者間だけでなく、先進国と途上国のあいだにも経済格差問題があります。安い価格でプラスチック製品を作ることができれば生活は豊かになる、だからプラスチックを生産したいという発展途上国の欲求を、先進国側が「でも脱プラスチックの時代だし、投じる資本もないでしょう?」と経済格差を盾に生産を食いとめるのはどうなのでしょうか。プラスチックそれ自体は、すばらしいものです。

また、「グローバル・サウス*」に対するアプローチも同様です。先進国の省エネ生活は、アジア、アフリカ、ラテンアメリカを中心とする「グローバル化時代の発展途上国」であるグローバル・サウスからのエネルギーや人的資源によって成り立っているという構造があります。

「気候問題は格差問題」というのは、かなり前から言われていたことです。そもそも二酸化炭素を排出せずに経済成長しようとすること自体に無理があります。これから先、

＊国連などによる地理的な区分では、アフリカ、アジア、南米を指す用語。ここでは現代の資本主義のグローバル化によって負の影響を受けている国のことで、おもに南半球の発展途上国を指す。

カーボンニュートラル*の推進で化石燃料由来の電力が使えないということになれば、多くの途上国が途方に暮れるでしょう。そこに「経済格差のジレンマ」という大きな問題があります。

落合編集長によるキーワード

■エコロジー最大の問題は、「経済格差」というジレンマ

「公害大国」から「環境大国」へ

グローバルに広がる環境と経済格差のジレンマ。ここで、その問題を解決する糸口を求めて60年前に熊本県水俣市で起きたことを振り返ります。

＊二酸化炭素をはじめとする温室効果ガスの排出量から吸収量・除去量を差し引き、温室効果ガスの排出を実質的にゼロにすること。

ズームバック

人々を動かした「声なき声」

世界の保健衛生学者が、日本を〝灰色の国〟と呼んでいます。
1950年代から60年代にかけて、世界一の大気汚染国だった日本。大気だけでなく、汚染は水質、土壌とさまざまに広がり、公害は社会問題になりました。

（1963年放送、NHK「日本の素顔　公害都市」）

「日本の公害の原点」と言われる水俣病が公式に確認されたのは、1956年のことでした。水俣病の症状が最初に現れたのは猫でした。次に漁師の体に異変が起きます。化学会社チッソの工業廃水にふくまれるメチル水銀が河川や海に流れ込み、魚の体に蓄積され、その魚を多く食べる猫や漁師が病に冒されていったのです。漁師たちを苦しめたのは、病気だけではありません。じつは水俣病が公式に確認される少なくとも3年前には、「原因不明の奇病」による患者が発生していました。しかし、その原因を追及したり、患者の存在が公の場で取り上げられたりすることはありませんでした。その理由は「経済格差」にありました。

この病気の被害者である漁民は水俣市全体のなかでは、力の弱い、ひと握りの人口だったからです。会社からの税金で市の財政の半分をまかない、会社の関係者が人口の半分を占めるこの町のなかでは、漁民たちの存在は、あまりにも小さなものでした。

（1959年放送、NHK「日本の素顔」第99集「奇病のかげに」）

熊本大学の研究班の報告によって、水俣病の原因がチッソの工業廃水であることはほぼ確定していました。しかし政府はそれを認めませんでした。巨大企業、さらにその経済的恩恵を受ける人々との格差を前に、漁師たちの声は届かなかったのです。

■「声なき声」を物語る

水俣病の存在と実像を世に知らしめた作品があります。石牟礼《いしむれ》道子（1927〜2018）の『苦海浄土――わが水俣病』です。その一部を紹介しながら、公害と闘った石牟礼や水俣の人々の姿を振り返っていきます。

「う、うち、は、く、口が、良う、も、もとら、ん。案じ、加え、て聴いて、はいよ。う、海の上、は、ほ、ほん、に、よかった。」

彼女の言語はあの、長くひっぱるような、途切れ途切れな幼児のあまえ口のような特有なしゃべり方である。
（『新装版　苦海浄土――わが水俣病』「第三章　ゆき女《じょ》きき書《がき》　五月」）

主婦で詩人だった石牟礼は、水俣で暮らす患者の家を訪ね、そこで見て取ったものから『苦海浄土』を執筆しました。その後、チッソ本社や当時の厚生省の前で座り込みを行い、〝見えないもの〟とされてきた患者たちとともに闘いつづけました。

この本の編集者でもある評論家の渡辺京二は、あとがきにこんなことを書いています。

私のたしかめたところでは、石牟礼氏はこの作品を書くために、患者の家にしげしげと通うことなどしていない。これが聞き書だと信じこんで

患者や支援者たちとともに厚生労働省前で座り込みを決行。最前列で立つ石牟礼道子
写真：宮本成美（撮影：1970年5月25日）

いる人にはおどろくべきことかも知れないが、彼女は一度か二度しかそれぞれの家を訪ねなかったそうである。（中略）

「だって、あのひとの心の中で言っていることを文字にすると、ああなるんだもの」

（前掲書「解説 石牟礼道子の世界」）

水俣病は神経の自由を奪います。石牟礼が出会った患者にも言葉を十分に話せない人は多く、母親の胎内で発症した胎児性水俣病の子どものなかには、生まれながらに言葉をうまく発することができない子もいます。石牟礼は、彼らの「沈黙」のなかの声を聞き取り、文字に表したのです。即物的なルポルタージュではない、「声なき声」による物語は、読み手に、さまざまなものを訴えかけてきます。

水俣病による死者は熊本大学で病理学的解剖がなされ、石牟礼は「水俣病の死者たちとの対話を試みるため」に立ち会います。

医師たちのスリッパの音が、さらさらとセメントの解剖台のまわりの床をするのが、きこえていた。

「ほらね、今のが心臓です」

武内教授はわたくしの顔をじいっとそのような海の底にいて見てそういわれた。青々とおおきく深い海がゆらめく。わたくしはまだ充分持ちこたえていたのである。

（前掲書「第三章 ゆき女きき書 もう一ぺん人間に」）

「わたくし」とは、石牟礼のことであり、患者のことでもあるのかもしれません。声を上げることのできない患者たちの「声」は、次第に人々の心を揺さぶりはじめます。当初は水俣病に無関心だった地元の労働組合が、患者や家族を支援するために立ち上がり、チッソの組合員の一部もこの支援の輪に加わりました。全国に支援者が広がっていくなか、株を一株ずつ買って株主総会に出席しようという「一株運動」が起こります。1970年には、株券を手にした全国の支援者たちがチッソの株主総会に押し寄せ、患者たちとともに社長に謝罪を迫りました。

このようにして、格差によって周縁に追いやられていた当事者の力だけでは動かなかったものが、当事者以外の人々が次々に参加したことで一気に動きだしました。1967年に公害対策基本法が制定され、1970年に公害対策関連企業の株が高値を更新、1971年には環境庁が発足し、人々の声は政治や経済を動かしていきました。

「公害大国」から脱却し、「環境大国」へと生まれ変わろうとする日本。しかし石牟礼は「見えないところで起きている環境破壊、見えない量の恐ろしさ、そういう本質の恐ろしさはまだ見えていない」（1970年放送、NHK「現代の映像／懺悔の海」）と語っています。

資本の再投下に規制をかける

石牟礼道子のように、不可視化された当事者の声を物語る代弁者の存在によって、社会は動いてきました。そういう意味で現在、石牟礼のあり方と一見、重なって見えるのが、スウェーデンの環境活動家グレタ・トゥーンベリかもしれません。

> 私たちは大量絶滅のはじまりにいるのです。なのに、あなたがたが話すのはお金のことや、永遠に続く経済成長というおとぎ話ばかり。よくそんなことが言えますね。
>
> 2019年9月23日「国連気候行動サミット」でのスピーチ

落合　環境格差を生む側を強烈に糾弾《きゅうだん》するこのスピーチは、世界中に波紋を広げました。気候変動問題は、たとえば二酸化炭素が増えて気温が上昇し、台風が巨大化すると言われても、普通の人には遠い問題に思えます。そこがトゥーンベリさんは違っていて、15歳で、たったひとりで座り込みを始めたのも、そういった〝地球の痛み〟を自分の痛みとして感じたのかもしれません。その感覚と情熱は、石牟礼さんが患者の痛みを自分の痛みのようにとらえたことに似ていて、規模や状況、背景は違っても代弁者の力が人々に大きな影響を与えるという意味での相似形に感じます。

ただトゥーンベリさんの場合には、感覚的であるとともに、扇動している人々には先ほど述べたようなファッション的なライフスタイルの側面があります。彼女の活動は、SNSを通じて世界中に拡散されていますが、実際のところ、それに賛同する人すべてが環境問題の本質を理解して賛同しているわけではないでしょう。

水俣病の時代は、もう少し社会が「純朴」だったのかもしれません。『苦海浄土』やほかの文章をきちんと読み、それに感化された人が株を買って株主総会に参加するという動きは、対象を深く理解して同調するディープな行動です。デジタル化された現代においてSNS上で「いいね」する感覚的な同調とは違うものでしょう。「いいね」をする人が不買運動や株の購入までいたるかといえば、違うかもしれません。

さらに、現代のグローバルな環境格差が事態をより複雑にしています。政策的には、気候変動問題の未来の負債を解決するという名目で現状の経済格差を拡大させようとする圧力もあります。1970年代に公害対策関連企業株が上がったと喜んだような事態がいま起こっているわけですから、資本の再投下に関して適切な規制がないと資本主義的な格差はさらに拡大する方向に進むように思います。

では、スマートフォンを使ってデジタルな手段で問題を解決するのがエコかといえば、そうでもありません。スマホにはレアメタルが使われていますが、その産地であるアフリカなどの鉱山では、過酷な労働環境が問題になっています。子どもをふくむ労働者が、安全対策が十分ではない鉱山で長時間働き、ほんのわずかな賃金しか得られない。そうした構造が、スマホや電気自動車が掲げる「エコ」の裏側にあることも事実です。

それでもおそらく、「出口なし」という状態ではないでしょう。SDGsは見せかけだけで実効性に欠けると考える人もいますが、私は意外ときちんとしていると思っています。たとえば資本の再投下に対してなんらかの規制をかけると、搾取構造を減らすために資本家が自主制限を設けることになり、相対的に望ましいと言えます。正しいアプローチとなるのではないでしょうか。貧困の解消も目指すべきゴールとしてふさわしいですし、長期的に見れば、良い方向に進むのではないかと期待しています。

落合編集長によるキーワード

■適切な規制で格差是正へ

一歩ずつでも前進する

落合　気候変動問題や環境問題の底には、経済格差や矛盾が横たわっています。その複雑さを前にすると、なかなか楽観的な気分にはなれません。けれどペシミスティックで「渋い気持ち」になったとしても、行動につながればいいと思います。

ミュージシャンのファットボーイ・スリムが、ライブで自身の曲〈Ｒｉｇｈｔ　Ｈｅｒｅ、Ｒｉｇｈｔ　Ｎｏｗ（いますぐに）〉にグレタさんが国連の気候行動サミットで行ったスピーチをサンプリングし、観客が大いに盛り上がったことが話題になりました（'Right here, right now': Fatboy Slim samples Greta Thunberg for liveshow／ガーディアン紙２０１９年8月30日）。彼女の主張がノリで音楽に取り込まれたことに批判的な声もありましたが、世の中のほとんどの人はそこまで深く考えず、「新しい音楽に乗れればいい」と盛り上がりました。私もノリだとしても、何もしないよりはいい、と思っています。

簡単に答えは出ない「渋い気持ち」を受け止めて、ある種の「ノリ」でしかなくても行動する。誰かに負担を押しつけてしまう社会の構造を、複雑だからといってそのままでいいと放置せず、一歩ずつでも前に進む。一人ひとりがそうすることができれば、環境と経済格差のジレンマを解決する糸口は見つかるのではないでしょうか。

落合編集長によるキーワード

■「ノリ」であっても行動する

複雑な社会の構造をそのままで良しとせず、一歩ずつでも前に進む。

第6章

ウィズコロナ時代の「生と死」

デジタルテクノロジーが生みだす〝新たな弔い〟

時代により変化する死生観。パンデミックのなか、生と死にどう向きあっていけばいいのでしょうか。「あいまいな喪失」など急速なデジタル化によって変容する「弔《とむら》いのかたち」、さらにスティーブ・ジョブズのスピーチに見る「死を意識した生」について考えます。

2021.4.23（初回放送）

死生観は変化する

落合　昔からですが、飛行機に乗ると急に「死ぬってどういうことなんだろう」と考えることがあります。そう考えるようになったのは7、8歳くらいのころで、飛行機が落ちるのが怖かったからかもしれませんが、リアルに「死」について考えたのはそれが初めてだったと思います。もし今日が最後の日だとしたら何をするか、というのは個人的には重要な問いです。

死は、飛行機事故のように突発的に訪れることがあります。新型コロナウイルスが猛威を振るうなか、世界の「生と死」をめぐる状況は一変しました。重症化したら家族さえも会うことができず、最悪の場合、突然別れを迎えることになります。

時代によって、新しい死の概念は次々と生まれ、死生観は確実に変化していきます。パンデミックの時代にあって、私たちはどう死と向き合っていけばいいのでしょうか。

▪弔いのかたち

まず考えてみたいのは「弔いのかたち」です。新型コロナウイルスによって、世界中で毎日何

新型コロナウイルスで亡くなった方とのお別れの報道を見てどう思いましたか？

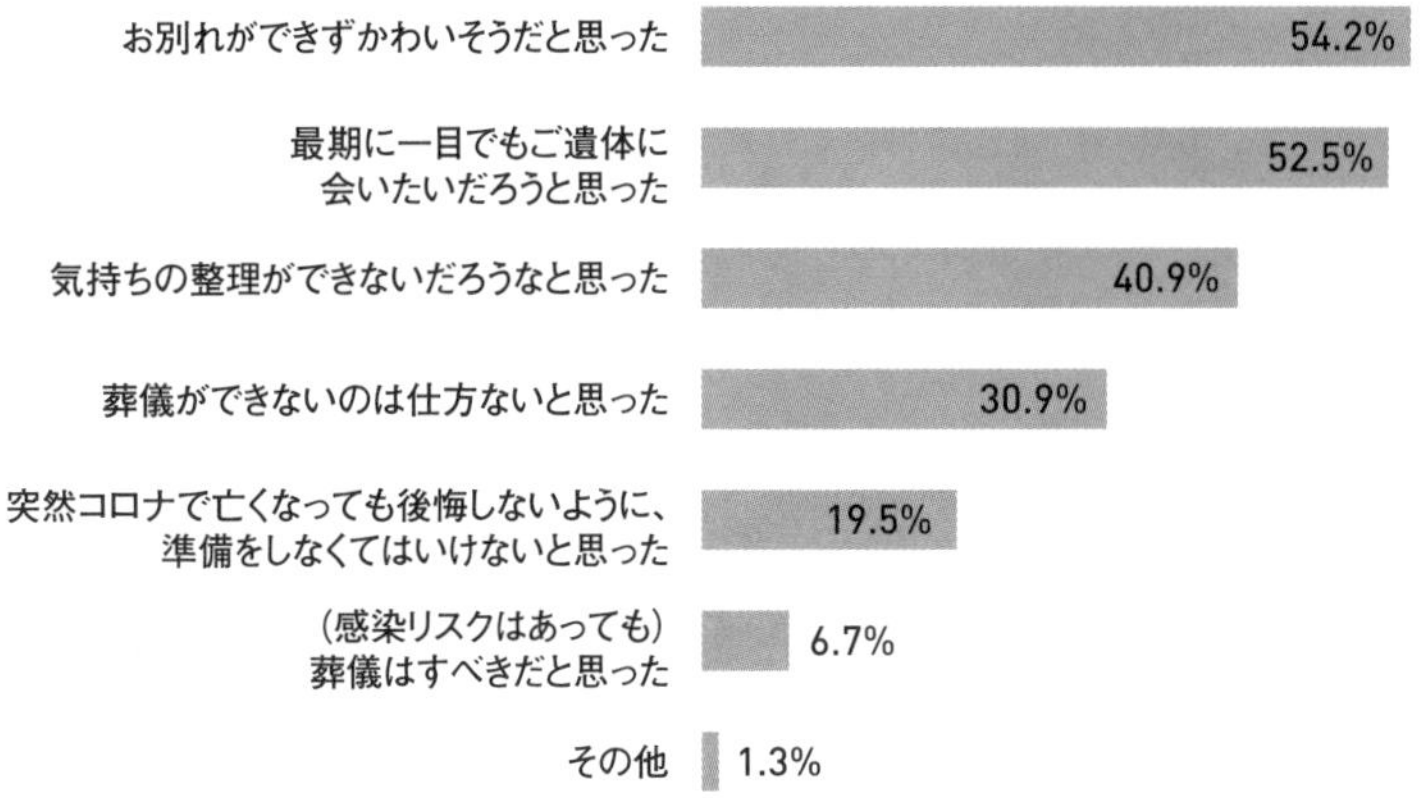

コロナ禍における葬儀に対する意識・実態調査
出典：株式会社ティア

万人もが命を落としています。近年これほど人類が死を意識させられることはなかったでしょう。世界各国で、遺体の埋葬が追いつかないという事態も頻発しています。コロナで亡くなった人は、感染予防のため、遺族も対面できないまま葬られることが少なくありません。あるアンケートによると、「お別れができずかわいそう」「ひと目でも故人に会いたいはず」など、最後に遺体と対面できないことに違和感を覚える人は半数を超えています。

古くから人は、親しい人との永遠の別れとその悲しみを受け入れるために、「弔う」という行為を大切にしてきました。そんな「死の受容」のルーツとも言える風習が、チベットに残っています。

チベット仏教のニンマ派には、生と死に関する深遠な考えが込められた経典が伝えられています。経典の名は「バルド・トドゥル」、通称「死者の書」です。チベット

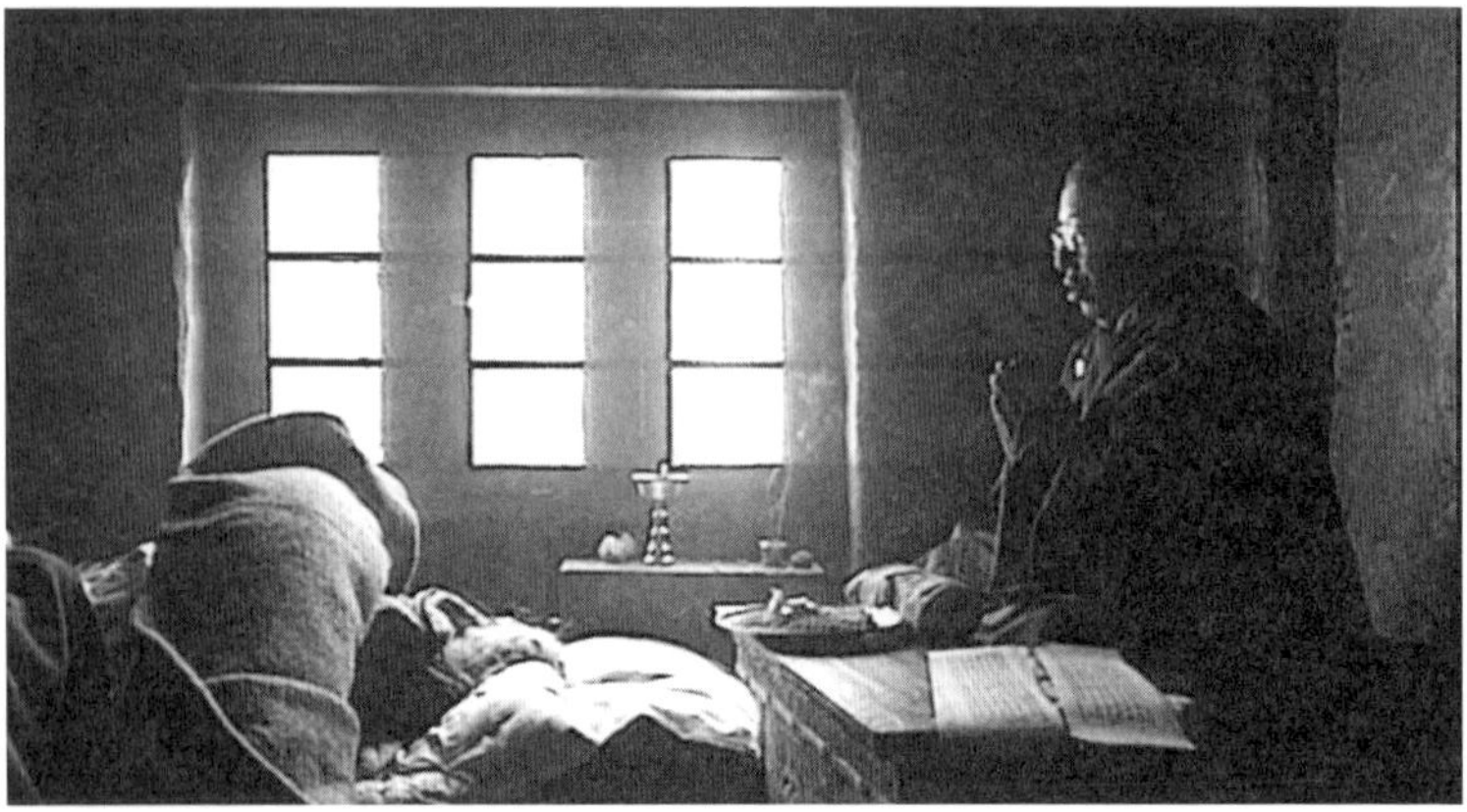

6日目。「汝は死んだ」と唱える行者
1993年放送「NHKスペシャル/チベット死者の書　第1夜仏典に秘めた輪廻転生」

仏教では死後49日間は弔いの期間とされ、その間、行者が「死者の書」を読みつづけます。

死後6日目、行者は「死者の書」を読みながら死者の「魂」をあの世へと送り出し、10日目には死者の「身体」を火葬します。遺族は火葬のあいだ、泣きながら拝み、弔います。その後もひたすら行者が経典を読みあげる日々が続きますが、それは死者が新たな世界に生まれ変わるためであり、家族にとっては死者との最後の別れの日々でもあります。

チベット仏教では、49日間行者が「死者の書」を読みあげつづけ、死者が悪い世界に生まれ変わることのないよう家族が心をこめて祈りを捧げることで、死者はバルド（死後から再生の中間状態）を抜けると信じられています。

日本にも四十九日、一周忌、三回忌といった節目の弔いがあり、時間をかけて行う弔いは大事な風習として伝わっています。伝統や文化によって弔いのかたちは違いますが、死者を大切に思う気持ちが込められていることに変わりはないでしょう。

「受け入れがたい死」に対するケア

コロナ禍で起きているような突然の死に対して、十分な弔いができない状況に見舞われた場合、人はその死を受け入れがたいと感じることがあります。失ったという実感があいまいなため、大切な人の死を受け入れられないのです。そうした状態を社会心理学では「あいまいな喪失*」と呼びます。「あいまいな喪失」とは、1970年代に社会心理学者で心理療法家でもあるポーリン・ボス博士によって名付けられた概念です。ボス博士が、ベトナム戦争（1965〜1975）で行方不明になったアメリカ兵の家族の心理療法を行うなかで生まれ、2001年のアメリカ同時多発テロや東日本大震災など大きな事件や災害が起きるたびに、「あいまいな喪失」を経験した人々へのケアの難しさが指摘されています。

＊1970年代にアメリカの社会心理学者ポーリン・ボスが提唱した「あいまいな喪失（ambiguous loss）」理論に基づく「喪失した確証のない不確実な状態」であること。行方不明など「さよならのない別れ」と、肉体はあっても心理的に失われた「別れのないさよなら」の2つのタイプがある。

ズームバック

「あいまいな喪失」を生みだしてきた戦争

人類の歴史のなかで、多くの「あいまいな喪失」を生みだしてきたのが戦争です。大事なひとり息子を戦地へ送りだしたセキさんのもとに、ある日突然、我が子の遺骨が帰ってきます。遺骨に添えられた紙にはこう記されていました。

「陸軍兵長タカハシセンゾウ。岩手県和賀郡和賀町出身。昭和19年11月ニューギニアにして戦死。25歳」

息子の死を証明するのは、紙に書かれた文字だけです。息子は本当に死んだのか、この遺骨が本当に息子のものなのか、確かめるすべはありません。セキさんは、息子の戦死が年々村の人々に忘れられていくことに耐えられず、道のかたわらに息子の墓を建てました。

遺骨が帰ってきたとき、その骨を思わずなめて、変わりはてた我が子を確かめたというセキさんは、「本当に息子であるかどうかわかりませんでしたが、我が子と思うことで気持ちが休まった」と語っています（1963年放送、NHK「日本の素顔／よみがえる墓標」）。

変容する「弔いのかたち」

人は、早くに亡くなった子どもたちを特別な思いで弔ってきました。親より先に子どもが亡くなってしまうことを日本では「逆縁《ぎゃくえん》」と呼び、最も深い苦しみのひとつとされています。子どもを供養する像を立てる、花をたむけて日々祈りを捧げるなど、人々はさまざまなかたちでその深い苦しみと向き合ってきました。

そうした子どもへの弔いのかたちに、いま「異変」が起きています。2020年2月、我が子の死と弔いをめぐる韓国のドキュメンタリー番組「Meeting You」が、波紋を広げました。7歳の娘ナヨンさんを難病で亡くした母親が、仮想現実（VR）の世界で「娘」との再会を果たしたのです。VRのなかで、親子はこんな言葉を交わします。

「ママ、悲しいの？　泣かないで」

「泣かないよ、ママはもう泣かないよ。まだやるべきことがあるから、それを終えてナヨンちゃんのところに行くね」

この様子がテレビで放送されると、親子の再会に感動する声があがる一方、「遺族の心の傷を広げる」と批判する声もありました。

VRの世界で亡くなった娘と再会する母親
提供:MBC

落合　その母親はVRの世界で「娘」に言われた言葉をいつまでも覚えているでしょう。しかし、その言葉は本当に娘が発したものではなく、あくまでも仮想現実のなかの「娘」のものです。死者をバーチャルに再現する技術はできても、それはもちろん本人ではありません。私自身はこの再会は良いことだと思いますが、こうした「きわめて人為的な弔い」にはやはり注意が必要でしょう。たとえばこのVR世界での再会では、「死者」の言葉を人為的に操作することが可能です。遺族に対するセラピー的な側面が強くなりすぎて、遺族にとって都合のいいことだけを言うようになってしまうなら、相当な違和感を覚えます。

デジタル技術の急速な発達は、生と死という人間の根源的な領域でも、私たちの想定を超えた事態を生みだしています。

落合　時代とともに死生観は確実に変化します。昔は、人の情報を死後も後世に残すものといえば供養のための墓石と、うしろに立てる卒塔婆《そとば》くらいで、そこに保存される情報は戒名や死亡年月日などせいぜい数十文字ほどしかありませんでした。しかし、人間ひとりのDNAでさえ、わずか3ギガバイト以下（1塩基対を1バイトとすると3ギガバイト、2ビットとすると750メガバイト）のデジタルデータで記録できるような現代においては、生前のSNSの投稿や写真など、あらゆるデータが「新しい弔い」のよすがとなる可能性を秘めています。デジタル技術は、弔いのかたちを大きく変えていくでしょう。

ただしそれは、肉体の死を超えて何をもって「死」とするのかがわからない、新たな「あいまいな喪失」も生みだします。デジタルデータが失われることに悲しみを覚えることもあれば、逆に身体が失われていくことに悲しみを覚えないこともあるでしょう。いまは生と死がつながっていて、生死の境はあまり関係ないのかもしれません。肉体がこの世からなくなってもSNSのデータがいつまでもネット上に残される、いわゆる「死ねない」状態は、人類が情報のインフラを築いてきたおかげかもしれませんし、デジタル社会の宿命にも思えます。むしろ、これほど情報があふれている世界では、はっきりした喪失、あいまいでない喪失を作るほうが難しいでしょう。

デジタル社会がもたらした「死ねない時代」では、VRでの死者との再会が示唆するように、テクノロジーがある種の「一線を超える」可能性も見えはじめています。これからの社会では、生死をめぐる倫理観そのものを問い直す必要がありそうです。

SNS時代の弔い

次にSNS時代の弔いについて考えます。2020年、ツイッターの「いいね」の数の世界記録が、ひとりの「死」によって生まれました。映画「ブラックパンサー」などで知られるアメリカの俳優チャドウィック・ボーズマン（1976～2020）が亡くなり、ボーズマンのアカウントが彼の死を伝えたツイートに史上最高記録となる700万を超える「いいね」がついたのです。SNSではいつでも誰でも弔いの意思を示すことができます。新型コロナウイルスで命を落とした人々にも、SNS上で数多くの追悼メッセージが寄せられました。

落合　デジタル社会になって、生と死の問題はずいぶん変化しています。これまでは、付き合いのある人が亡くなれば葬儀に参列することが弔いであり、参列者の人数が故人の交友関係を示すバロメータでもありました。しかし、いまは故人の思い出をSNSで綴ることでも十分弔意を表すことができるかもしれません。自分が亡くなる側だとしても、葬儀に100人参列してもらうよりも、１００人が自分のことを書いてくれた投稿をその１００人以上の友達に見てもらえるほうがいいと思う人はいるのではないでしょうか。

カジュアルに人とのつながりを持つことができ、「いいね」をするような気軽さでその人への思いを綴ることができる一方、ＳＮＳにはある種の格差が生まれてきます。ＳＮＳはフォローやリアクションをされなくなれば、すぐデータの海に埋もれて不可視化されます。私はよく「かたちのあるものは壊れ、かたちのないものは忘れる」と言うのですが、かたちがあるからこそ壊れるので、ＳＮＳのような「かたちのないもの」は忘れられて、存在自体が人々の認識から消えてしまいます。

死とＳＮＳに関連して最近注目しているのは、リアルとデジタルを掛け合わせた、いわば〝お墓参りのＳＮＳ〟のようなサービスです。１９９５年にアメリカで開設された「Find A Grave（お墓を探す）」というオンラインサービスで、世界中に実在する約１億９０００万のお墓をサイトにリストアップしています。死者の名前や生没年などを検索してヒットすると、お墓の写真やプロフィールなど死者の情報が表示される仕組みで、現地に行かなくてもサイトを通じて世界中の死者にバーチャルな花を手向けたり、追悼のメッセージを送ったりすることができます。私も音響浮揚*を始めた人に「あなたのおかげで博士号を取れました、ありがとう」と花をたむけたことがありますが、そういうことができるのはオンラインの素晴らしい点だと思いま

＊音響を使ってさまざまな物質を空中に浮かせる現象・技術。音響浮揚の技術は1970年代から既知であり多くの研究が行われてきたが、筆者の落合陽一が率いる東京大学の研究チームは、特殊なスピーカーを使った三次元空間中の操作に成功。この三次元音響浮揚による搬送法（ピクシーダスト）により、音響浮揚の操作性が格段に向上したとされる。

信仰している宗教

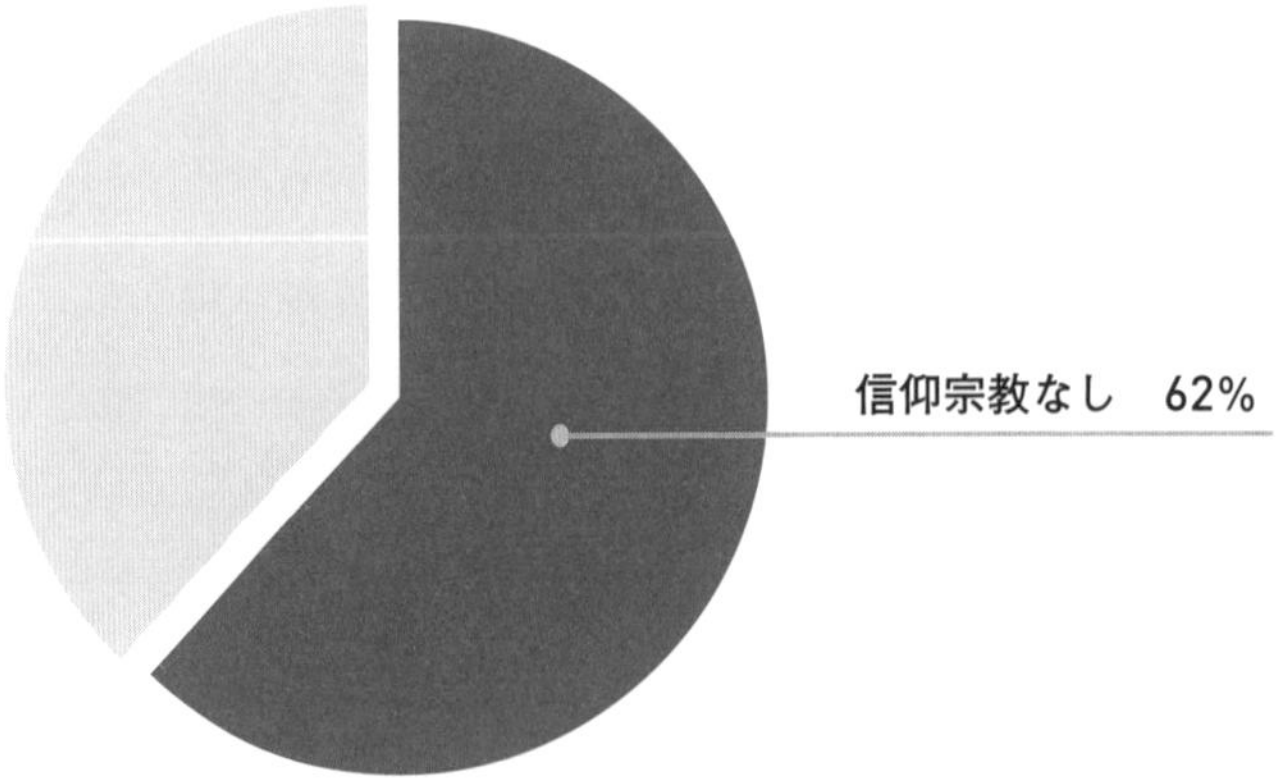

出典:国際比較調査グループ

す。

その場にあるからこそその厳粛さを持つリアルのお墓と、いつでも誰でも気軽に行けるバーチャルなお墓。両者を掛け合わせることで生まれた「新たな弔い」のかたちなのかもしれません。

自分の「死」といかに向き合うか

これまでは他者の死とどう向き合うかを考えてきましたが、最後に「自分の死」といかに向き合い、どう生きるかについて考えてみたいと思います。

これまでに新型コロナウイルスで亡くなった人は、世界で300万人以上（2021年4月25日当時）。コロナ禍前の2019年の世界の総死者数は約5540万人で、コロナで亡くなった人数はその約5パーセントと、かなり大きな数字になっています。

落合　誰もが否応なく死を身近に感じ、向き合わざるをえないという不安をかかえています。とくに国民の約6割が「信仰している宗教はない」とアンケートで回答する日本の場合、その宗教心の希薄さが死への不安に拍車をかけているように思えます。

もともと日本人の振る舞いは、きわめて現世的だと感じます。現世で他人に親切にするのも、死ぬまでの時間に自分が後悔しないためでしょう。記憶の奥底にある後悔、個人的な経験では飼っていたハリネズミを自宅の火事で死なせてしまったこととか、そういう「いやなことがあった」という想いが死の間際に湧いてきてループするのかもしれないので、できるだけ後悔をしないように振る舞う。でも現世的な振る舞いをしていても宗教を信じきれていないので、死と間近に向き合うととても怖くなってしまう。天国や来世を信じている人たちと、そこまで信じていない人たちとでは行動が変わるかもしれず、その結果、死から目を背けて現世的になるのかもしれません。そうなると個々人の信条をもとにするしかないので、この感覚はけっこう冷酷なことだと思います。

死を見つめ、いまを生きる

けれど「死を意識した生」は、不安だけをもたらすわけではありません。過去の偉人たちは、こんな言葉を残しています。

——人は、死ぬ覚悟があれば自由に生きられる。

マハトマ・ガンディー

——死は終わりではない。子どもたち、若者たちのなかに私たちは生きつづける。彼らもまた私たちだ。

アルベルト・アインシュタイン

——最後にひとつ、お楽しみが残っているじゃない。死よ。

ココ・シャネル

ここで、亡くなった後も人々の心を揺さぶりつづける伝説のスピーチから、「死を意識した生」について考えてみます。

ズームバック

スティーブ・ジョブズがスピーチに込めた想い

2005年6月12日、アメリカのスタンフォード大学で卒業式が行われました。卒業生へのはなむけのスピーチをするために壇上に立ったのは、アップル社CEO（当時）のスティーブ・ジョブズ。ジョブズはその1年前、がんの宣告を受け、「死」を身近に感じる経験をしていました。

スピーチの終盤、ジョブズはユーモアを交えながら聴衆にこう語りかけます。

17歳のときに、こんな言葉に出会いました。「今日を人生最後の日だと思って生きよう。その日は必ず来るから」。その言葉は印象的で、以来33年間、毎朝、鏡を見て問いかけています。「もし今日が最後の日でも、いまやろうとしていたことをするだろうか？」その答えが何日も「NO」のままなら、何かを変えるべきだと気づきます。

落合　「今日が最後の日だとしたら、本当に今日することをやるだろうか」私は19歳くらいのときにこのジョブズのスピーチを聞いてからずっと、そう思って生きてきました。人生最後の日でも

スタンフォード大学の卒業式でスピーチをするスティーブ・ジョブズ（2005年）
写真:AP/アフロ

やることしかしない。この15年くらい、それを実践しています。毎日やれるだけやって生きています。

ジョブズはスピーチのなかでがんの宣告を受けた経験を明かし、「死を意識した生」の意味についても語っていきます。

それ（がんになった経験）を通して、死が単なる概念ではなくなったいま、確信をもって言えることがあります。「誰も死にたくはない」ということです。天国に行きたい人でも、そのために死のうとはしない。

しかし、死はすべての人の終着点であり、誰ものがれたことはないし、今後もそうあるべきです。なぜなら、死は生命の最大の発明なのですから。

時間は限られています。あなたでない誰かの人生を生きて、時間を無駄にしないでください。

なにより大事なのは、自分の心と直感に従う勇気を持つことです。あなたがたの心や直感は、自分が本当は何をしたいのかもう知っているはず。ほかのことは二の次でかまわないのです。

ジョブズのスピーチには、死の瞬間まで人は自分の心と直感に従ってやりたいことを全うすべきだというメッセージが込められています。ジョブズはこのスピーチの2年後の2007年にiPhone、2010年にはiPadなど、画期的な製品を次々と発表します。がんの再発に見舞われながらも、2011年に56歳で世を去る直前まで第一線に立ちつづけました。

落合　「誰かの人生を生きない」ために、ジョブズは直感を強調しました。自分の人生を生きるということは、自分の心で探り当てた自分だけが信じられるものを持つ、ということではないでしょうか。その「自分だけが信じられるもの」を、私はあえて「宗教」と表現します。科学技術でもいいし、好きな漫画でもいい。自分自身が編みだした教養でもいいでしょう。私は私の

「宗教」を信じていて、私が信じる「教義」があります。個々人が自分で開発した「宗教」を信じることが、誰かの人生ではない、自分の人生を生きるということです。日々のなかで、ほかの誰かのものではない、自分だけの信じられるものを見つけることが大切でしょう。その信じられるものは、最初に決めたひとつにこだわらなくてもいいと思います。信じられるものが永続する人など、ほとんどいません。土台を失っても、人生は続くのです。

落合編集長によるキーワード

■自分だけの「宗教」を死ぬまでアップデートする

ほかの誰かのものではない、自分で開発した「宗教」を信じる。途中で変わってもいい、自分だけが信じられるものを見つけること。

第7章

暴走する「大衆」、動かす「大衆」

100年前の哲学者が導く「大衆」の真の力

社会の大多数を占める「大衆」。その力は社会を良い方向に導くこともあれば、混乱に陥れることもあります。大衆の「暴走」を予言した哲学者の教え、未曾有の食糧難を打開した大衆の熱い想い。現在の大衆が持つ「変革の力」を探ります。

2021.5.7（初回放送）

いつの時代も大衆が社会を動かす

コロナ禍の世界では、未知のウイルスをめぐって誤った情報が氾濫しました。事態を重く見たWHO（世界保健機関）は2020年6月、正しい情報と不確かな情報が混ざりあい、信頼できる情報源や知識が見つけにくくなってしまう「インフォデミック」（70ページ参照）に対して異例の注意喚起を行いました。陰謀論や根拠のない情報がソーシャルメディア上に拡散され、〝情報のパンデミック〟によって真偽不明の情報に飛びついた人々が過剰な行動をとる。そんな事態が世界中で多発しています。

いつの時代も、大衆は社会を動かす力を持っています。その力が正しい方向に向いているときには、社会にとって良い力がはたらきます。未曾有の事態で政治や経済が混乱するなか、ヨーロッパ各国では人々がいち早く連帯し、長引く規制に対する大規模デモを起こしました。さらに、黒人に対する暴力と人種差別に反対する「ブラック・ライブズ・マター（BLM）」運動（114ページ参照）など、根深い社会問題も大衆の力で変わりつつあります。その一方で、大衆による暴動や襲撃事件など社会を混乱に陥れる事態が引き起こされることもあります。

本章では、大衆が持つ変革の力について考えます。

大衆の「暴走」

現在、世界でヘイトクライム*が深刻化しています。アメリカでは、トランプ前大統領が新型コロナウイルスを「中国ウイルス」と呼んだうえで感染拡大の責任は中国にあると煽《あお》り、中国人やアジア系の人々に対する偏見と差別が広がりました。アジア系住民への暴言や暴力は、2020年3月〜2021年2月の1年間で約3800件（「ストップAAPIヘイト」のレポート）も報告されています。

日本でも、自粛要請に応じない店に過剰な中傷を繰り返す〝自粛警察〟、芸能人の不倫へのバッシングなど、大衆の暴走は珍しくありません。なかには、非難や攻撃が過熱し、当事者が社会復帰できなくなるケースもあります。

こうした暴走を加速させる環境要因のひとつがインターネット上の接続環境です。ネット上の「顔の見えない大衆」による攻撃は、とどまるところを知りません。統計によると、2020年の炎上件数は過去最多を記録しました。

SNSなどにおける「炎上」とは、「ウェブ上の特定の対象に対して批判が殺到し、収まりがつかなさそうな状態」（総務省「情報通信白書」）と定義されています。そのメカニズムから見えて

＊人種、性別、性的指向など特定の属性を持つ個人や集団に対する憎悪や偏見によって行われる犯罪行為。

インターネット上の炎上件数推移

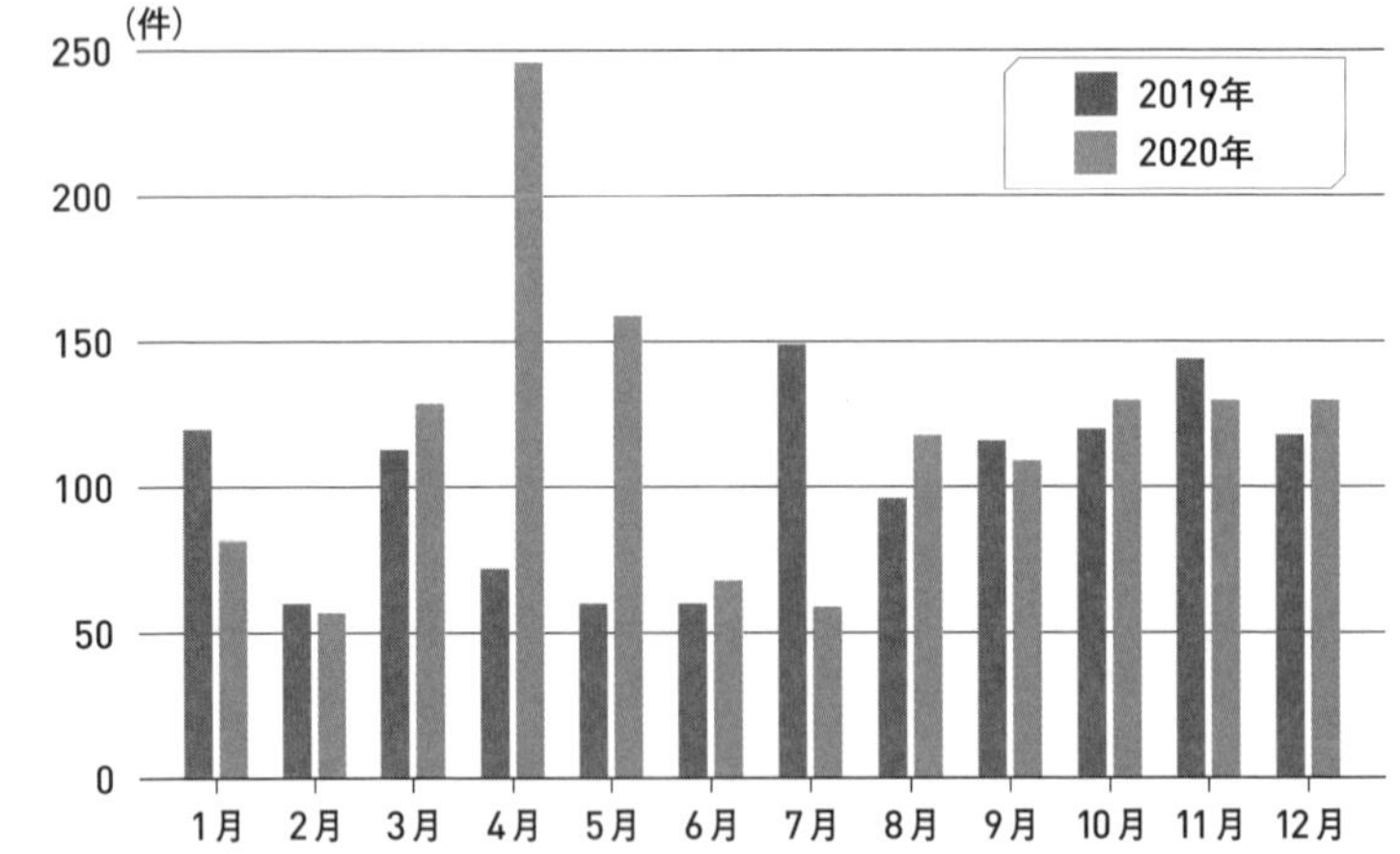

2020年は1417件が炎上した
出典:シエンプレ デジタル・クライシス総合研究所

くるのは、大衆の危うさです。

立教大学の木村忠正教授によると、炎上を引き起こすのは全体のわずか1パーセントの投稿者が生みだす2割のコメントにすぎません（木村忠正「ソーシャルメディアの時代、ネット炎上・ネット世論の構造」社会学論叢（198）2020-6、日本大学社会学会）。はじまりは小さくても、大勢がその投稿に共感、拡散することで影響は指数関数的に膨れ上がっていきます。過度な共感が引き起こす炎上の勢いはすさまじく、批判された側は反論することが難しい状況に陥ります。反論しようにも議論ができず、抗えば抗うほどダメージが増していくのです。

こうした「共感の暴走」を、フィルターバブル*がさらに加速させます。フィルターバブルとは、泡《バブル》に包まれたように、インターネット上で自分が関心のある情報しか見えなくなることをいいます。自分が共感できる情報ばかりを検索しつづけた結果、検索エンジンがフィルター化してしまい、共感しにくい情報、都合の悪い情報が目に入らなくなっていくのです。

フィルターバブルのなかのように、立場が異なる人の意見や情報が目に入らなくなった環境では、似た考えの持ち主ばかりが集まり、自らの考えに固執してしまったり、多様な考え方を受け入れにくくなったりする危険性があります。さらに、泡《バブル》の外の世界が間違った世界に見えて抵抗感を覚え、過剰に攻撃的な態度をとってしまう場合もあります。

落合 **フィルターバブルのなかでは「民意」として成立しているので、その内側から石が飛んできても議論すらできません。「意識して自分から情報を取りにいく」と主張する人も多いですが、本人がそう思い込んでいるだけの場合もよくあります。**

共感の暴走や炎上は、どうしたら止められるのでしょうか。ここで、世界が混乱のさなかにあった1930年代のファシズム台頭について見ていきます。

＊2011年、インターネット活動家のイーライ・パリサーが著書*The Filter Bubble*（邦題『閉じこもるインターネット——グーグル・パーソナライズ・民主主義』井口耕二訳、早川書房）のなかで提唱した。

ズームバック

１９３０年、ファシズムの台頭

１９３０年、世界は混乱のさなかにありました。前年10月にニューヨーク証券取引所で株価が大暴落し、世界恐慌による不況が社会に暗い影を落としていたこのころ、ヨーロッパではファシズムが台頭します。イタリアでは、ベニート・ムッソリーニ（１８８３～１９４５）を総裁とする国家ファシスト党が１９２９年にクーデターで支配を確立し、一党独裁を強固なものにしました。一方ドイツでは、１９３０年、アドルフ・ヒトラー（１８８９～１９４５）が率いる国家社会主義ドイツ労働者党（ナチス）が総選挙で大勝し、国会の第2党に躍進しました。その後ドイツは、急速にナチスの独裁国家へと変貌していきます。

ファシズム国家は、全体主義、独裁主義によって国を支配し、権力で国民を抑えつけます。王や皇帝による独裁はそれまでも存在しましたが、そうした従来型

大衆の前に立つヒトラー（右）とムッソリーニ（左）
写真:Granger/PPS通信社

の独裁とファシズム体制が大きく異なっていたのは、社会的混乱を背景に、大衆から一定の支持を得て誕生したという点です。

ヒトラーやムッソリーニを支持したのは、長引く経済不況に苦しめられた中間層でした。独裁的な指導者たちは、人々の不満を背景に「国民主体の社会をつくる」という幻想を掲げて支持を拡大していきます。ファシズム国家は、差別や怒りといった大衆の「負の共感」を利用してつくられた体制と言えるでしょう。

■大衆の反逆

ファシズム台頭前夜の1929年、スペインの哲学者オルテガ・イ・ガセットの『大衆の反逆』が出版され、大きな話題を呼びました。オルテガは、全体主義がヨーロッパ各地で加速するなか、間違った共感によって暴走する人々を次のように鋭く非難し、当時の大衆の動きに警鐘を鳴らしました。

哲学者オルテガ(1883〜1955)
写真:Science Source/PPS通信社

大衆は、みんなと違うもの、優れたもの、個性的なもの、資格のあるもの、選ばれたものをすべて踏みにじろうとする。みんなと同じでない者、みんなと同じように考えない者は、抹殺される危険に晒される。

（オルテガ・イ・ガセット『大衆の反逆』佐々木孝訳、岩波文庫）

「みんなと同じ」が正しいと疑わなかった当時の人々は、ファシズムに傾倒していきました。このオルテガの言葉は、「共感の暴走」に陥りやすい現代の大衆にも通じるものがあります。では、人々が共感の暴走から抜け出すためには、どうすべきなのか。その答えをオルテガはこう記しています。

ヨーロッパの運命に刻印された政治的に自由であれという、あの逃れることのできない命令を実現しようとして（中略）それが本質的に理にかなったものであったという究極の明白性は依然として有効なのである。

（前掲書）

「そもそもヨーロッパには、互いの違いを認めあう〝自由〟が刻印されている。その自由の精神を忘れるな」。オルテガはそう訴えました。
古代、中世と血で血を洗う戦争を繰り返していたヨーロッパは、〝最大の宗教戦争〟と言われた17世紀の三十年戦争（76ページ参照）を機に、「理由もなしに他国に攻め込んではいけない」と認識し、その苦い経験から「互いの尊厳を認め合う」という自由主義を生みだしました。ヨーロッパの人々は、多くの犠牲を払って一度は自由の精神を手にしたはずでした。しかし、第一次世界大戦、世界恐慌と長く続く混乱のなかで人々はその精神を失いかけていると、オルテガは考えたのです。

自由主義とは最高の寛大さなのだ。それは多数者が少数者に与える権利、したがって地球上でこれまで鳴り響いた最も崇高な叫びだ。それは敵とも、いや、か弱い敵とも共生するという決意を宣言している。
（前掲書）

ファシズムのように、他者を自分と同じ共感に染めるのではなく、たとえ敵であれ、異なる価値を許し合う精神こそが共感の暴走を食い止める道。「自由主義とは最高の寛大さ」という言葉によって、オルテガはそう説いているのです。

■寛容で自由なマインドを持つ

落合　社会にとって重要なのは「みんな違って、みんなどうでもいい」という寛容さだと自分は考えます。よく言う「みんな違って、みんないい」ではなく、「みんな違って、みんなどうでもいい」。じつは「多様性」というのは〝魔の言葉〟です。「多様な心のあり方」と言いながら、そう主張する本人が認める「多様さ」しかふくまれていない場合もあります。その基準からはずれるものが排除されるなら、本質的には不寛容と変わりません。本当に多様性を許容する社会なら炎上を理由に亡くなる人はいませんし、誰が不倫をしようが関係ないはずです。もちろん、人間はどうでもよくはないのですが、他者のことを気にしすぎるのはよくありません。

暴走する人々は、「自分と違う人が許せない」と他者を排斥し、自分と同じ負の共感を持つ仲間と同調し合って怒りを増幅させ、過激化していきます。「大衆の暴走」を抜けだす道は、相手のことを「どうでもいい」と思えるくらい寛容で自由なマインドを持つことから始まるのかもしれません。

落合　皆が不安や優越感を心のどこかに抱えていて、他人のことが気になって仕方がないとしても、あなたはあなたの生きたいように生きてくれればいい。「マインド・ユア・オウンビジネス（ほかの人のことにはかまわないで）」ということです。

落合編集長によるキーワード

■みんな違って、みんなどうでもいい

変革をうながす「共感の連鎖」

次に考えたいのは、大衆による「改革」です。大衆の力は、暴走するだけではありません。社会で見過ごされてきた理不尽なことも、虐《しいた》げられてきた大衆の「共感の連鎖」が起これば変革へとつながります。その大きな例が、人種差別の撤廃を訴えるＢＬＭ運動（１１４ページ参照）です。２０２０年、アメリカで起きたＢＬＭ運動は、悲しみと怒りの「共感の連鎖」によって世界中に波及し、人種や国境を超えた大きなうねりになりました。２０２１年3月には、ミネアポリス市が、警官に取り押さえられて死亡した黒人男性の遺族財団に29億円の和解金を支払うことを承認するなど、社会に着実な変化をもたらしています。ＢＬＭ運動は、参加者が人種差別に対する歴史認識や意味性、現状認識を持ったうえで行っています。その点で一過性の〝お祭り〟とは一線を画すものであり、大衆の変革の力を示す運動になりました。

世界に大衆の声が響いた別の例が、２０１７年、ハリウッドの映画プロデューサー、ハーヴェイ・ワインスタインへのセクハラ告発に端を発した「#ＭｅＴｏｏ（ミートゥー）*」運動です。社会を変えるために性的被害を公表することへの共感の声は世界中で巻き起こり、性差別、ハラスメント撲滅の運動へと発展しました。

こうした「共感」の力は、生物のなかでも人類がとくに発達させたものです。進化論を説いたチャールズ・ダーウィン（１８０９〜１８８２）は「共感は、人間の社会的本能の最も重要な一要素として、自然淘汰によって発達した」という言葉を残しています。人間は、ほかの生物に比べてあまりに脆弱《ぜいじゃく》な姿で生まれるため、生まれたときから「群れ」で生きることを余儀なくされています。この群れをなすためにも、他人の心をおもんぱかる「共感」の力をより強く持つと言われています。

「共感」の力で社会を動かす

一人ひとりの声は小さくても、「大衆の声」としてまとまれば社会を変えうる。それを証明する出来事が、いまから約75年前、終戦直後の日本でも起きていました。

＊「私も」を意味するMeTooを付け、性的被害を公表することで社会を変えようとする動きから生まれたSNSのハッシュタグ。

ズームバック

食糧難で立ち上がる大衆

坂下門に集まる配給遅延への抗議デモ隊
提供:朝日新聞社

1946年春、国外からの引揚者の帰還に凶作が重なり、日本は深刻な食糧危機に見舞われました。当時食糧は配給制でしたが、欠配や遅配が大都市の住民を襲い、闇市に頼ることも買い出しもできず、雑草を食べて空腹をしのぐ人も多かったといいます。たび重なる配給の遅延に対して各地で抗議デモが起こり、その参加者は25万人に膨れ上がりました。

こうした市民の訴えに対し、政府は解決策をなかなか出すことができませんでした。東京では、デモ隊が皇居の坂下門に結集します。人々が皇居に向かったのは、象徴天皇制が浸透しておらず、まだ天皇に政治的な決定権があると考えている人が多かったという背景がありました。警官隊を押しのけ、城門前に詰めかけた人々の力に圧《お》され、ついに天皇が「都市における食糧事情は、いまだ例を見ないほど窮迫し、その状況は深く心を痛ましめるものがある。（中略）同胞互いに助けあって、この窮況を切り抜けなければならない」と、終戦以来2度目の玉音放送を行う事態に発展します。

1年前の戦争中なら、民衆の声に天皇が応じるなど考えられなかったことでしょう。しかし、人々が求めていたのは言葉よりも実行でした。玉音放送後も抗議活動がやむことはなく、デモ開始からおよそ1か月半後、ついに変化が起きます。当面の危機を乗り越えるため、アメリカ軍の小麦粉5万6000石（約766万5000トン）あまりが配給されることになったのです。それは、同じ困難を抱える人々が共感を連鎖させ、大きなうねりを生みだした瞬間でした。

チャールズ・ダーウィンが著書『人間の由来』のなかで説いたように、共感は人間の社会的本能の最も重要な要素です。社会を変えようとするなら、理論にもまして共感が必要となります。現代において、共感を集めるのに有効なツールがSNSです。前述のBLM運動やMeToo運動のように、ハッシュタグ（#）を使うことで、同じ思いを持つ人の声を短時間で数多く集めることができます。これまでひとりでは声をあげにくかったことでも以前よりあげやすくなり、国をも動かすことが可能になりました。

落合　共感が「正しい方向」のものなら、皆もいい方向を向くことができるでしょう。「意義」は命より重く、「死んでもいい」と思えるほどの意義にもとづいている人間の底力は、非常に強いものです。逆に、怖くもなります。

落合編集長によるキーワード
■人間の底力は強い

「しょうがない」を変えていく

本章の最後に考えるのは、「大衆のメンタリティー」についてです。

私たちの社会は、地球環境、働く環境、暮らしや教育まで、あらゆる場所に問題を抱えています。しかし、日々、目の前のことにとらわれていると、ついその問題を先送りにしてしまいがちです。私たちの多くは、頭ではわかっていても行動に移せない「あきらめがちな大衆」なのかもしれません。

落合　あらゆる世代の日本人がよく使う言葉で、プロの通訳や記者のあいだで「外国語に訳しにくい」と問題になる〝マジックワード〟があります。それが「しょうがない」です。むりやり英語に訳すと〝It's inevitable. I cannot do anything about this.（避けられない事態で何もできない）〟という感じでしょうか。「しょうがない」は、ひと言ですべての論理や倫理をすっ飛ばしてしまう言葉です。

この「しょうがない」の精神性が広がった理由について、ある論文ではこんな考察がなされています。

「自然のなす業でいちいち気に留めてもしかたがない」という考え方が、われわれ日本人の心の中に根付いているのではないだろうか。

（２０１６年『現代社会研究』第2号、前林清和「災害と日本人の精神性」）

つまり、地震や津波など自然災害が多発する日本では、人間では太刀打ちできない脅威に直面してきたために「しょうがない」という独特のメンタリティーがはぐくまれたというわけです。

落合　しかし、「しょうがない」と認めることは、あきらめに通じます。偏ったジェンダーバランス

OECD加盟国の投票率（2021年3月）

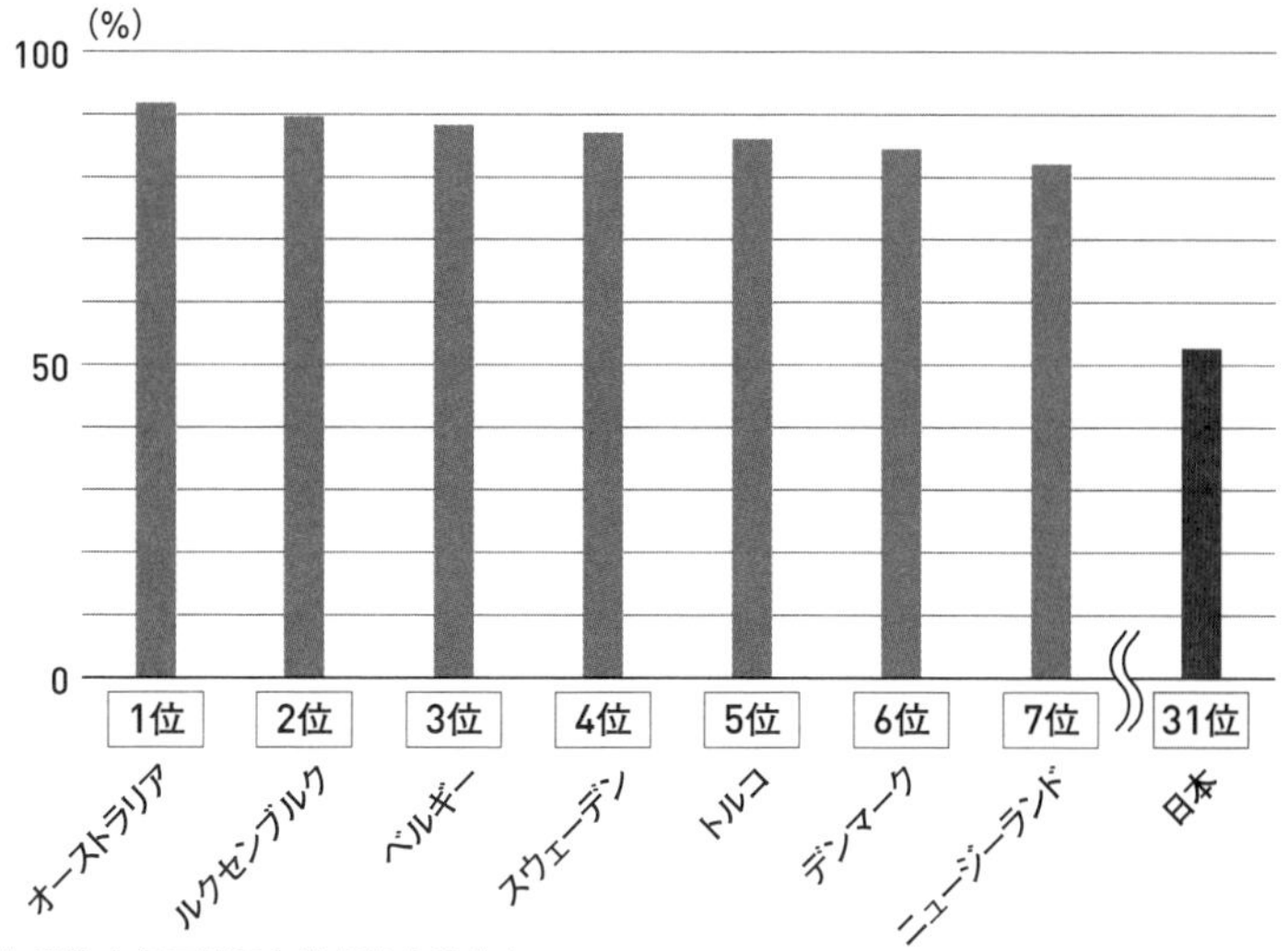

出典：明治大学国際日本学部鈴木研究室

や組織構造も、貧困や格差も「しょうがない」ことになってしまうと、まったく解決されません。良くないことですが、それでも日本人は心のなかで「しょうがない」と思ってしまう。「しょうがない」が結論であるなら、そこから先に進むのは難しいでしょう。

このように、「しょうがない」とつぶやく大衆の声は、現状を変えられない雰囲気をつくっていきます。OECD（経済協力開発機構）加盟国の国政選挙の投票率を比較すると、日本は38か国中31位。この投票率の低さも、投票しても「しょうがない（政治は変わらない）」と思っている人の多さを示しているのかもしれません。

落合 「しょうがない」が蔓延する空気を変えるには、「それでも」と言いつづけることではないでしょうか。「しょうがない」と言われたら、「いや、それでも」と言い返す。言い返すには、きちんとした理由付けや主張の一貫性が必要なのではないか、と思うかもしれませんが、矛盾していてもかまいません。幼稚園児の頃から大人になるまで考えが一貫していたら、それは「成長がない」とも言えるかもしれません。個人的な話をすれば、私はアーティストであり研究者でもありますから、少なくともふたつのパラダイム（ものの見方や考え方）を持っています。「役に立つものは正しい」と言うこともあれば「役に立たないものが正しい」と言うこともあります。異なる倫理観をふたつや三つ持ちあわせていてもかまわない、ひとりの人間のなかにダブルバインド*（相反するルール）が存在しても、どちらかの倫理観を侵食することにはなりません。そのことを割り切ったうえで、なんらかの信念に向かって振る舞えばいい。ひとりのなかに多様な信念があっていいのです。

コロナ禍で混迷する現在、「しょうがない」とあきらめることなく、少しでも多くの「それでも」を掲げていくこと、複数の信念を持ちながら他人と共感できる部分を探し、つながろうとすることが傷ついた世界を変える力になるのではないでしょうか。

落合編集長によるキーワード

■「しょうがない」とあきらめず、少しでも多くの「それでも」を掲げていく

大衆の力がプラスにはたらけば、傷ついた世界を変える力となる。

＊メッセージとその裏に隠されたメタメッセージとのあいだに矛盾がある状態のこと。アメリカの精神科医グレゴリー・ベイトソンが1956年に提唱した「ダブルバインド理論（二重拘束理論）」に由来する。

第8章

「新しい生活様式」における「孤独論」

ソーシャルディスタンスが生んだ新たな「孤独」

ステイホーム、3密の回避によるソーシャルディスタンス……「ニューノーマル」から生まれた「孤独」。戦時中に説かれた「孤独」と「独りぼっち」の違いとは何か？　さらに、孤立支援のスペシャリストとの対談を通して、孤独の危機を打破するヒントを探ります。

2021.5.14（初回放送）

日本は「孤独」を感じる社会

繰り返される緊急事態宣言と宣言地域の拡大、長きにわたる行動の制限に、多くの人が行き詰まりを感じています。ステイホームは、人と人とのつながりを弱め、オンライン授業が普及しても大学生の過半数が孤独を感じているという調査結果もあります。孤独を感じているのは働く人にも多く、日本は「仕事中に孤立している」と感じる割合が世界平均より高いこともわかっています。

なぜ日本はこれほど孤独を感じる社会になったのか。コロナ禍が加速させた社会のひずみとは何か。「いまそこにある孤独」について、私たちは真剣に考えるべきタイミングにあります。

落合 学生の〝リモート孤独〟とも言える状況は、私が教えている大学でも見られます。家から出なくても授業に出ることが可能になったため、ベッドから起きあがる気力がまったくなくても、〝出席〟だけはできてしまう。メンタルヘルスの問題が心配されるような深刻度の高い学生も珍しくありません。

2021年に行われたアンケートでは、日本の大学生の76パーセントがオンライン授業下の大

リモート下の大学生活に孤独を感じる割合

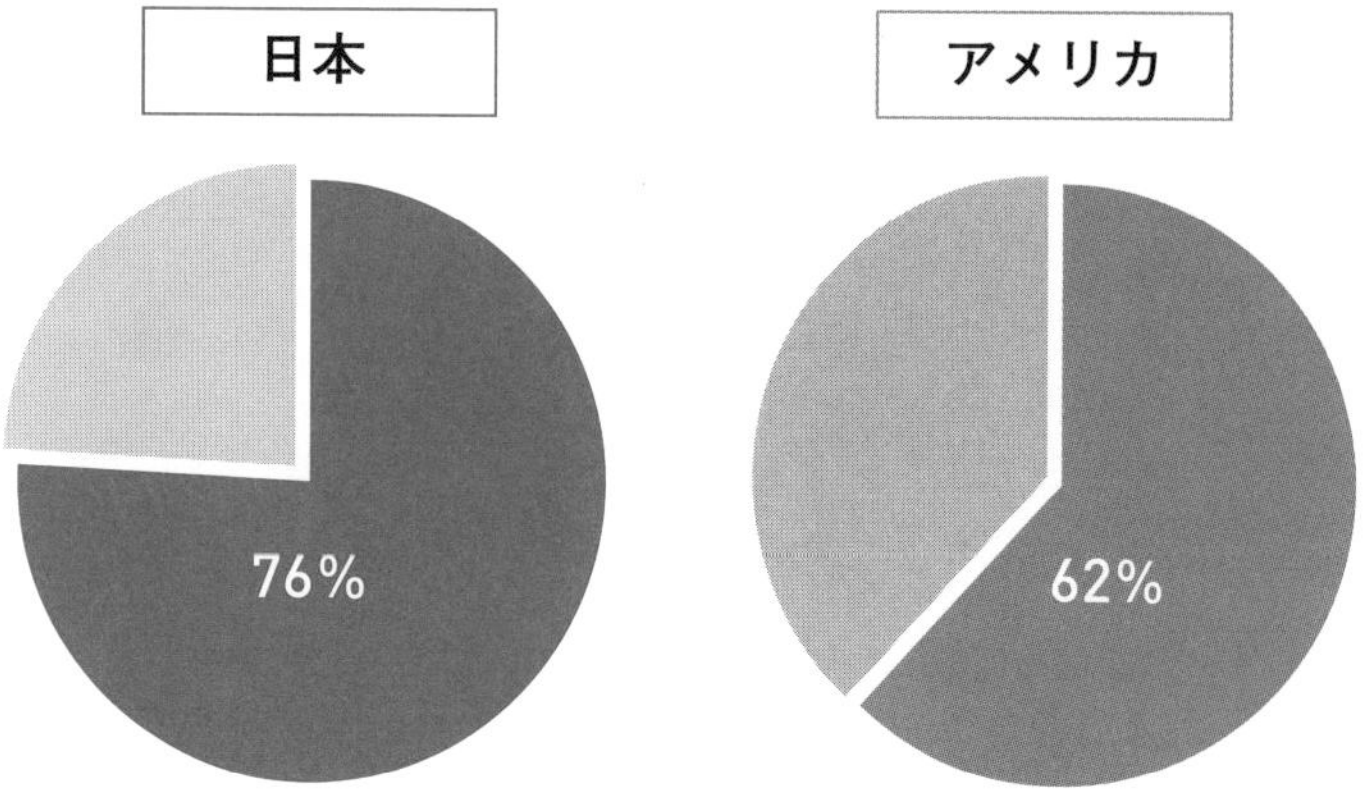

CODEGYM Academy（左）、THE HEALTHY MINDS STUDY “Fall 2020 Data Report”（右）をもとに作成。日本は238人、アメリカは4000人が調査対象

学生活に孤独を感じると回答しています。これは、アメリカの学生（２０２０年調査）と比べても高い数字です。

落合　これまでは、学生の孤独や孤立は「学校に来ない」ことがある種のサインでしたが、いまは「最近出てこないな、あいつ」という気づかれ方をほとんどされなくなりました。オンラインでは全員が〝不登校〟の状態なので、本来の意味での〝不登校〟になっている学生がいてもわからず、精神的にしんどい状態の学生を見つけるハードルが高くなっています。会社員でも同様で、「朝電車に乗れない」から不調に気づくというのがテレワークで難しくなっています。これは、とても重大な問題でしょう。

働く人のあいだにも孤独は広がっています。ステイホーム期間の当初は便利さもあってテレワークが広がりましたが、コロナ禍が長期化するにつれ、外に出られないこと、人に会えないことにストレスを感じる人々が増えています。

「孤独死」の現場からの声

コロナ禍で人々が孤独に追い込まれた2020年、10年間下がりつづけていた自殺者の数が、前年比で4・5パーセント（912人）の増加に転じました（厚生労働省および警察庁発表）。誰にも気づかれずに死を迎える「孤独死」も、増加が懸念されています。

遺品整理会社を経営する峰本和彦さん

コロナ禍での孤独死とはどのようなものなのか、孤独死した方の家の清掃や遺品整理などを行う会社を経営する峰本和彦さんは、現状をこう語ります。「2020年10月くらいから（孤独死は）圧倒的に増えてきています。以前は月間で8件から10件くらいだったのが、20件とか25件とか。とくに、高齢者よりも、30代の自分たちより若い世代が亡くなっているのを感じます。通常の状態であればまだ踏みとどまってた域の人たちが、（コロナ禍で）少しずつ孤独死に向かっていっているのではないでしょうか」

落合 若い人の孤独死も日本の自殺者も増えています。コロナ禍でソーシャルディスタンスをとらなければならなくなった結果、比較的普通の生活を送ってきた人の孤独死が増えている。それを「仕方がない」とすませることはできません。孤独死は社会インフラが脆弱で危険域にある人を救えないのも一因であり、「仕方がない」ことではないのです。費用がいくらかかったとしても、人の命には代えられないでしょう。

深刻化する孤独の問題に対応するため、政府は2021年2月、孤独・孤立への対策担当室を創設しました。坂本哲志担当大臣（当時）は「新型コロナにより人との接触機会が減っており、それが長期化することで、いっそう問題が顕在化してきている。社会的な孤独・孤立を防ぎ、人と人とのつながりを守る活動を推進していきたい」という方針を打ち出し、60億円の緊急予算を確保しました。まず、孤独だという声をあげにくい子どもたちの居場所を確保するため、全国の子ども食堂[*]の支援などを始めています。

孤独のメカニズム

日本の「孤独」は、すでに社会問題化しています。なぜ日本人は、これほどまでに孤独に追い

＊子ども支援としての活動のひとつ。地域住民や自治体など民間発の取り組みとして、無料または低価格で子どもたちに食事や団らんを提供する。

込まれるのでしょうか。そのメカニズムを解き明かすため、70年前の書籍に注目します。

ズームバック

『全体主義の起原』における「孤独」

第二次世界大戦終結後まもない1951年、哲学者ハンナ・アーレントは『全体主義の起原』を出版しました。ドイツ生まれのユダヤ人であるアーレントは、ナチスのユダヤ人迫害を逃れてアメリカに亡命し、その後、同胞が大量虐殺されたことに強い衝撃を受けて本書を執筆しました。

哲学者ハンナ・アーレント(1906〜1975)
写真:AP/アフロ

『全体主義の起原』でアーレントは、ナチスドイツやスターリン時代のソ連の政治体制「全体主義」が、どのようにして生まれたのかを追求していきます。なかでも徹底的に分析したのは、人々の孤立と孤独でした。「孤立（独りぼっち）」と「孤独」は違うものであり、ファシズムが急速に広がった背景には人々の孤立があると考えたのです。

信頼し合える同輩の存在なくしては自己を確認できず、自己喪失は孤立さを耐えがたいものにする、そして人は信頼できる人を失うことで孤立し、次第に正常な判断ができなくなるとアーレントは考えていました。さらに、ファシズムが広がるなかで人々をさらに孤立に追い込んだのは、密告だったと指摘しています。自分の身を守るためには、たとえ証拠がでっち上げだったとしても、友人を密告したというのです。

ユダヤ人が隠れていないか。体制に反発していないか。ナチス政権に同調した人々は隣人を疑い、自らつながりを絶つことで孤立していきました。

落合　アーレントも言っているように、孤立と孤独は違うものです。自分で選ぶ孤独ではなく、孤立に耐えることを強制されると、人間が「壊れて」いきます。「独りぼっち」でいることは、自分が信頼するアイデンティティすらないという状況ですから。他者との関係のなかで信頼するアイデンティティをどこに持つかはすごく大切なことなのに、コロナ禍で隔離されて関係を築くことを許容されず、自己アイデンティティを喪失した状況ができてしまったのです。

「監視と密告によって、人と人とのつながりが損なわれる」というアーレントの分析は、現代の孤立を考えるカギとなっています。

建物の入口で体温を計測され、スマートフォンには感染者と接触したら警告が表示されるアプリが入っている。そんないまの社会は、監視や管理のもとに成り立つディストピアとも言えるでしょう。ステイホームやソーシャルディスタンスは、もともと感染を防ぐために求められたルールです。しかし、それがお互いを監視するような行いを呼び、次第に他人の目を気にして自主的に閉じこもるようになってしまった。多くの人が、知らず知らずのうちに自らを孤立に追い込む行動をとってしまっているのです。

コロナ禍のディストピアを生きているからこそ、私たちには最優先で考えるべきことがあります。ディストピアにするなら「生命を補完するディストピア」をきちんと作らないと、いまの社会は成立し得ないということです。人が死ぬことは社会や国のリソースに対する冒瀆《ぼうとく》ですから、「人が死ぬのを看過しないディストピア」を作るはずだったのが、人の命が失われるようなディストピアになってしまった。管理だけして、受け手側の生命・生活を保障するディストピアを作らないのは大きな問題です。つまり、管理型と社会保障型というふたつのディストピアが両輪で進む必要があります。

命を守るために普段とは違う状況を強いている以上、命を失わせてはいけません。ディストピアであったとしても、「人が死ぬことを看過しないディストピア」でなければならないのです。

デジタルで〝ゆるく〟つながる

孤立を避けるため、いま大事にすべきつながり方があります。それは、アーレントの時代にはなかった、デジタルのつながりです。

落合　〝ゆるく〟つながるものを、なるべく失わないことが重要です。デジタルのレイヤーを重ねれば重ねるほどいいでしょう。たとえば、趣味のコミュニティ、小学校のクラスメート、大学時代のサークル仲間など、つねに連絡をとりあわなくてもゆるくつながっているコミュニティのレイヤーを残しつづけると、つながりはより強固になります。そういったレイヤーをたどれるようになっていると、孤立を避けられるかもしれないという一抹の希望となりえます。小学校や中学校のLINEグループにたまに投稿してみるとか、つながっていないように見えてじつは人とつながっていたということは身近にも多くあります。

一見では孤独に思える状態を、どうやってテクノロジーの力で解決するか？　孤立の問題はテクノロジーと社会制度で解決していくのがいいのではないでしょうか。

落合編集長によるキーワード

ゆるやかなつながりを持ちつづける

仕事中の孤立感

2020年に31の国・地域で3万1000人以上を対象に行われたアンケートで、日本人の孤立感の強さが浮き彫りになりました。「仕事中に、より社会的な孤立感を感じている」と感じる日本人の割合は35パーセント。世界平均の27パーセントを大きく上回り、レポートでも「日本人の特異さ」として仕事中の孤立感の高さが取り上げられています（マイクロソフト「2021 Work Trend Index」年次報告）。

落合　働く日本人が感じる孤立の背景にあるのは、日本人特有の会社に対する考え方と、独特の雇用形態です。欧米では近年「ジョブ型」雇用が主流になっていますが、これは仕事ごとに所属する会社を変える働き方です。一方、日本の多くの会社が採用しているのは、ひとつの会社に所

日本と欧米での働き方の違い

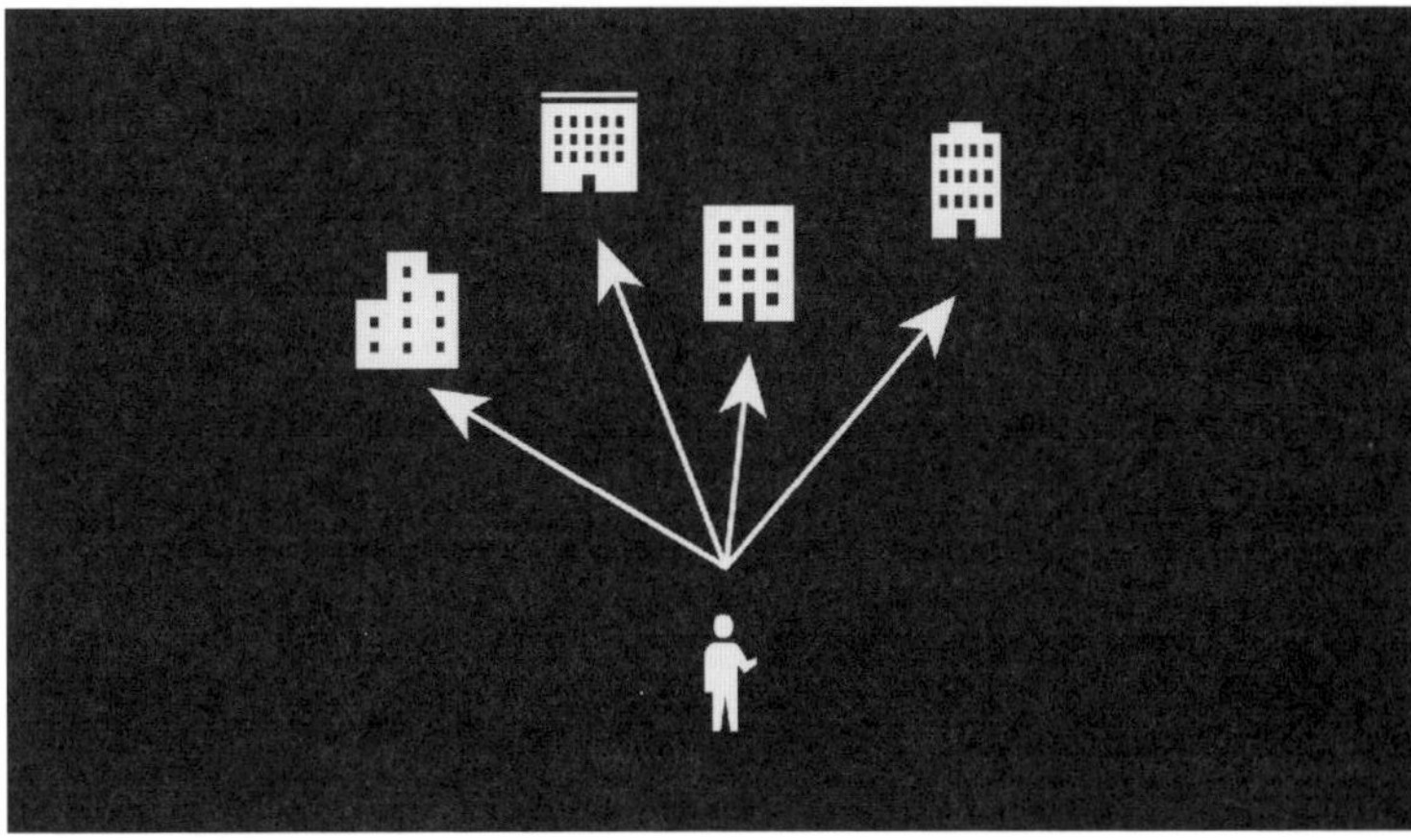

欧米の「ジョブ型」雇用

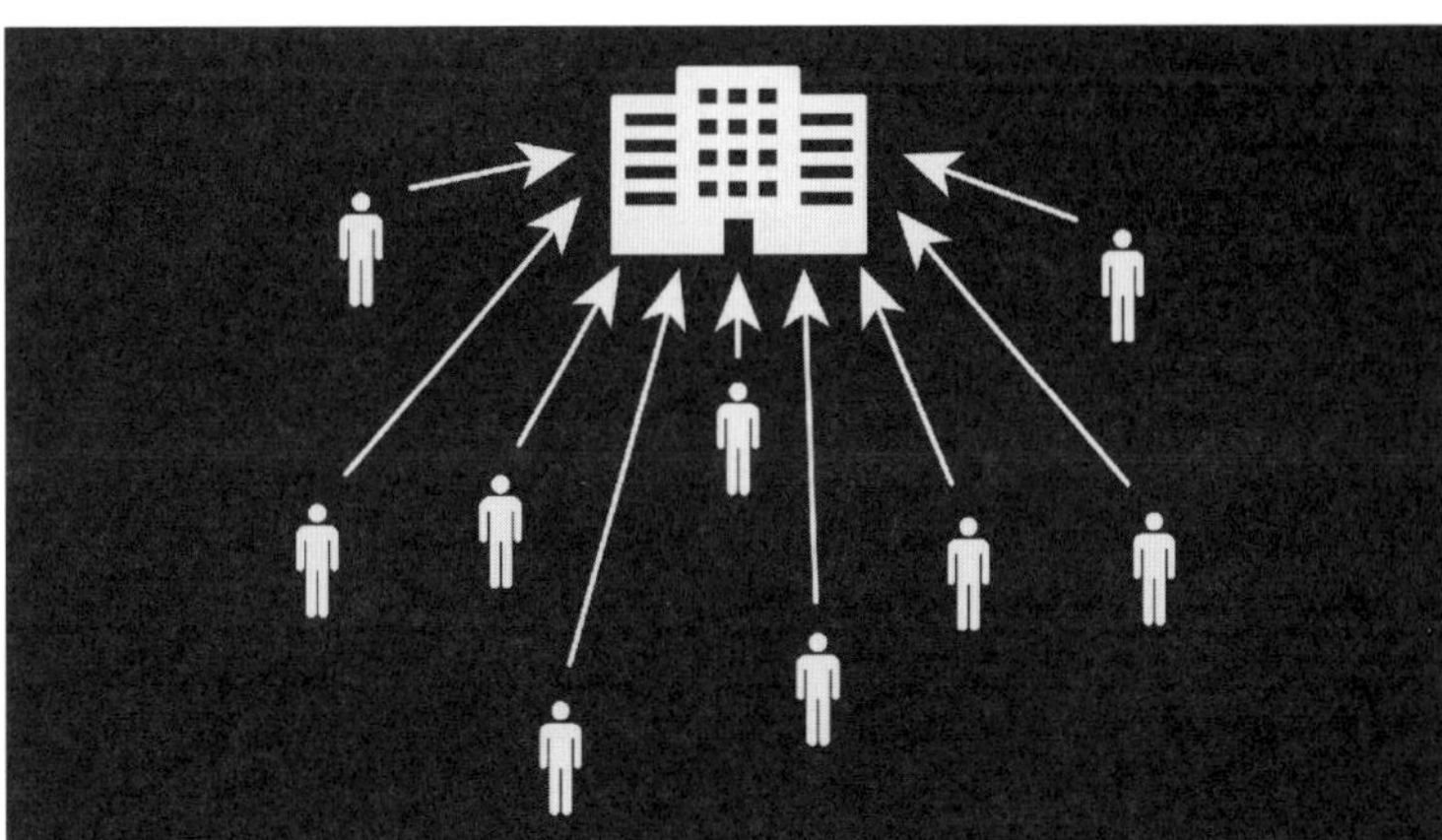

日本の「メンバーシップ型」雇用

属しつづける「メンバーシップ型」雇用で、終身雇用制はこれにあたります。「ジョブ型」は働く場所を選びませんし、働き方も自由です。しかし「メンバーシップ型」はコミュニティのなかで働くことを前提として作られているため、リモートワークになると孤立を感じやすくなるでしょう。

農村から会社へ——共同体の変化

農耕民族である日本人にとって、働くためのコミュニティはなくてはならないものでした。人口の8割以上が農民だった江戸時代から、大変な農作業を助けあいながら行う「農村」という共同体は、長いあいだ社会を支える基盤としての役割を果たしてきました。ところが、農村共同体は戦後復興とともに揺らぎはじめます。都市の労働力不足を補うため、大勢の若者が集団就職で農村を離れ、労働人口の大半を「サラリーマン」が占めるようになったのです。

ズームバック

サラリーマンの誕生

1961年に放送された番組のなかで、都会の会社で働くサラリーマンが公団住宅で暮らす様子をこんな言い回しで紹介しています。

公団住宅はサラリーマンの入れ物です。そしてそれはまた、サラリーマンの幸せの入れ物でもあります。清水《きよみず》の舞台から飛び降りるつもりで、ピアノもステレオも買いました。こうした文化的製品をやりくり算段をしながらでも買い求めて、きれいなおくさんとかわいい子どもに囲まれて、ささやかな幸福感を味わうのが現代サラリーマンの共通した気持ちなのです。

（1961年放送、NHK「日本の素顔」）

落合 人々が農村という共同体を離れ、都会の団地で暮らすようになると、核家族化が一気に進みます。最初は都市構造にどれだけ人を入れられるかという勝負をしていました。その結果、狭い「入れ物」に住むしかなければ核家族化も進むでしょう。

人が働く場所、経済活動を行う場所が都市部など限られた地域に特化されはじめて、広い郷土に暮らしていた人の一部が都市部に移り住むことで家族の分断が起こるのは基本的な都市構造の問題かもしれません。ただ悪い面ばかりでなく、村社会というコミュニティで抑圧されていた人が解放されて自由になるという良い面もあったでしょう。

こうしたなか、農村に代わり人々を支える新たな共同体となったのが「会社」でした。戦後復興の立役者のひとりであり、出光興産創業者の出光佐三《さぞう》（1885〜1981）は「社員は家族だ」という言葉を残しました。「家族」である社員を抱え、会社という新しい共同体を基盤として、日本は高度経済成長を果たしたのです。

■新しいコミュニティ

しかし、それから半世紀以上の時が流れ、日本の会社は「制度疲労」を起こしています。近年は、日本の雇用も欧米と同じ「ジョブ型」への移行が始まっていますが、それは雇用形態の変化だけでなく、長く続いた日本の会社という共同体の喪失、そしてコミュニティを失った人の「孤立」の加速も意味しているのかもしれません。

落合　日本の「孤立」には、貧困というさらに深い問題もあります。この問題は大きく、またきわめて本質的な課題です。孤立を生みだしているのは、お金の使い方や家族との関係のあり方、そして自分で選択できるあらゆる可能性が排除されているという側面が強く影響しており、その状態のために孤立になっているとしたら重大な問題でしょう。豊富に選択肢があるなかでひとりでいるのは、「豊かな孤独」ですから。

豊かでない社会が孤立を生みだしているのは経済と孤立がつながっているからです。経済的に成功している豊かな社会は、孤立に対する補償が適切に行われます。けれど、社会の基盤が脆弱になっているいまの日本では難しいでしょう。貧しさと孤立は表裏一体の関係ですから、豊かであれば、ある程度孤立しなくなるはずです。

「誰もが貧しく、孤立する可能性」がより高まるコロナ禍の現在、孤立をリカバリーする居場所としての〝新しい共同体〟を持つことは可能なのでしょうか。

長年にわたって日本の孤独、孤立に寄り添い、新しいコミュニティのあり方を模索してきたのが、ＮＰＯ法人〈抱樸《ほうぼく》〉理事長の奥田知志さんです。奥田さんは、バブル崩壊前夜の１９８８年にホームレス支援を開始し、貧困家庭の子どもや高齢者などのサポートも行っています。不況が続くなか、30年以上社会から孤立した人々と向き合ってきた奥田さんにお話を聞きました。

■まず公助ありきの、自助

落合　今回のコロナ禍はリーマンショックと比べてどうですか？　やっぱり厳しいですか？

奥田　これから多分もっと厳しくなると思います。というのは、今回のコロナ禍は、リーマンショック以来12年間引き継いできた宿題を終わらせないままだったというのが、露骨に出ているということですね。

まずは自分でやってくれ。ダメだったら共助、周りの人で助け合ってください。それでも最終的にダメだったら公助でやりますよ、という理屈が社会を分断してしまうんですね。「みんなで一緒にがんばろう」というふうにならないわけです。考え方としては自助・共助・公助という順番じゃなくて、本当はまず公助だと言われています。

落合　まず公助ですよね。

奥田　そうなんです。

落合　まず公助ありきの、自助だと思うんですよ。

奥田　まったくそうです。

落合　「仕方がない」という言葉は日本の良くない言葉のひとつで、ほとんどの場合「仕方なく」ないじゃないか、と思うんですけれど。

いまの分断された社会のなかで、自己責任と言ってしまうこと自体がそもそも間違っている、

生活困窮者への支援を長く行ってきたNPO法人〈抱樸〉理事長の奥田知志氏（右）

ということに気づかない人が多いんだと思います。ヨーロッパだったら、教育を受けられないのは自己責任の問題ではないじゃないですか。それはインフラの整備の仕方が間違っているという話だと思います。そこに自己責任論を持ちだすのは、個々人にとって最適解ではないはずです。「インフラをちゃんと整えましょう」というのは、たぶん全員にとって利がある話のはずなのに、（そうはなっていない）社会にきわめて違和感を覚えます。

奥田　日本中がいま、そういう意味で思考停止になっていて、「仕方がない」というムードに呑み込まれてしまうんでしょうね。

■新しい共同体の手がかり

――では、新しい共同体のかたちを見つけ、「仕方がない」から踏みだす道はいったいどこにあるのでしょうか。

奥田　人の意欲を生みだすものは何か。私は、ふたつあると思うんです。ひとつはいわゆる内発的な動機です。何のために働くのかというと、自分が食べるため、自分がいい暮らしをしたいからでしょう。この人間の欲求の原則に則した動機は非常に大事です。ただ、内発的な動機から生まれた意欲というのは、先ほど落合さんがおっしゃったような「仕方がない」、つまり「もう、いいです」とあきらめてしまうと、すべて失われるんですね。自分のためで、自分しかいないから、「しょうがない」「もういいや」「ほっといてくれ」となる。自分が我慢すればすむんだから、しょうがない、って。

そこで、「何のために」働くかのみならず、「誰のために」働くかという外発的な動機を持てるかどうか。「俺はもう死んでもいいけれど、あいつがやれって言うからやるか」みたいな。あいつのためにがんばる、となるわけです。

落合　家のなかにこもって「もうどうでもいい」と思っている人は、誰からも発見されえないですよね。そこをどうやって発見していくかのプロセスには、やはりテクノロジーを入れていく必要があるように思います。千葉県柏市の事例*のように、検索ワードに「自殺」と入れた人の自死を防ぐ試みもあります。

なるべくデジタルのコミュニティでつながっている人を増やすとか、家族からひと言電話してもらうとか、二重三重のアプローチをしていかないといけない。孤立を見つけにくい社会ですから大変だろうと思いますが、周りが見つけなければいけないと思います。

奥田 出会いによって、本人の考え方も結論も変わるんですよね。孤立のような選択肢がない状態にいる人に対して、何がまず必要かというと「こんな道もある」「あんな道もある」と示すことです。そうなると、やはり自己責任ではなく、周りがどれだけ〝おせっかい〟を焼くかという話になってきます。

コロナ禍において何がいちばん大事だったか。やっぱり命でしょう、ということですね。その原点に常に立ち戻る。あなたがそこにいることの意味——何かをするためでもなく、何かができるあなたが素晴らしいわけでもなくて、「何もできなくても、あなたがそこにいることに意味がある」という強烈なメッセージを、この社会が出しつづけなければならない。「本来人間とはなんぞや」「社会とはなんぞや」と考え、「これ（孤立）を放っておいたら社会とは言わないのだ」と周りの人間がどれだけ本気で求めるか。国もふくめて、周りの人たちの決断がまず必要だと思います。

落合 それはよく思います。孤立は自己責任じゃないですから。

＊千葉県柏市では市内で「自殺」などの言葉を検索すると市の相談窓口のサイトがトップ表示される方式を2021年4月に導入した。電話をかけにくい人のため、メールでの即時相談に応じている。

落合編集長によるキーワード

■孤立を見つけたら、放っておかない

多くの人がコロナ禍で知らないうちに傷ついている現在こそ、まずは自分のなかの孤独や孤立を見逃さない。

第9章

ニューノーマルの「世代論」

〝老害〟と〝イマドキの若者〟。
「世代」の壁を乗り越える

世代の分断がいっそう広がる現在。相互理解のカギは「プリュリバース」？　コロナ禍を生きる「ニューノーマル世代」の価値観、戦時中の「非日常」を経験した子どもたちのその後、作家・橋本治が説いた「当たり前」を疑う大切さをもとに解決の糸口を探ります。

2021.6.4（初回放送）

非日常を強いられる子どもたち

私たちはよく、「世代」という表現で集団をひと括《くく》りにして分析します。団塊の世代、バブル世代、ゆとり世代など、生まれ育った時代によって人々を区切る言葉は数多く存在し、世代の違いはときに分断や軋轢《あつれき》を生みだしてきました。コロナ禍でも、「感染拡大の原因は、若者が外を出歩いているから」と高齢者が批判したり、若い世代が「なぜ高齢者の感染防止のために自分たちが我慢しなければならないのか」と反発したり、世代間の分断を感じさせる声があがりました。

なぜ「世代」は軋轢を生み、障壁となってしまうのか。世代の壁を壊す方法はあるのか。その答えを探すためにいま話題の「ニューノーマル*世代」について考えてみます。

コロナ禍は、私たちの日常を一変させました。当たり前だったことが当たり前ではなくなり、ウィズコロナの新たな生活様式「ニューノーマル」が〝新しい日常〟として定着しています。「ニューノーマル世代」とも言うべきいまの子どもたちは、この〝新しい日常〟のなかで成長しています。ソーシャルディスタンスを保つために傘をさして登下校する、給食は全員前を向いたまま黙って食べる、声を出して歌わない、身体をくっつけない——。そんなニューノーマル世代の学校生活では、これまでの常識が通用しません。運動会、修学旅行、学校行事も次々に中止になり、子どもたちにとって思うようにならないことの連続です。幼いころに我慢を強いられること、さらに、リモート授業で生じる教育格差などが子どもの将来に影響を及ぼすことを不安視する声も高まっています。

かつての日本にも、「非日常」と我慢を強いられた子どもたちがいました。戦時中に集団疎開した子どもたちはその後どうなったのでしょうか。大人になった彼らの姿を振り返ります。

＊「ニュー（新しい）」と「ノーマル（標準）」を合わせた造語。「新しい生活様式」と表現される、ウィズコロナ時代のライフスタイル。

ズームバック

集団疎開した子どもたちの25年後

1969年、東京のある小学校の倉庫で古いフィルムが見つかりました。フィルムに記録されていたのは、戦時中に集団疎開先で快活に行進する子どもたちの姿。疎開に同行した校医が、東京に残る家族のために子どもたちの姿を撮影したものでした。手持ちのフィルムは限られていたため、校医は子どもたちにカメラの前を行進させて、全員の元気な姿を収めたといいます。

フィルムのなかでは明るく元気に笑顔を見せていた子どもたちは、24年後、当時の記憶をこんなふうに語っています。

僕らが5年の時の6年生は、親分と子分みたいな関係をつくって、洗濯だとか雑用までさせられたことがありました。「しんどいからおぶっていけ」とか、ひどいことがあったんです。忘れもしませんが、軍隊乾パンというのを余分に食べてビンタをくらったことがあります。ガマガエルを好んで食べたりもしました。

ひもじい思いとか、うんと寒い思いがあり、先生なんかに対して僕はずいぶん批判的な気持ちで見ていた風に思います。既成の権威に対する徹底的な不信感がありました。

（NHK「富谷国民学校」）

戦時の子どもたちは、疎開という「新しい日常」を強いられました。その日常のなかで、大人に求められれば笑顔を見せていた子どもたちですが、25年たって語られたのは、上の世代への強烈な不信感でした。

落合　戦時で、親元からも離れているのに子どもたちが皆疎開先で楽しそうにしているのは独特な印象を受けます。見た目は楽しそうにしながら、大人になった後でつらかったというのも、本音と建前が分離されているように思えます。教育的な観点で言えば、疎開という非日常を経験した人と、そうでない人のあいだには、その後のものの見方や考え方に違いが生まれても不思議ではありません。そうした教育を受けた人たちが、子どもが集団疎開して会えないのが「普通」ととらえたら、皆がそうなるでしょう。「普通」がどこにあるかは、所属する集団によって決まりますから。

ニューノーマル世代の価値観

落合　ニューノーマル世代の子どもたちは、大人とは違う価値観を抱くことになるかもしれません。「子どもながらにすべてをあきらめて生きることを悟った」ような、日本人的メンタリティーを手に入れそうです。「新さとり世代」と言えるかもしれません。「あきらめる」というと不憫《ふびん》に感じるかもしれませんが、そんなこともないでしょう。私には3人の子どもがいますが、一番上の4歳の子どもは、すでに新しい生活様式で1年半ほど過ごしているので、人生のほぼ半分が「ニューノーマル」ですし、下の子たちは生まれてからほぼずっと「ニューノーマル」です。子どもたちがあと18年間いまと同じような生活をしていたら、私たちとは異なる価値観のもとでまったく違う人生の楽しみ方を見つけるでしょう。いまの子どもたちは、物心がついたころからスマートフォンがあった「スマホネイティブ」です。思い出はスマホで撮った写真や動画で残し、その思い出はデジタルのフィルターで〝盛る〟ことができます。フィルターがさらに発達すれば、生身の体で着飾るおしゃれやメイクも過去のものになって、「フィルターの世界」に生きるのかもしれません。いまは一般的に生命と情報は違うものとして認識され、その距離もかなり離れています。けれど、一定のラインを超えると生命も情報の塊ですし、情報の塊も非常に生命的な動きをします。現在のようなデジタルに対する特別意識がなくなると、生命と情報の距離も変わっていくでしょう。

■「文脈」を離れ、いまを楽しむ

落合　私が大学で教えている二十歳前後の学生にも、それまでの世代とは違う価値観が見られます。「僕らの世代はディグ*できないから、30代以上の人と音楽の話をしても噛みあわない」と言われたときには、改めてそれを感じました。

かつては、好きなアーティストができると同じプロデューサーで違うアーティストの曲を聴いてみたり、同じレーベルのアーティストに興味を持ったり、「文脈」に沿って〝掘る《ディグ》〟ことが音楽の楽しみ方とされていました。いまは、ストリーミングで耳に気持ちがいい音楽だけを楽しむ人が増えて、個別のアーティストのアルバムを買いそろえるようなことはあまりしないと聞きます。気にいった曲が見つかれば、自分で探さなくても、似た曲をAIが瞬時に勧めてくれるのでその必要もないでしょう。「このアーティストがこの曲を作ったとき、世界はこんな状況で」といったことを掘り下げて考えるのとは別のかたちで、自分にとって心地よい音楽を横方向に連ねていくような音楽の聴き方に変わりました。

文脈を排して成立する音楽体験と、文脈があって成立する音楽体験のふたつがあってどちらも楽しめればいいですが、文脈をもとに音楽を聴く人たちは、自分と文脈が合わない人に対して少し排他的だったりもします。文脈を排した音楽体験メインの人たちは、「そんなのは音楽の聴き方じゃない」とか言う人とは話が合わないでしょう。そういう前提では、コミュニケーションをあきらめているのかもしれません。

蛇口から水が流れっぱなしのような状態で音楽を楽しんでいるなら、「音楽を聴くのに背景はいらない、気持ちよければいい」という考え方もわかりますし、それでいいと思います。実際、私が知っている学生たちは、とてもニッチな曲を聴いていて驚かされます。ストリーミングに勧められるままであっても、そのアーティストが好きでずっと聴いていると言います。AIが「掘った」ものには共通文脈がなく、その意味では「音の本質」に近いでしょう。

＊「掘る」こと。DJ用語で「レコードを探す」ことに由来し、「音楽を探す」こと全般を指す。

古い価値観にとらわれず、「新しい日常」を生きるニューノーマル世代だからこそ切り拓ける未来があるのかもしれません。

落合編集長によるキーワード

■新しい日常《ニューノーマル》からの新しい価値観

世代間の軋轢

2021年2月、「女性が多い理事会は時間がかかる」という発言をきっかけに、森喜朗元首相は東京オリンピック・パラリンピック大会組織委員会会長を辞任しました（267ページ参照）。その発言を撤回し謝罪する会見で、森元首相は「老害が粗大ゴミになったのかもしれませんか。そうしたら掃いてもらえばいいんじゃないですか」と語り、これも大きな話題になりました。

広辞苑によると、老害とは「硬直した考え方の高齢者が指導的立場を占め、組織の活力が失わ

就職活動中などに受けたセクハラ件数(男女別)

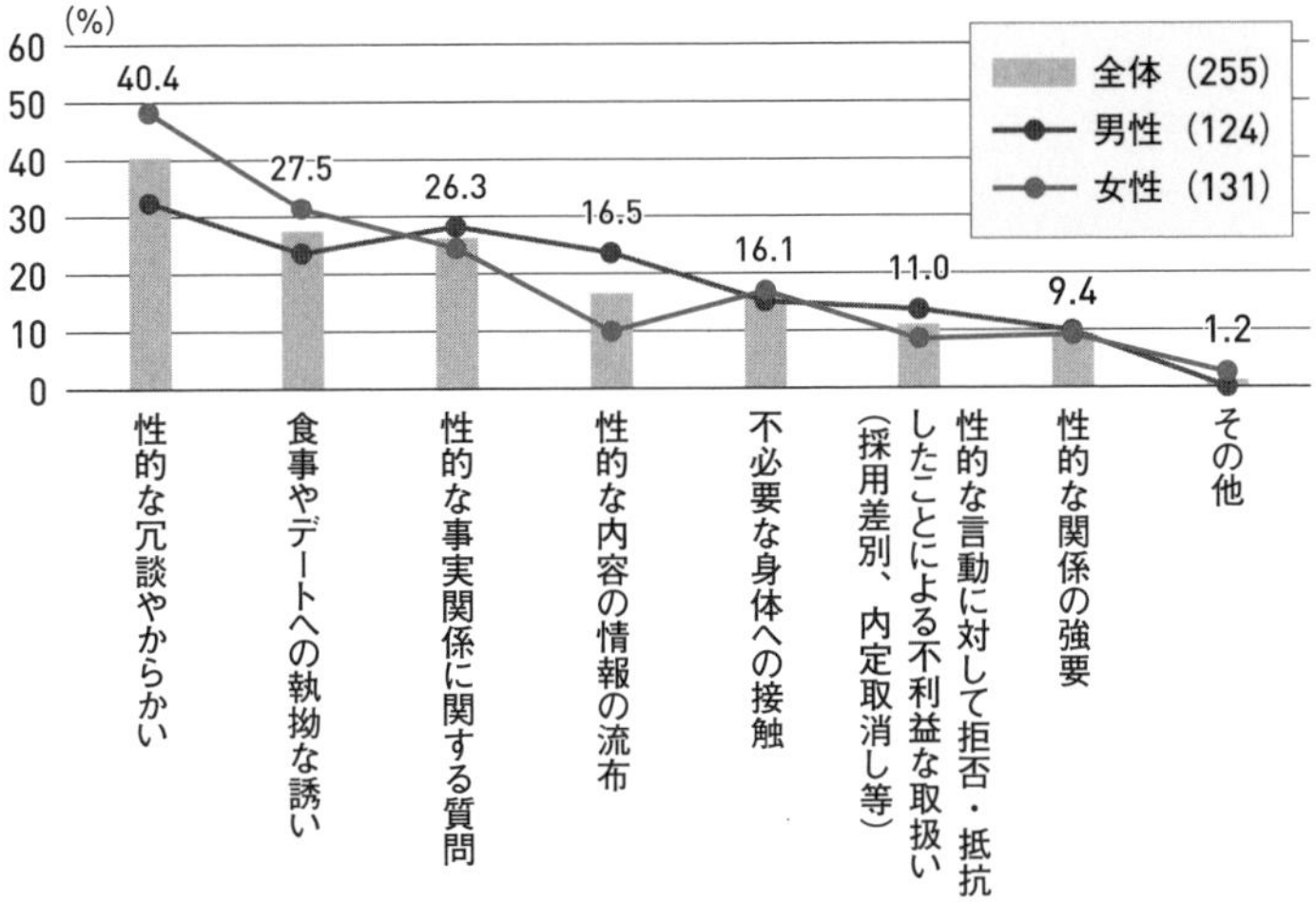

*就活等セクハラを受けた者を対象

出典:厚生労働省「職場のハラスメントに関する実態調査」(2021)をもとに作成

れること」ですが、最近はもっぱら上の世代を非難するときの常套句として使われています。

女性に対する問題のなかで、昔から長く存在するのがセクハラです。とくに就職活動中の4人に1人の女性がセクハラを受けていたというデータもあります(2021年4月、厚生労働省「職場のハラスメントに関する実態調査」)。さらに、そのうちの9・4パーセントは性的な関係の強要までされていました。

そのような状況があるなか、年上の世代のあいだでよく聞くのは「何を言ってもハラスメントにされる」という言葉です。その言葉には、自らの価値観が時代に合わなくなったという、若い世代との「価値観」の違いに対するとまどいが現われています。はたして、世代の違いと言っていいのでしょうか?

落合　年長の世代のなかには、「昔は許されていたことが、いまは許されなくなった」と言う人がいますが、それは違うように思います。セクハラは本質的にマジョリティとマイノリティ――ヒエラルキーの上と下の問題です。昔も「許されていた」わけではなく、単純にマイノリティ側が声をあげなかったり、ヒエラルキーの下部構造にいる人が権威構造に対して文句を言わなかったりしただけではないでしょうか。世代の問題ではなく、大衆側が力を持ったり、あるいはマイノリティ側が抗議の声をあげるための技術やツール、告発窓口のような「知恵の共有」が行われた結果、問題が露見し得るようになったというのが本質かもしれません。

しかしいまの社会には、こうした本質を顧みず、セクハラなどさまざまな問題を世代間ギャップに安易にすり替えてしまう傾向があります。

戦後の日本で、世代間に大きな軋轢と断絶を生んだ出来事があります。約50年前に遡り、世代間の問題の〝原点〟を振り返ります。

ズームバック

「断絶」の登場──70年安保闘争

寺で座禅をくむ新入社員たち
提供:朝日新聞社

1960年代、ベトナム戦争への批判などをきっかけに、世界中で学生運動が起こります。その波は日本にも及び、60年代後半には、間近に迫った日米安全保障条約改定に反対する、いわゆる大学闘争がピークを迎えました。このとき学生運動に参加したのが、戦後の第一次ベビーブームで生まれた「団塊の世代」です。

大人たちの多くは、こうした「大人の論理に反発する若者たち」を受け止めきれずにいました。ある会社では、「いまの若者は批判が多すぎる。何事も体験を優先する」という方針のもと、新人研修の一環として道場で〝精神修養〟を受けさせました。その研修は、新入社員全員が同じ服を着て額にはちまきを巻き、正座して説法を聞くという厳しいものでした。さらに、5日間の修養の最後には、夜の真っ暗な川での「禊《みそぎ》」が待っていました。

同社の社長は、若いころこの道場で修養をしたことがあり、それ以来道場の熱烈な支援者だったといいます。かつて自らが経験したことを同じやり方で経験させ、戦後生まれの〝批判が多すぎる〟若い世代を教育しようとしたのでしょうか。同社のほかにも、寺での座禅といった〝精神修養〟を新入社員研修に取り入れる会社が見られました。

学生運動で大人に反発する若者と、それを受け止められない大人が世界中にあふれていた1969年、時代の空気を表す「断絶」という言葉が流行します。この言葉は、同年にベストセラーになったオーストリアの経営学者ピーター・ドラッカー（1909〜2005）の著書『断絶の時代』をきっかけに使われはじめ、やがて言葉がひとり歩きして、あらゆる軋轢が「断絶」と呼ばれるようになりました。

その断絶は埋められることなく、その後もしらけ世代、新人類、バブル世代、ロストジェネレーション、ゆとり世代といったさまざまな「世代」へと引き継がれていきました。

「当たり前」を疑うことの難しさ

上の世代は、下の世代を「自分と違うもの」とみなし、問題に正面から向きあってこなかったのかもしれません。なぜ人々は、下の世代の声に耳を傾けるのが苦手なのでしょうか。その疑問に対して、ユニークな分析をしているのが、作家の橋本治（1948〜2019）です。橋本は著書のなかで、若者たちの行く手を阻む上の世代を「穏健な常識人」と呼びました。

当人達にそのつもりはなくとも、「阻んでいる」と思われてしまうのは、「穏健な常識人」が、自分達の知る「常識」の外にあるものをイメージ出来ないからで、そのことによって前へ進もうとする息子達の壁になる。壁になっていて、しかしそんな自覚が父親達の間に生まれないのは、彼等が「当たり前」の中にいるからだ。

（橋本治『父権制の崩壊 あるいは指導者はもう来ない』朝日新書）

落合 自分が育った「当たり前」を疑うことの難しさこそ、問題を世代間ギャップにすり替えてしまう原因なのかもしれません。

話は少しそれますが、以前「アンパンマンとジャムおじさんの顔が一緒だと気づいてからの人生が変わった話」というテーマでブログを書いたことがあります。

アンパンマンにヒゲを生やすと、ジャムおじさんそっくりの顔になります。ということは、アンパンマンは年をとるとひげが生えてジャムおじさんになり、パンを焼いて新しいアンパンマンを育てるのかもしれません。〝元アンパンマン〟が無自覚に次のアンパンマンを育てると、おそらく「アンパンマンとはこうあるべき」という自分の当たり前をそのまま植えつけて、自分と同じようなアンパンマンを作ろうとします。そうなると、過去のアンパンマンが考えた「あるべき姿」にしばられて、永遠にバイキンマンをやっつけつづけるようになってしまうかもしれません。だから、自分の正義感や価値観には自覚を持ったほうがいいのです。

「価値観の壁」を超える

コロナ禍の現在、大人の論理は「空回り」しがちです。一方で環境活動家グレタ・トゥーンベリやシンガーソングライターのビリー・アイリッシュを代表とする若者たちは、ＳＮＳなど社会に発信するツールを駆使し、社会への違和感を世界中に訴える力を持つようになりました。

落合　大人と若者が「価値観の壁」を超えるためのキーワードになるのは、「プリュリバース

（pluriverse）」だと思っています。プリュリバースはユニバースの対義語で、「多元的世界」を意味します（Arturo Escobar "Designs for the Pluriverse Radical Interdependence, Autonomy, and the Making of Worlds" Duke University Press, March 2018）。ユニバーサルデザインという言葉もあるように、ユニバースには「万人の」という意味がありますが、もともと「ユニ」は「ひとつの」を意味する言葉です。それに対して「プリュリ」は「多元」「複数の」という意味を持っています。

プリュリバースは「環世界」がいくつも重なり合っている世界とも言えるでしょう。環世界とは、ドイツの生物学者ヤーコプ・フォン・ユクスキュル（1864〜1944）が提示した生物学上の概念で、すべての生物はそれぞれの種特有の知覚世界を持っているという考え方です。たとえば、カタツムリの時間は、ヒトよりもずっと早く流れています。ヒトは「カタツムリはゆっくり動く」と感じますが、カタツムリから見れば、ヒトの動きは早送りのように感じるでしょう。どちらの時間感覚が正しいということではなく、それぞれの生物にとっての世界の見え方、つまり「環世界」があるだけです。それぞれの環世界に、優劣や上下関係はありません。生物と同じように、人間の世界でも異なるコミュニティがあればそれぞれの環世界があり、そこに優劣はない。アナロジー上ではありますが、それがプリュリバースの考え方です。

それぞれの「環世界」に優劣はない

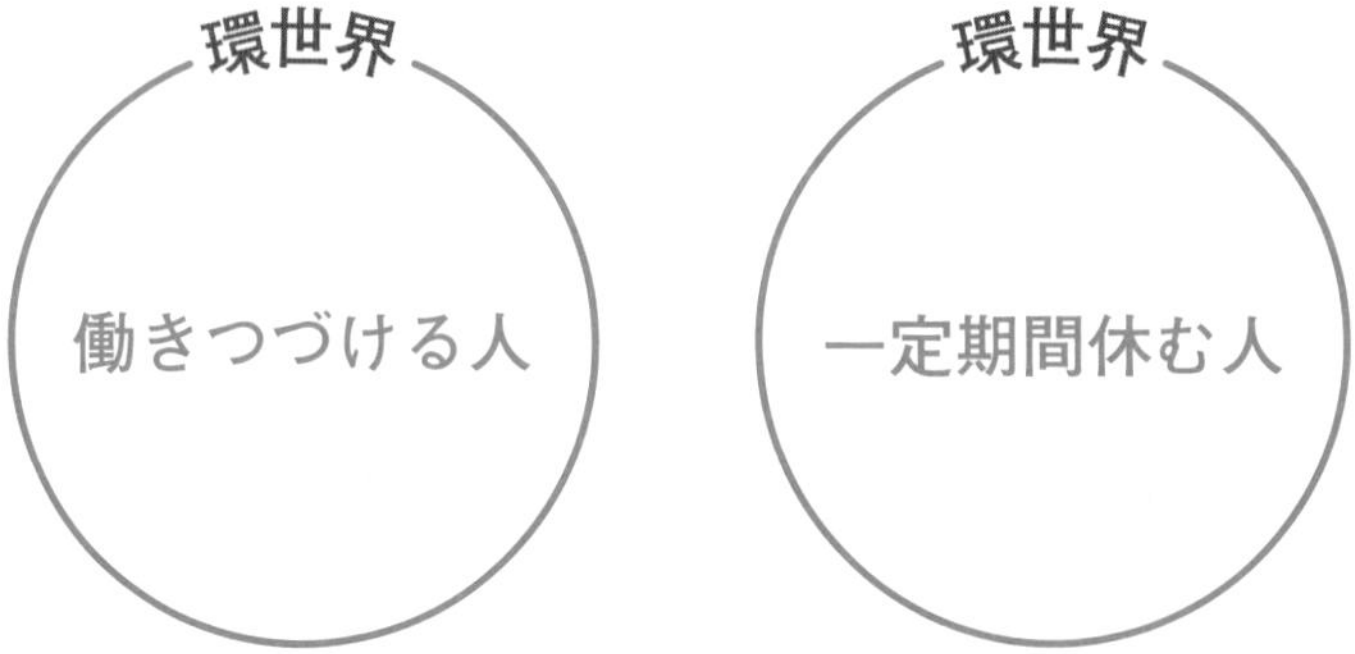

落合　ジェンダーの問題をマジョリティとマイノリティの問題として置き換えて考えると、マイノリティの考え方がマジョリティの考え方に属するというのも違和感があります。たとえば、日本の会社になぜ女性役員が少ないのかという議論になると、「女性はいちばんの働き時に出産や育児で仕事を離れてしまうから出世しにくい」と主張する人がいます。それは「たくさん働く人が出世して役員になる」という世界の価値観であって、多元的なものではありません。「全員が一定期間休むことが普通」「休んでも影響はない」という考え方であれば、女性役員が少ない理由にはならないでしょう。

ある価値基準にはあてはまっても、その基準が絶対ではないということをまず考える必要があります。そこから考えないと、日本のジェンダーバランスは多元的にならないでしょう。現状では、一元的で非常に狭い見方から見た「ユニバーサルデザイン」に近いものです。万人受けするユニバーサルデザインは究極的には成立しえないことも多く、結果的にうまくいかないように思えます。

ユニバーサルもプリュリバースも思想として求めているものは似ていますが、ユニバーサルでは全員の中間物質をとってくるところが異なります。たとえばｉＰｈｏｎｅは、ユニバーサルデザインの好例です。ユニバーサルにデザインした端末をひとつ用意して、そこに多様なアプリを要素として足していくという考え方は正しいところもあります。ただ「スマートフォンを持たない」世界があってもいいし、皆がそれぞれまったく違う使い方をする道具がたくさんあってもいいでしょう。ユニバーサルとプリュリバースは必ずしも対立する概念ではありませんが、ユニバーサルデザインからこぼれ落ちる人のことを考えると、プリュリバースは重要な考え方だと思います。

■プリュリバースで相互理解を

段差をスロープにして健常者も車椅子の人も上れるようにすることは、ユニバーサルデザインです。しかし、もしこの世が「車椅子に乗る人がマジョリティ」の世界なら、あらゆる段差はそもそも存在しないでしょう。全員が車椅子に乗り、椅子というものが存在しない世界に生きるという発想もある。そう教えてくれるのが、プリュリバースの考え方です。

落合　全員が、何か統一的なひとつのものを目指さなくてもいいくらい、人間は豊かになりました。

人間がマンモスを追いかけていたような時代では、健康でないと狩りにも行けず、そこを補うインフラも整っていなかったので、生存の目的においてひとつのユニバースでしか生存できませんでした。インフラの発達もあり、徐々にひとつのユニバースでなくても生活できる程度に価値観も多様化してきました。現在なら、もし目が不自由だとしてもそれを支援するコンピューターのインフラも発達しています。

状況が変化すると、価値の本質も変わります。いままでの価値観からどう変わっていくか、変化した価値の本質にどう近づいていくのかの意味が大きくなるのではないでしょうか。たとえば、デジタル世代がコロナ禍で修学旅行に行けなくて可哀想というのは修学旅行をした世界の人たちの話であって、もともと修学旅行がない世界のなかでは関係のないことです。下の世代は、必ずしもそれまでの世代と同じ経験を重ねるわけではありません。互いを理解し合うためにも、プリュリバースの発想が大切です。

無理に統一しないで、プリュリバースでやっていくほうが皆にとっていいのではないでしょうか。ほかの世界ではすでにユニバーサルは終わりつつあるのに、日本のマジョリティはまだユニバーサルにも到達していないように見えます。相変わらず同じ価値基準がはびこり、いまだにテレビの影響が強く、年収が話題にされるような世界においては、プリュリバースの考え方から2周は遅れているのではないでしょうか。2周くらいずれている世界も、それはそれで愛すべき〝多元宇宙ジャパン〟と言えるのかもしれませんが……。
それは働き方の変化くらいでは変わりません。第7章でもふれましたが、「みんな違って、みんないい」と「みんな違って、みんなどうでもいい」の違いについて、小さいころからしっかり教えこまないと難しいでしょう。本当は、「みんなどうでもよくて、みんな大切」ということを学ばねばならないのですが、まずは寛容さからだと思います。

落合編集長によるキーワード

■2周先の多元的世界《プリュリバース》へ

変わるために日本のマジョリティに必要なのは、「2周先」のプリュリバース。

第3部

「大回復《グレートリカバリー》」への道

【カルチャー編】

コロナ禍が長期化するなか、東京オリンピックの開催をめぐる批判、たび重なる失言による炎上など社会は大きく揺れ、混迷の度が高まりました。

落合

危機の後のイノベーションに期待したいと思っています。長らく社会は変わらないという風潮がありましたが、外圧・内圧により社会は大きく変わりつつあり、それは好意的に受け止めたい。社会は良い方向にしかいかない、それを信じきる力が大切です。

コロナ禍にあえぐ〝いま〟を脱却するべく、過去の事例に回復《リカバリー》の道を歩むヒントを探ります。

第10章

炎上する「言葉」

暴走するSNSの言葉、
多様性が生む深淵なる言葉

失言、SNSでの炎上など失われていく「言葉の価値」。一方、言葉には人々を動かし、社会を変える力もあります。池田勇人から川端康成、アマンダ・ゴーマンまで古今東西の言葉を通して、多様な言葉が生みだす「新しい正しさ」について見ていきます。

2021.3.27（初回放送）

失われていく言葉の「価値」

落合　まだ「アフターコロナ」という言葉が使われていた2020年3月、コロナ禍は長引くという予測のもと、私は「ウィズコロナ」*という言葉をいち早く使いました。いつもと違う日々がいつまでも終わらない。そんなイメージを表現した言葉です。

2020年は、ユーキャン新語・流行語大賞に選ばれた「3密」のほかにも、「新しい生活様式」「ステイホーム」「自粛警察」「zoom飲み」「コロナ太り」「クラスター」など、コロナ禍が新しい局面を迎えるたびにさまざまな新しい言葉が生まれました。その一方で、言い慣れない、聞き慣れない言葉が氾濫し、言葉の価値そのものがすり減っていった感もあります。

言葉の氾濫が起きたのは日本だけではありません。各国でも政治家による失言や暴言が相次ぎ、世界中が「言葉の混乱状態」にありました。イギリス版の流行語大賞とも言える「今年の単語」を選んでいるオックスフォード英語辞典も、2020年は「短い期間のなかで何度も修正と順応を余儀なくされ、世相を映す言葉を決められない」として、史上初めて「1語には選べない」という結論を出しました。

急速に変容し、価値が失われていく「言葉」に、私たちはどう向き合っていけばいいのでしょうか。

落合 まず、言葉の定義が変わってきたこと自体を楽しもう、というポジティブさが必要です。意味が正しく伝わらないと誤解されると恐れていたら、何も言えなくなります。意味が正しく伝わらなかったらむしろ〝気持ちいい〟くらいに思いましょう。

炎上する言葉

私たちの世界にはいま、言葉があふれています。1日のインターネット上のデータ統計(Internet Live Stats)によると、世界中でツイッターに投稿される〝つぶやき〟は1日10億件、Eメールは2000億通以上がやりとりされると言われています。

言葉は、ひとたび発信してしまえば取り戻すことができません。そのため、ひとつの言葉が想定した以上に強い拒否反応を引き起こすことがあります。「取り返しがつかない」という点で最近注目されたものに森喜朗元首相の失言[**]があります。2021年2月、東京オリンピック・パラリンピック大会組織委員会会長だった森元首相が「女性が多い理事会は時間がかかる」などと発言。すぐに撤回したものの、問題視する声は増えつづけ、発言から9日後に辞任を余儀なくされ

＊ 2020年3月、落合陽一と安宅和人(ヤフーCSO)の対談で生まれた言葉。

＊＊ 2021年2月3日のJOC(日本オリンピック委員会)臨時評議員会での「女性がたくさん入っている理事会は時間がかかる。女性は競争意識が強く、誰かひとりが手をあげて言うと、自分も言わなきゃいけないと思う。私どもの組織委員会の女性は皆わきまえておられる」など一連の発言。

ました。

落合　失言は、言葉の使い方の問題ではなく〝心《マインド》の問題〟ではないでしょうか。常日頃から失言に気をつける必要はありませんが、大切なのは自分の心が失言しないマインドになっているかどうかです。森元首相の発言で言えば、世界の人口の半分は女性ですから、「女性が多い理事会は」と「数」に言及する意味がないでしょう。以前政府の委員会に出席したとき、委員名簿が性別によって赤と黒に塗り分けられているのを見て驚いたことがありますが、私は普段から、会議や組織は男女の割合が同じ、むしろ女性が多いほうがいいくらいに思っています。そうしないと、状況は変化しません。マインドを変えるには日常生活から変えることが大事で、習慣化しないと難しいでしょう。

森元首相の件では、発言直後から多くの人々が声をあげ、その声は大きなうねりとなりました。その後、オリンピック・パラリンピック大会組織委員会で新たに12人の女性理事が選出され、理事会での女性の割合が40パーセント以上に引き上げられました。ほかにも多くの組織でこれまでのアンバランスな状態の是正が進もうとしています。

落合　社会の変化により、ジェンダーバランスは今後確実に変わっていくでしょう。

森元首相の発言のように、ひとつの「言葉」が世間を大きく動かすことがあります。そんな言葉を〝ねらって〟発していたかもしれない政治家がいました。ここで、〝元祖失言王〟とも呼ばれる池田勇人元首相の発言を振り返ります。

ズームバック

〝失言大臣〟の真意

池田勇人元首相
提供:毎日新聞社

有名な吉田茂首相の〝バカヤロー発言*〟の3年前、取材での発言が大問題になり、戦後の「元祖失言王」となったのが当時通商産業大臣だった池田勇人（1899〜1965）です。

池田は、「（庶民は）税金で非常に苦しんでいるようで、心中事件なども起きているようですが、それについてご感想はいかがですか？」という記者の質問に対して、「税金が高いから死ぬるというのはどうかと思います。とにかくイ

＊1953年2月28日、国会中の衆議院予算委員会で社会党右派の西村栄一議員からの執拗な質問に対し、当時の吉田茂首相が「バカヤロー」と連発したこと。この発言がきっかけとなって衆議院が解散された。

ンフレ時代から経済安定に向かう過渡的には個々の場合はありうると思います」と答えたのです。心中も「ありうる」という発言は国会で大きな問題になり、大臣の不信任案まで提出されました。

不信任案は結局政府与党が絶対多数で押し切って否決されましたが、池田はその後も失言を繰り返します。同じ1950年には、「所得の少ない方は麦、所得の多い方は米を食うというような経済原則に沿ったほうへ持っていきたい」といった発言をし、「貧乏人は麦を食えということか」と大きな反発を生みました。「失言大臣」「放言大臣」と呼ばれた池田ですが、じつは池田はあるねらいを持ってこうした発言を繰り返していたふしがあります。

それが垣間見える池田自身の言葉が残されています。1962年に放送された番組「総理と語る」(1962年4月27日放送、NHK特別番組「総理と語る」)で、当時首相だった池田はノンフィクション作家の大宅壮一氏と対談しました。

大宅　池田さんに対する批判。放言とか失言とか、そういう風な受け取り方をされるのはどうなのですか?

池田　これは私の不徳の致すところですかね。私は国民から政治経済全般を預かっている。私の責任です。これはまあ当然のことですがね。民主主義であり政党政治であるときには当然私の責任

池田勇人政権時の国民総所得

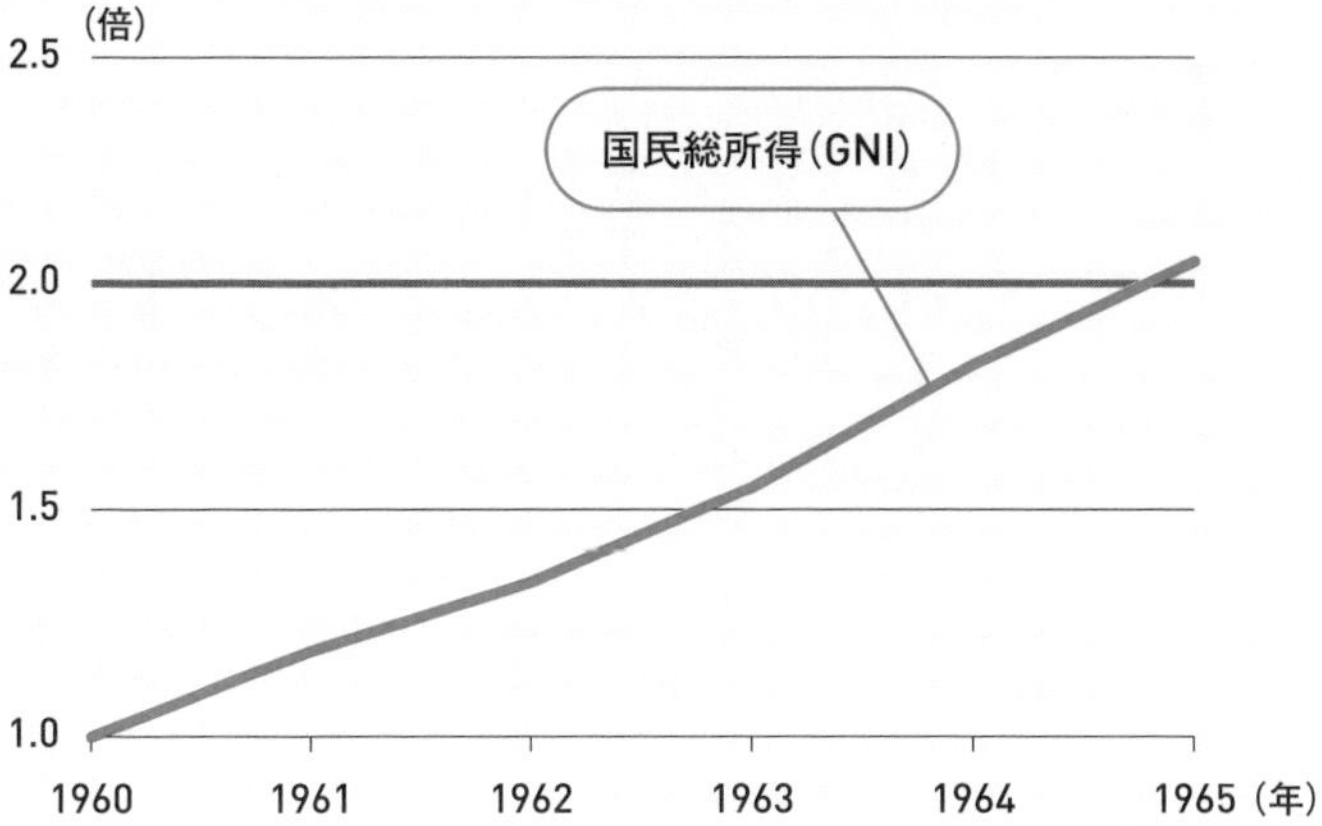

なんで大いに批判はあるほうがいい。

「失言も含めて責任は自分にあり、批判はあってしかるべき」。池田はそう語っています。とくに失言が多いとされた経済問題に話が及ぶと、こうも述べています。

池田 ただ経済問題になりますと、「経済を伸ばすのは誰か?」といったら私じゃないんですね。国民なんですよ。昔は(戦前は)政府も世界最大海軍国家だとか一流の陸軍国だと言って予算の半分近くあるいは戦争中は半分以上も軍事のほうに使ってしまって。経済の伸びというのは二の次だったんですね。もういまはそれ(軍事)がないんですから。だから責任は私が持ちますけれども、国民も希望と自信を持って行こうと。

落合 戦前や戦中とは違い、戦後の経済を動かすのは「国民」で

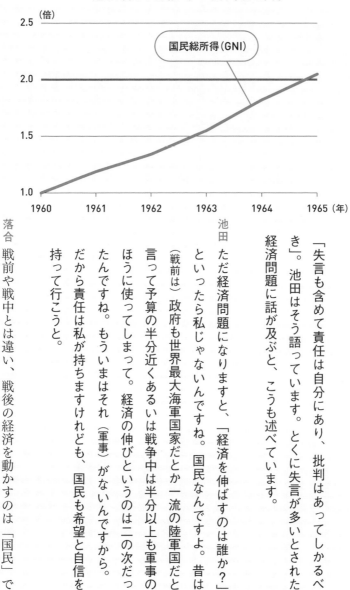

ある。その国民を鼓舞するためには、ときに踏み込んだ言葉も使う。責任は自分にあるのだから、批判されてもいい。「誰が悪いのか」と問われれば「私です」と答える。その姿勢には、単なる失言にとどまらない、いさぎよさも感じます。

当時、池田の過激な言葉は多くの市民の反感を買いましたが、それは同時に大きな「刺激」にもなりました。有言実行タイプだった池田は、首相就任後に有名な「国民所得倍増計画」を発表します。1970年までの10年間でGNP（国民総生産、現在の国民総所得＝GNI）を2倍以上にし、国民の生活水準を西欧先進国並みに引き上げることを目標とするこの経済政策にもとづいて、池田内閣は積極策を次々と打ちだし、国民もその主役として経済活動に邁進《まいしん》しました。その結果、68年にはGNPが資本主義国のなかでアメリカに次ぐ世界第2位となり、日本経済は当初の予想を超える成長を遂げたのです。

多様な言葉が生みだす「新しい正しさ」

落合　失言とされるかどうかは、時代性とも関係があります。いまは失言とされることも、時代が1

80度変われば失言でなくなることも大いにありえます。昨今「ポリティカル・コレクトネス（ポリコレ）*」と呼ばれる偏見や差別をふくまない中立的な表現や言葉が使われるようになりましたが、これもまた時代とともに社会に広がったものです。

大前提として、性別や人種、職業や宗教などさまざまな事情に配慮したポリティカル・コレクトネスは大切です。しかし、そこにある「違和感」も覚えておく必要があるでしょう。ポリコレばかりの世界は、もしかしたらとても〝薄まる〟かもしれません。〝薄まる〟とは、SNSなどでの炎上を避け、公正・中立な言葉を模索するあまり、伝える内容が稀薄になっていくということです。たとえば全世界のリーダーが同じことを言いだしたら怖いでしょう。ポリティカル・インコレクトなものが存在するから時代性が生まれるのに、ポリコレだけでできた世界は危ないかもしれないことに気づいていない人が多くいます。

時代が変われば「正しさ」も変わり、その変わっていく正しさのなかで言葉は成り立つ。多様性とはそういうことではないでしょうか。

落合編集長によるキーワード

■多様な言葉が、新しい正しさを生む

＊ Political correctness。直訳すると「政治的正しさ」。1980年代アメリカで提唱された思想で既婚・未婚問わず「Ms」を使うなど区別や偏見のない言葉の使い方を目指す。現在ではあらゆる面において公正・中立な表現を追求する考え方とされる。

リーダーの言葉の意義

「言葉の力」を〝大回復〟するうえで次に考えたいのは、リーダーの言葉です。コロナ禍では、未曾有の事態に対処するため、リーダーが直接国民に呼びかける機会が増えました。ドイツのメルケル首相、フランスのマクロン大統領、ニュージーランドのアーダーン首相など、各国のリーダーたちは国民に「家から出ないで身を守ろう」と呼びかけ、日本でも「外出は是非とも自粛してください」といった各都道府県の首長の言葉にこれまでにない注目が集まりました。

落合　こうした状況のなか、「考えて行動してほしい」という言葉に引っかかりを覚えます。「みんなよく考えましょう」と責任の所在を相手側に押しつけている印象も受けますし、世の中には「何も考えない権利」も存在するわけですから。全員で考えるコストは意外と高くつくので、「皆で考えましょう」というのは国民への呼びかけに見えても、実際はリーダーの責任転嫁なのかもしれません。

以前タクシーに乗ったとき、運転手さんがこんなことを言っていました。「考えるのが得意じゃない人が考えなくてもちゃんと暮らせるようにするのが、リーダーの責任でしょう」この運転手さんの言葉から、たしかに「皆でよく考えましょう」というのは無責任かもしれないと感じたのです。

個人的には「考える社会」のほうが好きですが、すべてにおいて考えなければならない社会にも危険性があります。そのような社会では、格差はいま以上に広がるかもしれません。社会にはロジック（論理）に強い人、考える人が生き残りやすい構造になっている場所が少なくありません。たとえば、コロナ禍でさまざまな経済的な支援制度が創設されましたが、給付を受けるにはたくさんの手続きが必要です。ロジックに強い人なら苦もなく申請し、制度の恩恵を受けられるのでしょうが、そうではない人は申請さえできないおそれがあります。全員が考えなければならない社会では、考えない人は置いていかれてしまいます。ですから、「一人ひとりが考えること」を前提としてリーダーが言葉を発するのは、必ずしも正しいとは言えないのではないでしょうか。考えることが人の唯一大切な能力か、と言われれば、違うと思うのです。

失敗の本質は「あいまい性」

言葉を「聞く」側のことを考えずに、こちらに責任を押しつけるような「上から」の言葉が発せられる。そうした日本の「言葉」が持つ問題の根源にあるのが、「あいまい性」です。この問題は、太平洋戦争での日本軍の敗因を膨大な資料を分析して解き明かした『失敗の本質』という

落合編集長おすすめの1冊

言葉の問題を考えるために

SNSには「言葉の暴力」の問題がつきまといます。茨木のり子さんの詩には、その問題に響く言葉があります。「時代のせいにはするな」はそのとおりですし、SNSのログイン画面にこの詩をのせておきたいものです。

自分の感受性くらい

ぱさぱさに乾いてゆく心を
ひとのせいにはするな
みずから水やりを怠っておいて

気難しくなってきたのを
友人のせいにはするな
しなやかさを失ったのはどちらなのか

苛立つのを
近親のせいにするな
なにもかも下手だったのはわたくし

初心消えかかるのを
暮しのせいにはするな
そもそもが　ひよわな志にすぎなかった

駄目なことの一切を
時代のせいにはするな
わずかに光る尊厳の放棄

自分の感受性ぐらい
自分で守れ
ばかものよ

（『茨木のり子詩集』岩波文庫）

本で、日本軍の問題として指摘されています。

目的のあいまいな作戦は、必ず失敗する。それは軍隊という大規模組織を明確な方向性を欠いたまま指揮し、行動させることになるからである。（中略）日本軍では、こうしたありうべからざることがしばしば起こった。

（戸部良一・他著『失敗の本質』、中公文庫）

「ありうべからざること」の例が、一九四四年、戦艦武蔵が沈んだフィリピン・レイテ沖海戦です。この海戦の際に出された電報は、「天佑ヲ確信シ全軍突撃セヨ」、つまり「天運を確信して、突撃せよ」というものでした。およそ根拠とも言えない「運を信じる」というあいまいな精神論にもとづいて命令が下され、多くの命が失われたのです。

落合 新型コロナウイルスのワクチン接種のオペレーションをめぐって、「見直しにむけた検討」「見込みの見込み」といったあいまいな言葉が飛び交いました。そのあいまいさに現場が振り回されているという点でも、現在の日本はかつての戦争中に近い状況にあるのかもしれません。あいまい性は、「失敗の本質」ではなく「日本の本質」とも言えるのではないでしょうか。

「深淵なる言葉」から価値が生まれる

言葉は、使い方によって炎上することもあり、そのあいまいさが致命的な失敗をもたらすこともあります。しかし、言葉があっというまに消費される現代において、新たな「価値」が見出されようとしている言葉があります。本章の最後に、そうした「深淵なる言葉」について考えてみましょう。

ズームバック

川端康成が目指した言葉

1968年、川端康成(1899〜1972)は日本人初のノーベル文学賞を受賞しました。授賞の報告を受けた翌日、鎌倉にある川端の自宅からテレビの生中継が行われます。同席した三島由紀夫や評論家の伊藤整がしきりに褒めるなか、川端自身はまったく喜びの言葉を語りませんでした。それどころか、「審査は翻訳されたものをもとにやってますね。日本語で審査されていない。非常に良心的に厳密に言えば、受賞を辞退するのが本当かもしれない」という発言をしたのです。さらに、自身の作品を「日本文学の代表」だとする西洋側の理解の仕方にも、「僕のようなものが日本文学の代表だと思われると、これはまた困る。おそらく僕はこれから書くとすれば西洋人にもっとわかりにくいものを書くと思う」と、苦言を呈しました。

川端はかねてから、自身の目指す言葉を、「自分の性質に深く発するものが、環境とぶつかって音を立てた」(『小説の研究』講談社学術文庫)ものと述べていました。川端の作品は、日本語にしかない表現、自身の深いところから発せられた表現によって作り上げられたものです。翻訳による審査では、言葉の流れの美しさや、言葉それ自体が持つ特色が理解されているとは言いがたいと考えていたのかもしれません。

「わかる言葉」より「意義深い」言葉を

落合　自分がよくわからないと感じた文章に対して、バカにした意味を込めて「ポエム」という言葉が使われますが、詩人に対して失礼な言い方でしょう。バカにしている人には「わけがわからない」文章だったとしても、わかる人にはきちんと理解できますから。

2021年1月に行われたアメリカのバイデン大統領の就任式で、「詩」の力が大きく注目さ

バイデン大統領の就任式で自作の詩を読むアマンダ・ゴーマン
写真:代表撮影/ロイター/アフロ

れました。詩人のアマンダ・ゴーマンが就任式で読み上げた自作の詩 *The Hill We Climb*(私たちが登る丘)が、大統領以上に注目を浴びたのです。

日が昇ると私たちは自問する
この果てなき陰のどこに光は差しているのかと
アマンダ・ゴーマン

アメリカの大統領就任式では、その時代を代表する詩人が詩を朗読するのが伝統です。ゴーマンは、17歳で最初の詩集を発表すると一躍注目を集め、アメリカ議会図書館での朗読からスポーツメーカー・ナイキの黒人アスリートのキャンペーン広告まで、さまざまな場で詩を提供しました。史上最年少の22歳で大役に抜擢されたゴーマンが、身振り手振りを交えながら朗読した「私たちが登る丘」は、まさに彼女の深くから発せられたものでした。

私たちが抱え込む喪失
歩いて渡らねばならない海
私たちは果敢に
窮地に立ち向かった
静寂は必ずしも平和とは限らず
常識や概念は必ずしも
〝正義〟とは限らないことを学んだ

アマンダ・ゴーマン

2020年に「ブラック・ライブズ・マター(BLM)」(114ページ参照)として大きな社会運動の原因となった事件では、黒人の男性が警官に取り押さえられ、話すことすら許されぬまま亡くなりました。「静寂は必ずしも平和とは限らない」(We've learned that quiet isn't always peace,)という言葉はそのことを想起させます。また、「常識や概念は必ずしも〝正義〟とは限らないことを学んだ」(The norms and notions of what just is isn't always justice.) という言葉を聞き、アメリカの多くの市民は就任式の2週間前にあった議会襲撃事件を思い起こし、正義とは何かをあらためて考えたでしょう。

就任式で朗読された「私たちが登る丘」は、アメリカ社会に存在する不正義や抑圧を取り上げながら、「もし私たちに光を見る勇気があるのなら、光はつねにそこにある」と希望も示唆し、多くの人の感動を呼びました。そして同時に、「この詩を自国の言葉に翻訳できるのは誰なのか」ということも各国で話題になりました。それはこの詩が川端の作品と同様に「簡単には訳せない、わかりにくい、深く発せられたもの」だったからにほかなりません。

落合　そもそも「みんな」が誰を指しているのかさえあいまいなのですから、何かを発信するときに「みんな」にわかるかどうかを考える必要はないはずです。容易には説明できない深淵な内容や目的であるなら、それにふさわしい「深淵な言葉」で伝えればいいでしょう。「わかる言葉」である必要はありません。「意義深い言葉」があればいい、ということです。その言葉を受け止められる者だけが、あいまいな言葉では決して到達できない、高い理解へと達することができるでしょう。言葉をどう受け止めるかということこそが、その世界の見え方そのものなのです。

落合編集長によるキーワード

■「わかる」言葉より「意義深い」言葉を

何かを発信するときに「みんな」にわかるかどうかを考える必要はない。噛みごたえのある言葉でいい。それにふさわしい言葉で伝えればいい。

第11章

新時代の「会社」

「サスティナブル経営」世界一の企業で継承される「愉快」の精神

世界が認めた「最も危機に強い企業」にも苦難の時期がありました。危機を乗り越えた力の源とは？　さらにカリスマ経営者による「愛社精神は不要」の意義、世界的企業が苦境から8K×古美術にいたった決断など、温故知新から会社の未来を予測します。

2021.4.9（初回放送）

業種別売上高の推移

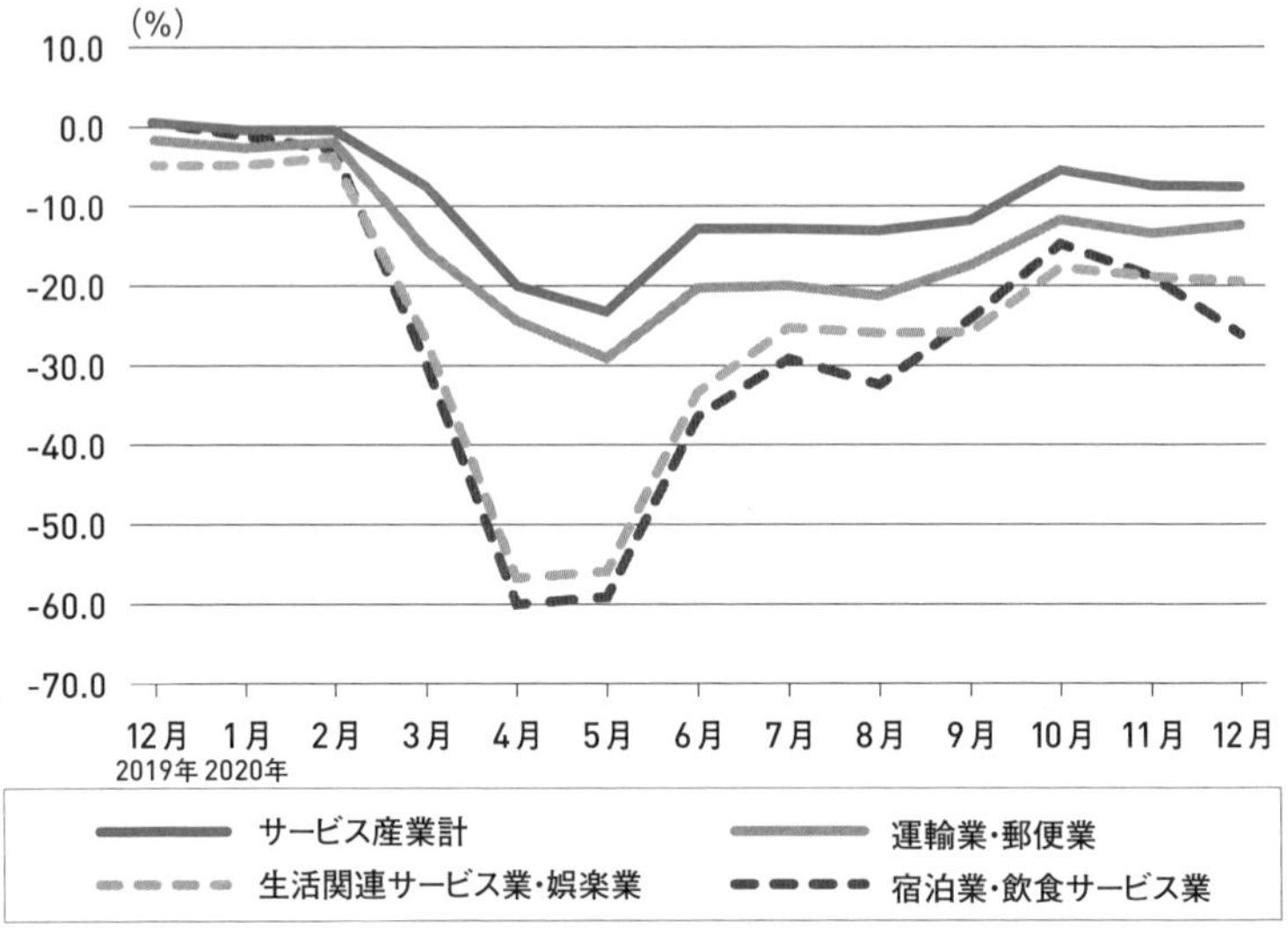

総務省統計局「サービス産業動向調査結果」（2020年12月）をもとに作成

日本の労働人口は約9割が会社員

グローバル化の進展以降、幾度も「会社」を襲ってきた厳しい変化の波。コロナ禍によってその変化はさらに加速しました。新しい日常に合わせて、デジタル化やリモート化への対応が否応なく求められ、致命的な打撃を受けた業種も少なくありません。

働いている人の約9割が会社員（２０２１年３月発表「労働力調査」総務省統計局）である日本において、会社の危機は社会全体の危機となりつつあります。

その一方で、コロナ禍にあっても利益を上げつづける企業があります。アメリカのＩＴ５社（グーグルの持ち株会社アルファベット、アップル、フェ

就業者数のうち雇用者数が占める割合

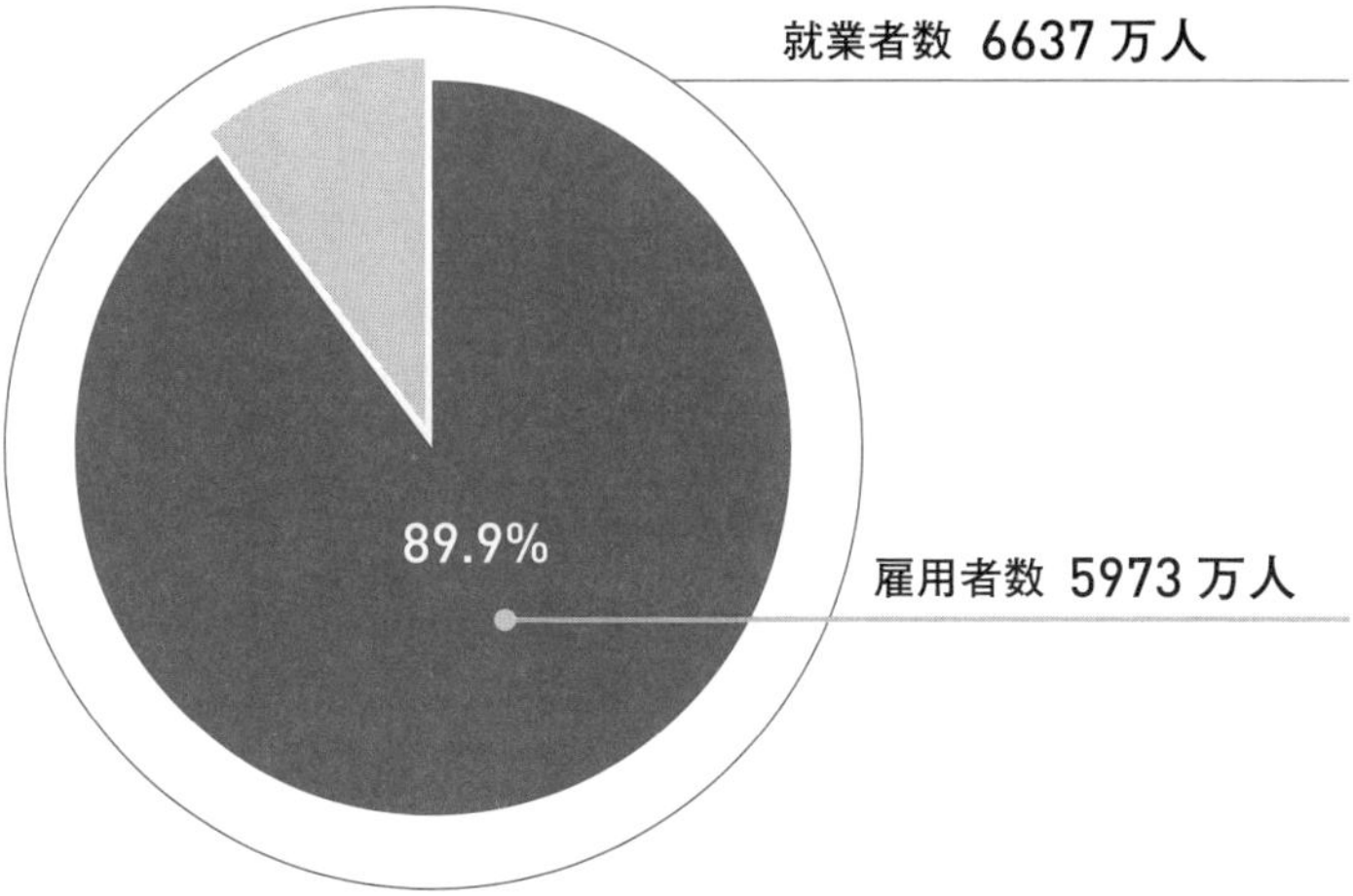

出典：総務省統計局「労働力調査」（2021年3月発表）

イスブック、アマゾン・コム、マイクロソフト）は、２０２０年10～12月期決算で過去最高益を更新しました。危機に強い会社とそうではない会社の違いは、いったいどこにあるのでしょうか。

世界が認めた「最も危機に強い」企業

危機に強い会社の条件を考えるにあたって、じつはある日本企業がとても参考になります。世界中で企業の倒産が相次いだ２０２０年10月、アメリカのウォール・ストリート・ジャーナル紙は「持続可能な経営企業１００社」というランキングを発表しました。世界中の５５００社を超える上場企業を対象に、人材、技術革新性、社会貢献度、環境への配慮など、これからの企業に必要とされる点を調査。「倒産せずに経営を持続できる可能性」を評価したこのランキングで１位になったのは、日本企業のソニーでした。ちなみに、現在時価総額世界一のアップルは68位、フェイスブックは65位。日本企業は、アメリカに次いで2番目に多い16社がランク入りしています。

世界で「最も危機に強い」企業にはどんな秘密があるのか。それを探るべく、ソニーのラボを取材しました。

ソニーで継承される創業精神

少し前までソニーは、テレビや音楽プレーヤーなどの家電を作る会社というイメージがありましたが、いまや売上の多くを占めるのは、世界1億人以上が利用するゲーム&ネットワークサービスや、世界シェア50パーセント以上を誇るカメラのセンサーなど。そうした製品に使われる新技術の開発を行うラボでは、360立体音響技術、スポーツの判定技術、宇宙通信技術など、さまざまなチームが研究を行っています。

そのチームのひとつである最先端の「ボリュメトリックキャプチャ技術*」の研究現場を訪ねました。実験ラボに入ると、部屋のなかは緑一色。部屋の中心を取り囲むように、約80台もの4Kカメラが設置されています。ボリュメトリックキャプチャは、三次元空間を自由な視点でとらえ

緑一色の部屋を約80台の4Kカメラが取り巻くラボの内部（左下）とボリュメトリックキャプチャにより再現された合成映像（右上）

ることができる最先端の技術です。約80台のカメラで上下左右あらゆる角度から、通常はカメラが入れないアングルからでも対象物を撮影し、その映像をリアルタイムで合成することができます。人物が丸ごと3次元化されているため、背景を合わせて転送すれば、あたかも空間ごと別の場所に送ったように見せることもできるなど、さまざまな可能性を秘めています。

２０２０年、ゲームやアニメなどコンテンツ分野の売上が好調だったソニーは、史上はじめて純利益が１兆円を超えました。しかし、ソニーはこれまでずっと順風満帆だったわけではありません。２０００年以降は、主力の家電が外国メーカーに押されて売上が伸びず、株価も低迷を続けます。

どうやってそうした危機を乗り越え、世界で最も「危機に強い会社」となることができたのでしょうか。ソニーを復活させた力の源は、ソニー設立とともに生まれ

＊実際の人物や場所を三次元のデジタルデータに変換し、高画質に再現する技術。新たな映像体験だけでなく、新しいコンテンツの生成手法としての応用も期待されている。

たひとつの文書にあります。それは、1946年1月、ソニー設立に先立ち、創業者のひとりでエンジニアでもあった井深大《いぶかまさる》（1908〜1997）が起草した「設立趣意書」です。70年以上にわたり社内で大切に伝えられてきたこの趣意書には、今日に続くソニーの基本哲学がはっきりと示されています。

趣意書の「会社設立の目的」には、こんな一文があります。

「真面目なる技術者の技能を、最高度に発揮せしむべき自由闊達にして愉快なる理想工場の建設」

落合　「自由闊達にして愉快なる理想工場」は有名なフレーズです。終戦から半年足らず、その日食べるものにも苦労するような時代にあって、会社の未来を見据え、そのあるべき姿をこれほど明確な言葉で表現していることに驚きを感じます。とくに、「自由闊達にして愉快なる」というところがポイントです。「自由闊達」は、自由と責任のバランスを考えて、好きなことをやって楽しく生きることと私はとらえます。そこに「愉快」が加わるのがポイントで、「自由闊達な理想工場」とは違い、「愉快」だから〝変なもの〟が出てくる。優秀な人たちが、戦争が終わって何をするか考えた結果、こうした理念ができたのは興味深いところです。

「愉快」を求めて成長した企業

長く続いた戦争のあいだ、「愉快」は求めることが許されないものでした。しかしそれこそが、戦後の高度経済成長を支えるカギとなったのです。

ズームバック

「愉快に、力の限り」の経営理念

松下電気器具製作所（現在のパナソニック）は、1918年に松下幸之助（1894〜1989）が創業し、昭和初期にはラジオや電球などを生産するメーカーでした。第二次世界大戦中は軍部の要請で戦闘機などを作っていましたが、戦争が終わると松下は即座に「平和産業への復帰」を宣言します。

戦争中、松下電気器具製作所も多くの工場や出張所を戦火で失いました。残った社員たちに向けて、松下はこう語ります。

「『如何なる人でも如何なる立場においても愉快に力の限り働き得る』という経営形態をとって

戦後直後に井深大が作りだした「電気炊飯器」
提供:ソニー

みたい」

愉快に、力の限り。松下が掲げたこの理念の下、会社は日本を代表する電機メーカーへと成長を遂げていきました。

会社の設立趣意書に「愉快」の言葉を記した井深大も、戦時中は軍部の求めに応じて新兵器の試作をしていました。しかし、終戦からわずか3か月後、井深は兵器とは180度違うものを作ります。それは、電気炊飯器です。終戦直後、部品も十分にそろわないなかでも、何か生活の役に立つものを作ろうという思いが生みだしたものでした。実際の製品は「うまく炊けるほうが稀《まれ》」という代物で売り物にはなりませんでしたが、井深もまた、ほんの一瞬で「戦争の道具」から「生活の道具」への大転換を果たしていきました。

■「愛社精神など持たなくてもよい」

そしてもうひとり、「愉快」さを追い求めつづけた経営者が、本田宗一郎（1906〜1991）です。井深や松下と同じく、本田も戦争中は戦闘機のエンジン用のピストンを開発・生産していました。けれど戦争が終わるとすぐに軍隊が使っていたエンジンを自転車に取りつけ、街の移動に便利なオートバイを生みだします。このオートバイは話題を呼び、本田は一九四八年、本田技研工業を設立しました。そして、かつて戦闘機に用いられたエンジン技術を、耕運機からレーシングカーまでさまざまなエンジンに平和活用していったのです。

会社の事業活動について本田は、「大海原を和気あいあいと一つ（の）目的に向かうこんな愉快な航海はない」と述べています。鈴鹿サーキットを貸し切って行われた1983年の創立記念パーティーでは、2万人の社員と関係者を前に、こうも語っています。

「ええかげんなやつがうちは社長になることになっているんだから、社員がしっかりしてもらわないと危なくてしょうがない」

冗談めかしてそう語る本田に、社員は笑顔で拍手喝采を送りました。

落合 本田の言葉は〝なげやり〟にも聞こえるかもしれません。けれど、社員を管理したがるトップが多いなか、「社長が適当だから、社員ががんばらないといけない」と信頼して任せるのは経営者として優れているのではないでしょうか。

さらに本田は、「愛社精神など持たなくてもよい。自分自身のために働け。会社のために働くなどとけっして思うな」という言葉も残しています。最初は会社を愛さないと成長しにくいですが、会社を愛しすぎる会社はやがて成長が止まります。「○○社らしい仕事をしよう」とか、「らしさ」にこだわりすぎるのはよくありません。会社とはファンクション（機能）が求められる組織であり、それぞれの社員や役員が与えられたロール（役割）をきっちり果たすことによって成長します。サッカーで、ゴールキーパーがゴールを守らずに四六時中シュートを打ちにいくようなチームが勝てないのと同様で、会社にとって役割は重要です。

私は2017年に「ピクシーダストテクノロジーズ」という会社を興し、飛沫感染防止のための空気循環技術など、数多くの新技術を発表しています。代表取締役CEOではありますが、普段「社長をやっています」とはあまり言いません。「自分の会社です」と言うと、私という個人に紐づいた会社になってしまいますから。会社の発展には、個人を離れた会社としての存在意義とブランディングが重要ですから、事業に私の個性が出てはいますが、「なんとなく落合陽一の〝匂い〟はするけれど、〝匂い〟しかしない」くらいにとどめています。会社としてなにより大事なのは、個人よりも長生きするように会社を設計し、関わる人々の自己実現を通じて、社会の公器たることではないでしょうか。

〝ちょいずらし〟の大切さ

会社の「愉快」さとは、社員一人ひとりの「愉快でありたい」という思いが会社全体に満ちることで生まれるもので、トップの「愉快になれ」という指示でつくられるものではありません。

落合　ここで言う「愉快」とは、面白みがないとダメだということ。「ちょっとズレている」がポイントですが、〝ちょいずらし〟は普通できないものです。

電気自動車で知られるテスラの共同創設者イーロン・マスク*は、元々プログラマーのエンジニアです。畑違いのマスクが手がけたテスラの車は、当初「まったくズレている」と批判されましたが、現在テスラは自動車メーカーのなかで時価総額世界一の企業となっています。

落合　車と関係ない業界にいたイーロン・マスクが自動車を作ったことに意味があります。これからテスラと闘うにはそういった自由闊達なものが必要で、まったく別の産業から参入したメーカーが車を作るしかない気がします。ブランドイメージを作るうえで最も大切なのは「尖《とが》る」ことですから、社会に発信力のあるインフルエンサーに愛されるくらい「尖って」いけばいいのではないでしょうか。大事なのは、作ったものが面白いかどうか。結局のところ、すべては「愉快」だと思います。

＊　１９７１〜。アメリカの実業家、投資家、エンジニア。電気自動車企業テスラの共同創設者、宇宙開発企業スペースXの創設者・CEOなど。２０１９年にフォーブス誌選出の「アメリカで最も革新的なリーダー」ランキングでアマゾンCEO（当時）のジェフ・ベゾスとともに第１位の評価を受けた。

落合編集長によるキーワード

・すべては「愉快」

新しい組織のかたち

会社が否応なく変化の波にさらされている時代にあって、生き残る組織とはどのようなものなのでしょうか。これからの社会で求められる「新しいチーム」のあり方について考えるため、ジェフ・ベゾスのユニークなチーム論を見ていきます。

ズームバック

アマゾンの「ピザ2枚ルール」

アマゾン（Amazon.com）は、1994年に創業者のジェフ・ベゾスが自宅のガレージで始めた事業をきっかけに、インターネットを通じた本の販売で急成長しました。事業の拡大とともに従業員が急増。2002年、社内がピラミッド型の組織になっていくことを危惧《きぐ》したベゾスは、社内に「ピザ2枚ルール」を設けます。ひとつの組織を、ピザ2枚をシェアできるほど小さな5、6名程度のチームに分割することで、一人ひとりが判断を人任せにせずに自ら決断する環境を作ったのです。この「会社を小さく分ける」という考えは、2008年のリーマンショック後、さかんに有用性が説かれるようになり、その考え方はやがて「ステイ・スモール（小さいままでいること）」という言葉に集約されました。

従来は、会社の規模も顧客の数も拡大していくことが当然でした。しかしその結果、組織は非効率的なピラミッド型になり、社内での意思疎通が滞る、顧客との関係が希薄になるといった弊害も生まれました。それに対して「ステイ・スモール」は、いたずらに規模の拡大を目指すことなく、少人数のチームで働くことで、社内や顧客とのスムーズな意思疎通を維持することができます。

さらに「ステイ・スモール」という考えは、チーム論にとどまらず、会社の事業そのものにも当てはまります。たとえば、液晶で知られるシャープによる8K映像技術を活用した事業も、ステイ・スモールの発想から生まれたものでした。

「ステイ・スモール」で内外の意思疎通をスムーズに

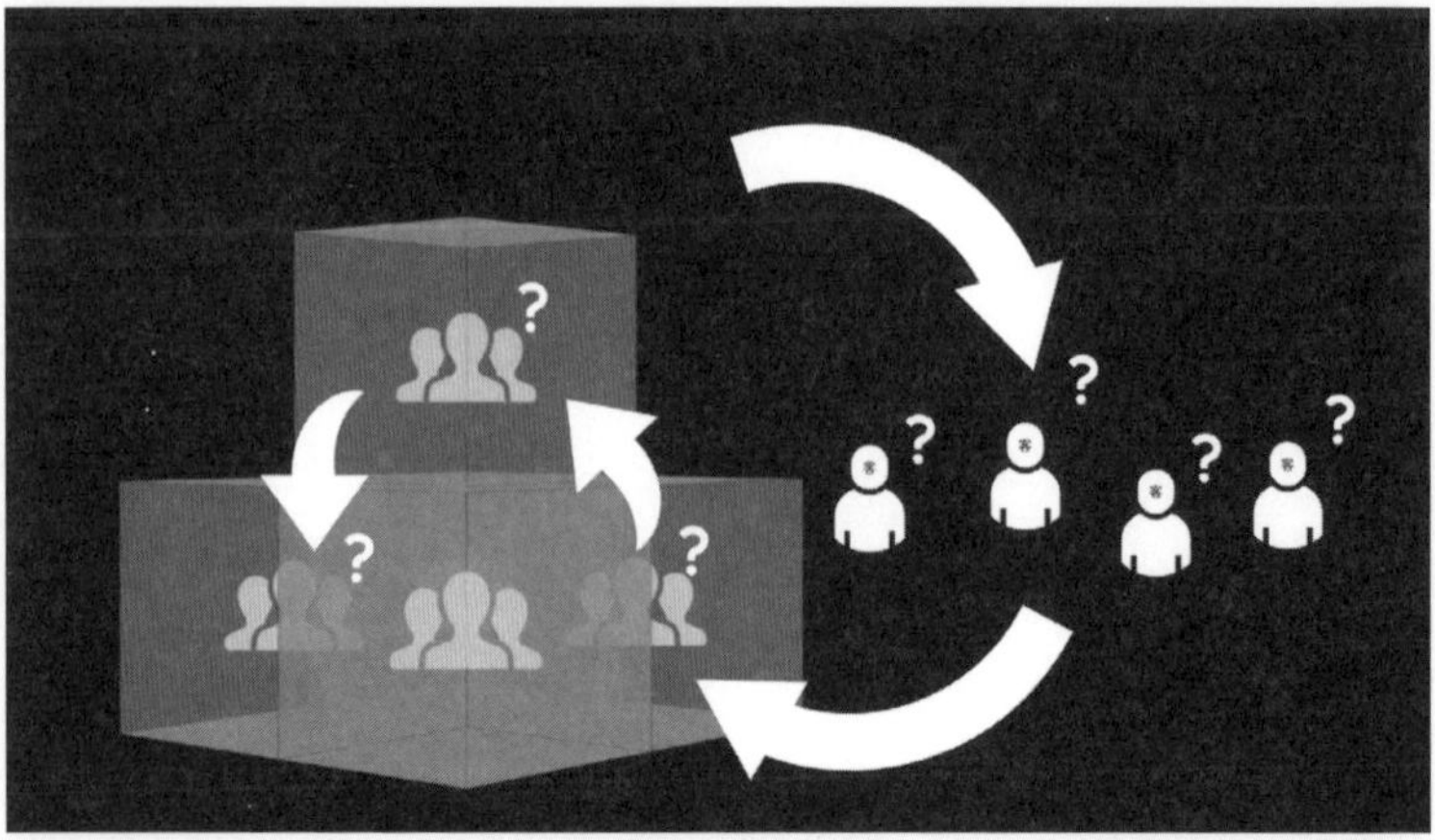

ピラミッド型の組織

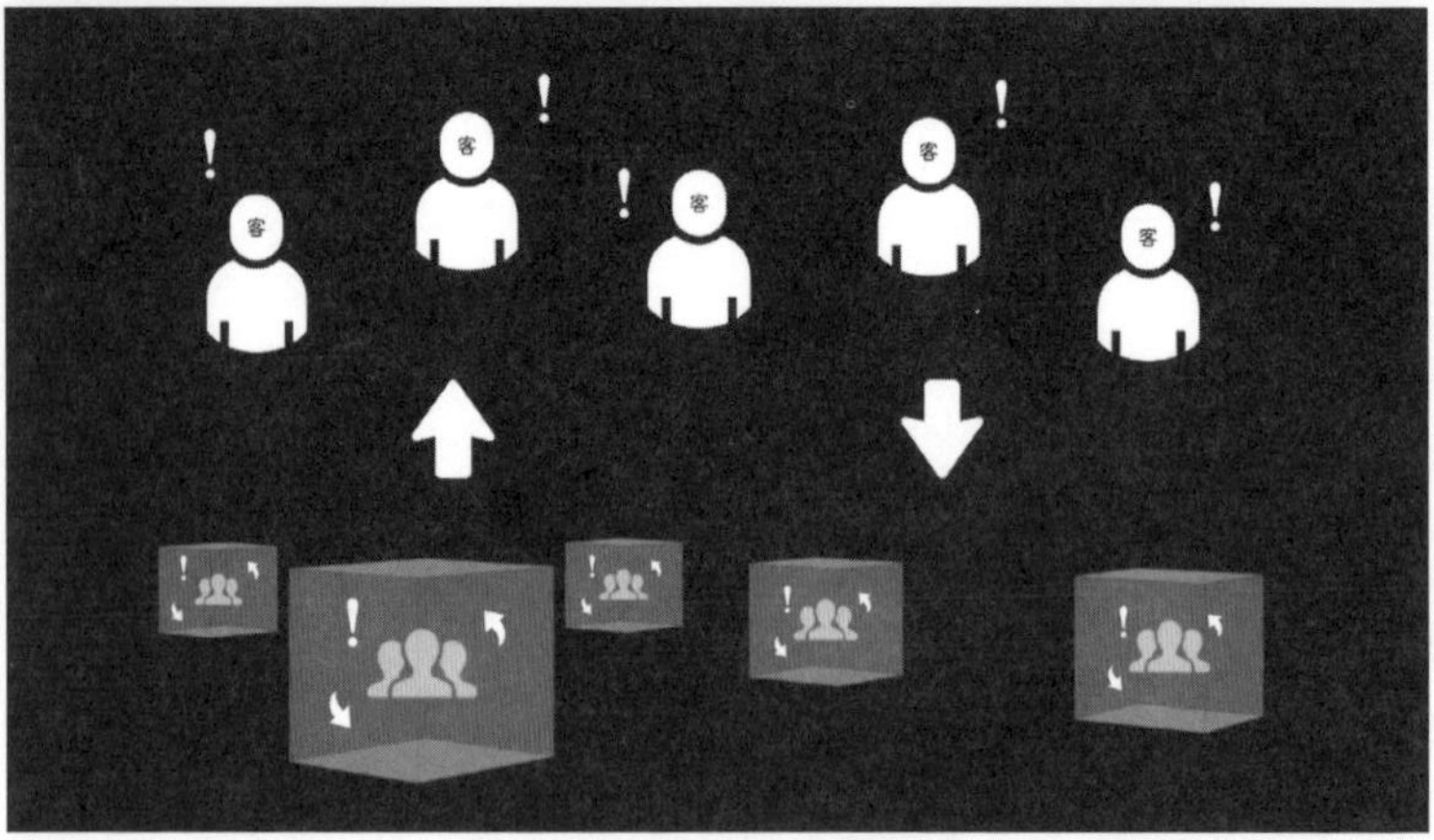

「ステイ・スモール」型の組織

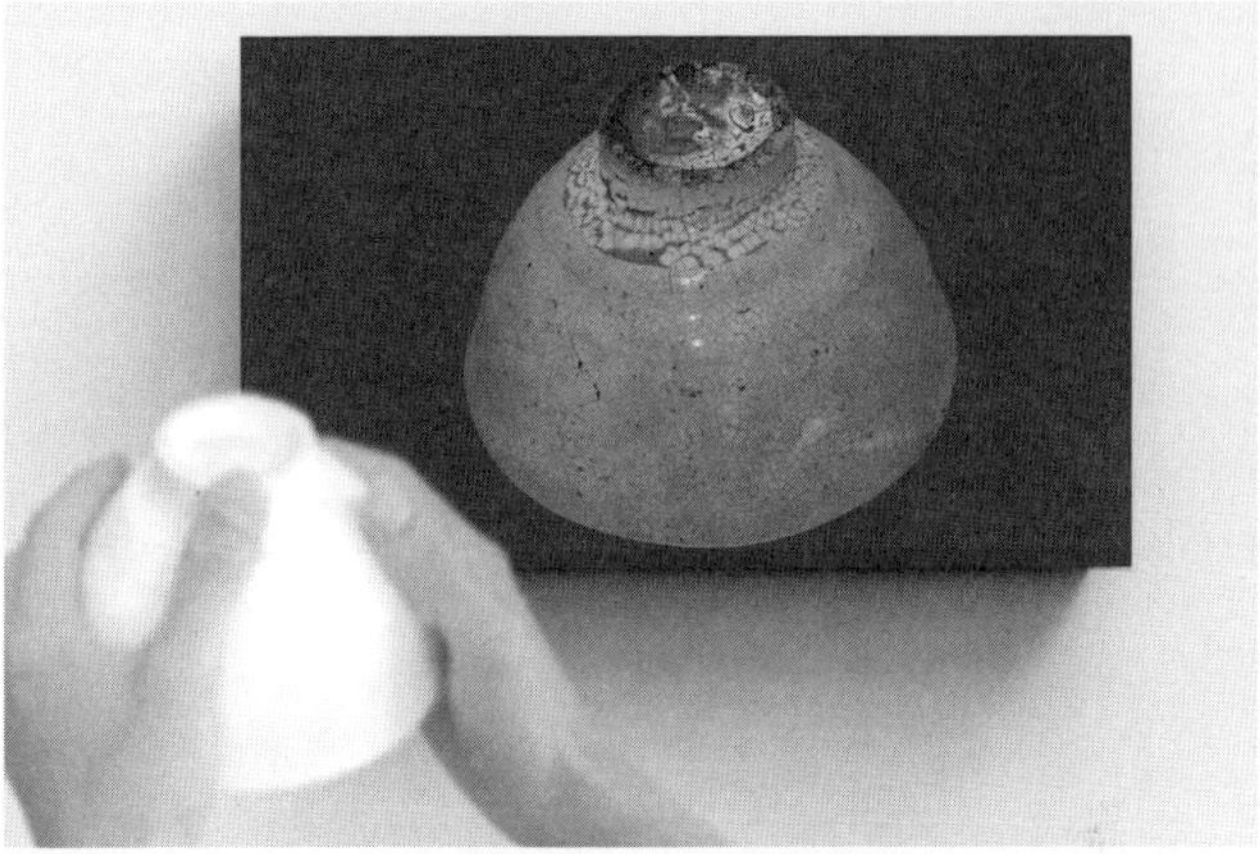

茶碗型コントローラーを回しながら画面上の美術品を鑑賞できる
提供:シャープ

▪苦境から生まれた8K

1973年に世界ではじめて液晶表示を使った電卓を開発したシャープ。以後、液晶技術で世界を席巻し、2005年には液晶テレビの世界シェア1位となりました。しかしその後、台頭する韓国や中国のメーカーに価格競争で敗れ、液晶テレビの生産台数は激減していきます。苦境を打開するため、エンジニアたちが挑んだのが、「小さな市場」で「より深い体験」を作り上げることでした。

新しい事業の柱としてエンジニアたちが注目したのが、コンテンツとしての価値の高い美術品です。8Kは、現在のフルハイビジョンの16倍にあたる約3318万画素という超高精細な映像によって立体感までリアルに表現することができます。その技術を使って、芸術作品や文化財の新しい鑑賞法を開発したのです。

通常、美術館や博物館では展示物と私たちのあいだに一定の距離があり、間近まで近づいて鑑賞することはできません。しかし、シャープが開発したシステムでは、大型ディスプレイに8K映像で作品を映しだし、その映像を拡大して筆遣いや細かな凹凸まで鑑賞することが可能です。2020年には、国の重要美術品に指定されている「大《おお》井戸《いど》茶碗《ちゃわん》／有楽井戸《うらくいど》」（東京国立博物館蔵）をディスプレイに映し、本物そっくりに作った「茶碗型コントローラー」と映像を連動させることで360度どの角度からでも鑑賞できるシステムを公開し、話題を呼びました。

この8K映像を活かした展示技術は、博物館や美術館に次々と導入されています。あえて事業の規模を小さく絞り込むことで、技術の新たな可能性が生まれたのです。

小さいことで生まれる「価値」

コロナ禍のように突発的な危機では、大きい会社が大きいままでは対応しにくい緊急性の高い問題が頻発します。そうした状況では、「小さく絞り込むこと」はより有効になるでしょう。それを予見したような言葉が、前述した井深大によるソニーの設立趣意書に述べられています。

「経営規模としては、むしろ小なるを望み、大経営企業の大経営なるがために進み得ざる分野に、技術の進路と経営活動を期する」

75年も前から、井深は「ステイ・スモール」の考えを標榜《ひょうぼう》していたことになります。現在、ソニーでこの考えをもっとも体現するひとり、川西泉さん（ソニーグループ常務。AIロボティクスビジネス担当）は世界中で大ヒットした家庭用ゲーム機プレイステーションの開発に携わり、2018年には一度は生産を停止したロボット犬ａｉｂｏ（アイボ）を復活させたトップエンジニアです。現在も、ドローンや電気自動車など先進的なプロジェクトを手がけています。

2000年代、ソニーは業績不振で一度ロボティクス事業から撤退しました。けれど希望を持ちつづけた川西さんは、そのころの心境を振り返り、「ロボティクスの技術には、技術者として憧れがあり、まだまだロボットを作りたい、ＡＩをやりたいという気持ちは脈々とありました」と語っています。その後、ロボティクス事業を復活させるためにチームを結成。そこで活かされたのが、「小なるを望む」「ステイ・スモール」の考えだったのです。

川西　チームの人数は少ないほうが、やっぱりやりやすいですね。意思の疎通が早いし、短期間で集中してやれる。ただ、ａｉｂｏに使われる部品点数は4000点ほどあって、製品のなかではかなり多いほうです。

落合　少ない人数で取り組むには、かなりチャレンジングなプロジェクトですね。小さなチームで開

aibo製作に使われた部品の一部

発を進めるには、全員が〝ロボット好き〟でなければ仕事が続かないような気もしますが、ａｉｂｏのときはどうだったのでしょうか。

川西　集中していると、そういうことはあまり考えません。本当に没頭するので、そのエネルギーのほうを大事にします。ロボットを作るのは難しいのですが、高いゴールのほうがやっぱり〝燃える〟と思います。

ソニーがロボティクス事業から撤退してから10年以上たった２０１８年、川西さんが率いるチームは、ａｉｂｏを再び市場に送りだします。それは、少数精鋭チームの「熱中と没頭」の成果にほかなりませんでした。

落合　私は「プロ的」「アマチュア的」と言い換えるので

すが、アマチュア的な仕事は、絶対面白いものができます。

川西　楽しんで作っているほうが大きくて、結果的にはねらったとおりのビジネスに成長しないケースも過去にはありましたが、aiboはエンジニアの熱意とビジネスの歯車がうまく嚙み合ったケースだと思います。

いま手がけている電気自動車VISION-S Prototype（ビジョン・エスプロトタイプ）も、すごく少ない人数で作っています。全体をみんなが把握できるので、分業制ではないメリットはあります。

落合　それは違うと思ったとき、意見を言いやすいですね。

川西　基本的に全員が対等ですから。

落合　ビジネス的な成功を先に求めず、まず没頭する。その一人ひとりの「熱」がビジネス的な成功をもたらす――。縦割りのプロ的チームが必要なときがあっても、川西さんのチームのように圧倒的な熱量で仕事をするほうが面白いものができるし、求心力もある。それは素晴らしいことだと思います。

落合編集長によるキーワード

- **STAY SMALL（小さいままでいる）**
- **BE AMATEUR（つねにアマチュア心を持つ）**

小さなチームで、一人ひとりが「没頭」することで面白いものが生まれる。

第12章

「ゲーム」が切り拓く未来

ゲームのテクノロジーは人類の福音となるか？

コロナ禍で人が集い、思い出を作る場所となったゲーム空間。大ヒットした電子ペット育成ゲームが暗示した未来像とは？　ゲーム技術の活用、社会問題を解決に導くゲーミフィケーションの可能性まで、ゲームが切り拓く未来について考えます。

2021.4.30（初回放送）

ゲームのテクノロジーは人類の福音となるか？

コロナ禍でさまざまな行事や式典が次々と中止され、人と直接ふれあえない日々が続いています。そうした状況にあって、人が集い、思い出をつくる場所として利用されたのがゲームです。ゲームのなかで卒業式や結婚式を開いたり、シンガポールの会社がリゾート地を本物そっくりに再現した例もあります。リアルでは入国制限が続く一方で、ゲーム内では多くの外国人が訪れ、バーチャルで観光を楽しんでいるようです。

コロナ禍で多くの業種が売上ダウンとなりましたが、ゲーム業界は巣ごもり需要で一気に躍進しました。２０２０年の最終利益は、任天堂が前年比91パーセント増、ソニーも87パーセントと大きく伸びています。「ゲームはまったくしないから自分の生活とは関係ない」と思う人もいるかもしれませんが、ゲームは知らずしらずのうちに私たちの暮らしを変えはじめています。

落合　動画やゲームのなかでコミュニケーションをとることはすでに当たり前で、ゲーム禁止となったら誰とも連絡がとれない時代がいずれ来るかもしれません。

そうした状況を踏まえて、ゲームが切り拓く未来について考えていきます。

左は実際のシンガポール、セントーサ島のビーチ。右はそれを再現したプレイ画面（任天堂「あつまれ どうぶつの森」© 2020 Nintendo）

■ゲームの可能性

大手動画配信サービス・ネットフリックスは、コロナ禍で急拡大したサービスのひとつです。2019年、同社CEOのリード・ヘイスティングスが発したある言葉が、大きな話題になりました。それは、「われわれが戦っているのは（そして負けているのは）、大手ケーブルテレビ局HBOではなくフォートナイトだ*」というものです。

「フォートナイト」は、プレーヤー同士が武器やアイテムを収集しながらバトルを行って1位を目指すオンライン対戦ゲームです。ユーザーは3億5000万人にのぼり、アメリカの総人口約3億3000万（2021年1月）を超えています。「フォートナイト」が特徴的なのは、ただ戦うだけではなく、ユーザーたちが国境を越えて巨大なコミュニティを作り上げている点です。2020年には、アメリカの人気歌手トラヴィス・スコットがゲー

＊2017年公開。シューティングゲームの一種、サードパーソン・シューティングゲーム（TPS）で、モードによって仮想空間でバトルを繰り広げたり、友達と遊んだりできる。

ム内でバーチャルライブを行い、世界中から1200万人以上が参加しました。ユーザーの圧倒的支持を背景に、「フォートナイト」発売元のエピックゲームズ社は、アプリストア内での課金システムをめぐってアップル社を相手に訴訟を起こし、さらに存在感を増しています。

「没入」をもたらした新しいゲーム

いまやデジタル世界のメインプレーヤーとなったゲームですが、なぜ人はこれほどゲームに魅了されるのでしょうか。36年前に遡り、大ヒットしたゲーム開発の舞台裏を振り返ります。

ズームバック

「スーパーマリオブラザーズ」誕生

1980年代、日本の家庭にテレビゲームが一気に普及しました。その火付け役となったのが、任天堂が発売した家庭用ゲーム機です。1985年、ゲームメーカー最大手となった任天堂で、新たなゲームソフトの基本設計が進んでいました。そのソフトは「スーパーマリオブラザーズ」。のちにシリーズ累計3億8400万本（2020年9月末時点）を売り上げ、現在でも世界中で愛される人気シリーズの原点となったゲームです。

「スーパーマリオブラザーズ」は、任天堂のゲームプロデューサーとして数々のヒットシリーズを手掛ける宮本茂氏（任天堂代表取締役フェロー）の代表作でもあります。当時放送された番組で宮本さんは、テレビゲームについてこう語っています。

いままでただ、放送や映画を見るだけだった世界のことが、自分が実際に体験できるようになったわけです。そういうところに、わけのわからない魅力というのを感じているのではないかと思います。

そこに出ている映像が、さも自分であって、落ちたら自分が痛いとかそういう風に感情移入ができるようになってきたことを、より成長させて、自分が積極的にそのキャラクターを賢くしてあげるとか、強くしてあげるとか、そういうことで、よりテレビのなかのキャラクターを自分の分身として育てていって、そして感情移入をしていくような新しい世界が展開していくと思います。

「自分である」というような錯覚を起こす、というようなことでしょうね。

（1985年放送、NHK「おはようジャーナル／ゲームなしではいられない」）

落合 宮本さんの言葉はインタラクティビティ（双方向性）の本質で、つまり一方型のコンテンツではなく「入力と出力によってインタラクション（相互作用）が起こる」ということです。入力と出力があって、自分が意図したとおりにキャラクターが動き、そのキャラクターが強くなっていくことに自分が没入して、自分も強くなったように感じる。それがインタラクションです。もともとゲームは、簡単な点と線で描かれたシンプルな作りでした。それが、ゲームの設計に「キャラクターは自分の分身であり、感情移入するものだ」という思想が加わることで、面白さが飛躍的に進化し、ゲーム世界への没入感も強くなっていきます。

1990年代ではデジタルとアナログ、リアルとバーチャルといった二元論が一世を風靡《ふうび》し、ゲームの世界は「この世界」とは違う「もうひとつの世界」と考えられていました。そこから時代が進み、いまやゲームの世界は「この世界」と一体化し、「もうひとつの世界」ではなくなっています。

▪ゲーム技術の活用

圧倒的な没入感を生みだす技術は、ゲームという枠を超えてさまざまな分野で活用されようとしています。たとえば車の設計では、複数の場所にいる人たちがネットワークを介してつながり、3Dモデルを見ながら作業することが可能になっています。あるいは、ある土地に現地調査に行っている人が、一瞬にして別の場所にいる研究者と情報を共有することもできるようになりました。ゲームから生まれた技術は、時間や空間を超えて人と人をつなぐハブ（ネットワークの中継）となり、社会を変えようとしています。

落合　映像に没入できる能力が上がれば、想像力が物理的な世界を上回りそうです。いま生きている世界の現実を「ただひとつのリアリティ」としてとらえなくてもいい、多様な現実だと思えるくらい技術は進んでいるように思います。ほぼ現実と夢とまどろみの区別がつかない世界が来るかもしれません。

落合編集長によるキーワード

■没入で生まれる「新しい世界」

「ゲーム障害」の定義

- ゲームの時間や頻度を自分でコントロールできない。
- 日常生活でゲームを他の何よりも優先する。
- 生活に問題が生じてもゲームを続け、エスカレートさせる。

＊上記が 12 か月以上続く。

2019年、世界保健機関（WHO）による

ゲームの危うさ

ゲームの可能性が広がる一方で、あまりにも没入感が強くなることの危険性も指摘されています。２０１９年、世界保健機関（ＷＨＯ）は、ゲームなどに熱中しすぎて生活に問題が生じる病状を「ゲーム障害」として、新たに国際疾病分類の依存症に追加しました。国内でも、香川県で２０２０年４月、「ゲームをする時間を平日は1日60分まで、休日は90分までとする」などのルールを定めた「香川県ネット・ゲーム依存症対策条例」が施行されました。

さらに、仮想現実（ＶＲ）の世界でギロチンで処刑される「体験」ができるソーシャルＶＲ＊のプラットフォームも現れました。ＶＲ空間にギロチンが置かれ、体験者は刃が見えるように仰向けになります。刃を落とすタイミングは、ほかの人が決める仕組みです。実際に体験した人からは、「意識は遠のき、首に違和感があらわれた」「一緒に切り落とされた左手にしびれが発生した」という声があがるほどリアルなものでした。

ゲームという「仮想の世界」が「現実」になんらかの作用を及ぼすこうした現象を、20年以上も前に先取りしていたゲームが「たまごっち」です。〝電子ペット〟の爆発的なブームが巻き起こした社会現象を振り返ります。

＊ユーザー同士がバーチャル空間でコミュニケーションできるサービス。ここであげているのは、2017年2月よりサービスを開始したソーシャルVR「VRChat」のこと。「VRChat」では、好きな「ワールド」を作成して公開することができ、VRギロチンもそのひとつ。

ズームバック

「たまごっち」の「生と死」を考える

「たまごっち」は、1996年に発売された〝電子ペット〟の育成ゲームです（発売元バンダイ）。全世界で8000万個以上が販売されるほど大人気となり、各国でさまざまな社会現象を巻き起こしました。

このゲームでは、小さな液晶画面に「ペット」が表示され、プレーヤーは飼い主として食事やしつけ、排泄などの世話をしなければなりません。いったん育てはじめると中断することができず、平均7日から10日、長くても30日ほどたって訪れる電子ペットの「死」によってゲームが終了します。

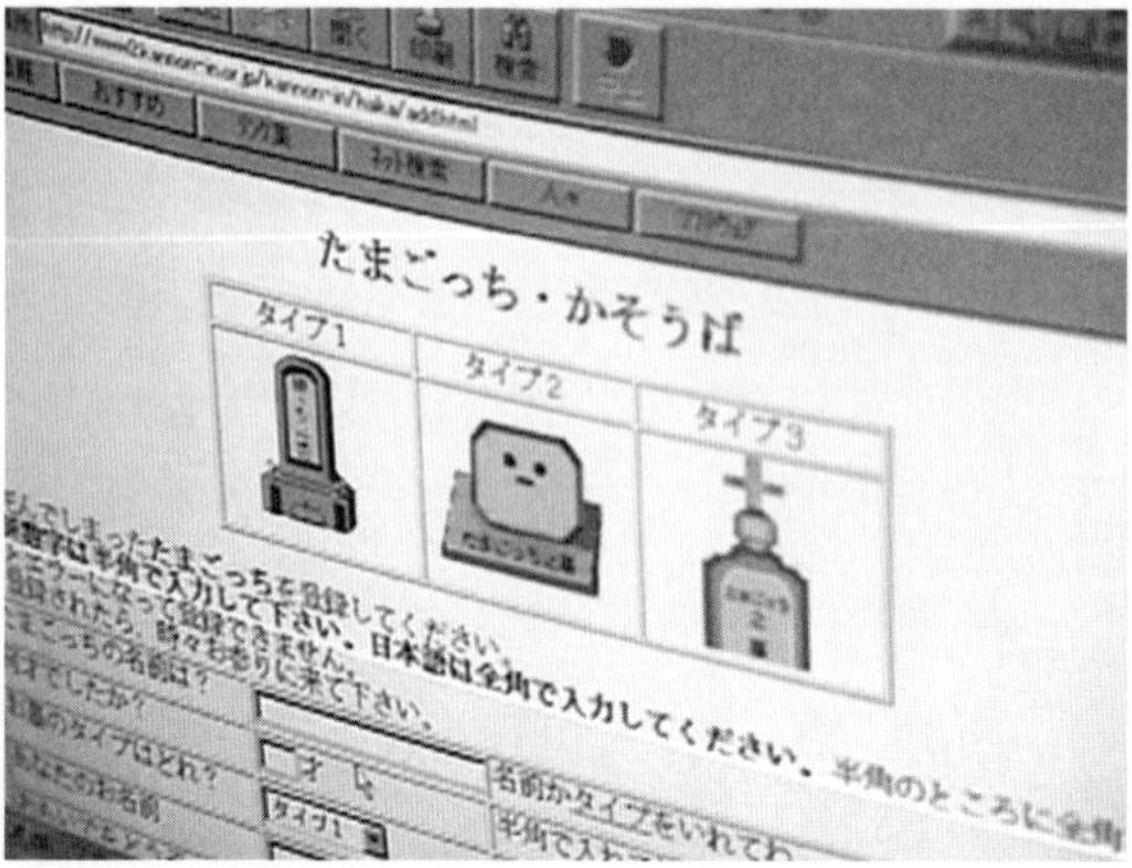

インターネットに開設された「たまごっち」の火葬場
（1997年放送NHK「モノの終わり、ゲームの終焉—いとうせいこうが行く電脳社会の果て」）

死でゲームが終わる「たまごっち」は、海外で物議をかもしました。この出来事を受けて、イタリアでは電子ペットの死にショックを受けた少女が失神するという出来事があり、「子どもにトラウマを与える」と大きな問題となりました。イタリア北部、トリノ郊外のカトリックの教会では、「たまごっち」に対抗して、子どもたちに本物のヒヨコを育てさせる運動が始まります。この運動の先頭に立ったカトリック教会の司祭は、ゲームの終わりに死を設定することが神の教えに背くと考え、「子どもはたとえ電子ペットであったとしても真剣に世話をする。生活の時間がこのゲームで奪われるうえに神の尊厳を汚すことであり、子どもの感受性をだめにする」と語っています（1997年放送、NHK「モノの終わり、ゲームの終焉——いとうせいこうが行く電脳社会の果て」）。

■〝電子の魂〟を弔う

ゲームの持つ影響力は強大です。それを認めたうえで、現実のほうから折りあいをつけようとする試みが、たまごっちブーム当時の日本にありました。

1997年2月、広島県の観音院という寺が死んだ電子ペットの供養を始めました。画面のなかの死を悼む人が集まり、人間の葬儀と同じように僧侶が読経するなかで手を合わせ、いわば〝電子の魂〟を弔ったのです。寺ではインターネット上に電子ペットの霊園も作りました。死んだ電子ペットに名前をつけ、好みの墓の形式を選んで登録するシステムで、墓の登録数は1万件を超えたといいます。

（同前）

落合　ゲームの終わりに迎える死に対して、ゲームそのものを否定したイタリアの教会式と、弔うことで折り合いを付けた日本の葬式。私は日本のやり方のほうが穏やかだと感じます。イタリアでは「神の教えに背く」という倫理の問題が持ちだされましたが、何かを実行するとき、最初は倫理を気にしてはいけないと思っています。いざ実行する直前に「少し」気にして、最後になったら気にかけることで倫理外のことが起きないようにしているのです。

「基本プレイ無料ゲーム」収益世界ランキング（2019年）

1	フォートナイト	18億ドル（約1,800億円）
2	アラド戦記	16億ドル（約1,600億円）
3	王者栄耀	16億ドル（約1,600億円）
4	League of Legends	15億ドル（約1,500億円）
5	キャンディークラッシュ	15億ドル（約1,500億円）
6	ポケモン GO	14億ドル（約1,400億円）
7	クロスファイア	14億ドル（約1,400億円）
8	Fate/Grand Order	12億ドル（約1,200億円）
9	Game for Peace	12億ドル（約1,200億円）
10	ラストシェルター	11億ドル（約1,100億円）

SuperData Research社の調査をもとに作成。1ドル＝100円で換算

ただ、違和感を覚えるのは、「たまごっちを供養する日本」には私が感じていた21世紀の前兆があるのに、その延長線上にいまの日本がないということです。中途半端にポリティカル・コレクト（273ページ）になってしまったのかもしれません。たまごっちがドットでいうと256ビットとしたら、256ビットの魂を供養する時間をかけられるのは豊かな精神で、そういう豊かさが日本のゲームの強さをつくっていたのではないでしょうか。

ゲームの存在感

「現実空間」と「デジタル空間」がクロスオーバーするほど加熱していた日本のゲーム界。1980年代以降、日本のゲーム機が世界を席巻し、日本のゲームソフトも隆盛を極めました。しかし、2000年代以降

インターネットが普及すると、スマートフォンなどで遊べるオンラインゲームが急増します。海外のメーカーが次々に参入してその市場は拡大し、いまやオンラインゲームの上位を占めるのは海外メーカーのものばかりです。デジタル機器を使って行うeスポーツ*の盛り上がりも相まって、ゲームのパイオニアであった日本の存在感は小さくなりつつあります。

落合　ゲームに対して人が感じる価値はさまざまです。無限の可能性を見る人がいる一方で、まったくの無駄だと切り捨てる人もいます。そういう人は、他人が無駄なことに無駄な時間を使うことに対して忌避反応を起こしているのでしょうが、そもそも人類がやっていることは、たいていが無駄です。文化や価値は無駄から生まれてくることがほとんどです。「たまごっち供養」は日本的な価値のある「無駄なもの」でしたが、いまはそのような風潮はありません。無駄を愛せないと、イノベーションは起こらないのではないでしょうか。

落合編集長によるキーワード

■無駄がイノベーションを起こす

＊「エレクトロニック・スポーツ」の略で、広義には、電子機器を用いて行う娯楽、競技、スポーツ全般を指す言葉であり、コンピューターゲーム、ビデオゲームを使った対戦をスポーツ競技としてとらえる際の名称（「日本eスポーツ連合」公式ホームページ）。

新たなゲーミフィケーションに向けて

最後に、「社会の課題をゲームが解決する」ことについて考えます。

デリバリーを代行するウーバーイーツは、コロナ禍で一気に利用が増えました。飲食店の店員など限られた人が配達していた従来のデリバリーとは異なり、アプリで登録すれば誰もが配達員になることが可能です。配達員は、さながらゲームのプレーヤーのように、スマートフォンのマップをたどりながら配達というミッションをクリアしていきます。さらに、時間帯によって報酬が変わる、たくさん配達するとボーナスがあるといったゲームのような要素もあります。ここには、ゲームが持つ「人を夢中にさせる仕組み」によって参加者を増やす「ゲーミフィケーション*」という考えが応用されていると言われています。配達員の報酬や社会保障など解決すべき課題はありますが、ゲーミフィケーションの可能性の一例ではあるでしょう。

ゲーミフィケーションの効果がとくに期待されているのが、社会課題の解決です。たとえば、アメリカ・シカゴの非営利団体（NPO）Urban Riversが開発したごみ収集ロボットは、参加者がネットを通じて遠隔操作でロボットを動かし、ごみを拾う仕組みです。ごみ収集体験をゲーム化することで、多くの人が楽しみながら川の浄化に取り組んでいます。

「ゲーミフィケーション」の事例

川に浮かぶごみ収集ロボット（シカゴ）
参加者は遠隔操作でロボットを動かし、ごみを拾う
提供:Urban Rivers

日本でも、東京メトロなど一部の鉄道会社がオフピーク通勤に対して特別なポイントを付与し、通勤ラッシュによるコロナ感染拡大の防止に一役買っています。

こうしたゲーミフィケーションの考え方を世に広めたのが、アメリカのゲームデザイナー、ジェイン・マクゴニガルです。マクゴニガルは、２０１１年にベストセラーとなった著書 *Reality Is Broken*（邦題『幸せな未来は「ゲーム」が創る』）のなかで、次のように現在の世界を予見していました。

二一世紀においてゲームは、未来を実現する主要なプラットフォームとなることでしょう。（中略）気候変動や貧困のような世界的な問題に立ち向かうゲームも出てくるでしょう。（中略）もっとも本質的な人間の能力を高めてくれるようなゲームが出てくると私は考えています。

（妹尾堅一郎監修、藤本徹・藤井清美訳、早川書房）

＊「ゲーム化（gamify）」をもとにした造語。ゲームの要素や仕組みを、購入者のポイント特典や仕事のパフォーマンス向上などゲーム以外の物事に応用すること。

こうしたマクゴニガルの考え方は、現実社会を動かす手法としてさまざまな場で取り入れられ、いまやゲーミフィケーション時代が到来しているといっても過言ではありません。

■格差の解消

けれど、ゲーミフィケーションの時代になっても解決しない問題があることもわかってきました。それは「格差」です。

落合 たとえばワクチン開発など巨大なプロジェクトの場合、多くの実績を持つ企業はより充実した環境で開発できます。しかし、実績がない企業はどれだけ良いアイデアを持っていても、なかなか開発に着手できません。ゲーミフィケーション以前に、もともと持っている資産や実績という「ステーク」がないとプレーヤーにすらなれない、という格差があちこちに広がっています。たとえばウーバーイーツで働く側と頼む側には所得格差があるかもしれません。ゲーミフィケーションにおいて、ゲームに使われる側とゲームを行う側のステークの差は、なかなか埋まらないことがわかってきました。

いままでこんなことをしてきた人だから価値があるというのを持ってこられると、いまこれだけ価値を出しているというところでは敗北しやすくなります。アイデアなどを一から積み上げる「ワーク」では、巨大なステークを持つ相手とはスタートの時点で勝負できず、その結果、本当は検討されるべきアイデアや努力が見向きされないという事態に陥りかねません。格差によって、課題に立ち向かうアイデアのバリエーションそのものが減ってしまうのです。プレーヤーを増やし、より多くのアイデアが集まりやすい状況にしていくには、格差をどうなくしていくかを考える必要があります。

格差を解消するには、最初から皆が性別や国籍といった身体的な区別から切り離された状態で世界と接することです。つまり、特定の誰かだけが恵まれた環境でチャレンジするのではなく、プレーヤーの条件をそろえて、全員が同じ条件でスタートする。そうすれば、ゲーミフィケーションが真の価値を発揮することが可能になり、より多くのアイデアが持ち寄られて、大きな課題にも取り組むことができるでしょう。

ゲームに「全勝」する人がいなくなり、どんな不利な人でも3割ぐらいは勝つ見込みが出てくれば、ステークやワークではなく、「ラック(運)」の要素が入ってくるので、ゲームとしてフェアになります。ラックをどれだけ入れられるかが勝負のカギとなるでしょう。こうして多くのアイデアが掛け算された結果、思わぬ「運」がもたらされ、人類にとっての難題も解決できるかもしれません。それが新たなゲーミフィケーションとなるのではないでしょうか。

落合編集長によるキーワード

■プレーヤーを増やし、「運」も味方に未来へ

ゲームの格差を解消して、ゲーミフィケーションの真の価値を発揮する。

第13章

危機の時代の「アート論」

不要不急?いまこそ「アート」が必要だ!

有事では「不要不急」とされがちなアート。緊急事態宣言で休館を余儀なくされた森美術館の館長と共に「いまアートが持つ力」について考えます。さらにペスト禍の「奇妙な絵」から日系アメリカ人収容所のアート、柳宗悦まで、人がアートを鑑賞し、作る意義とは?

2021.5.28(初回放送)

芸術を求めつづけてきた人類

落合　コロナ禍で、多くの文化施設が休業を余儀なくされる状況が続いています。私自身アーティストでもあり、展覧会が休止や延期になったりとその影響を受けてきました。緊急事態宣言の下では、文化芸術活動は「不要不急」ということなのでしょうか。芸術文化は生きるために必要なものと私は考えていますが、多くの人にとっては違うのかもしれません。

明日の生活に困るような状況にあるとき、アートは即座に答えをくれるものではありません。しかし人類は、太古からずっと芸術を求めつづけてきました。パンデミックによって答えのない混沌へと人々が放りだされたいま、人類にとってアートとは何か、人はなぜアートを求めるのか、さらにアートが持つ力について考えていきます。

コロナ禍での展覧会

2021年5月、緊急事態宣言によって休館が続く東京・森美術館を訪ねました。ひっそりとした美術館で私たちを迎えてくれたのは、森美術館の館長で現代アート界のトップキュレーターである片岡真実さん。森美術館では4月から5か月間にわたり、片岡さん肝入りの企画「アナザーエナジー展 挑戦しつづける力——世界の女性アーティスト16人」が開催されるはずでしたが、始まってわずか3日で美術館は休館になってしまいました。

アナザーエナジー展のなかから、片岡さんに作品をいくつか紹介していただきました。まず目に飛び込んできたのは、フィリダ・バーロウによる高さ5メートルの立体作品《アンダーカバー2》です。伝統的に、彫刻は石や金属などの堅牢な物質で作られますが、この作品は発泡スチロールなどの軽い素材を多用しています。彫刻やアートとはこうあるべき、というステレオタイプに反し、あえて不安定に成形された作品は、観る人の価値観を揺さぶります。

森美術館 片岡真実館長

制作したバーロウは5人の子どもを育てあげ、美術大学の教授職を定年退職したのちにアートの世界で注目されるようになった作家です。本来はバーロウが来日して自ら作品を設置する予定でしたが、コロナ禍でそれがかなわず、展示スペースに設置した4台のタブレット端末の映像をバーロウがリアルタイムで確認しながら設営したそうです。

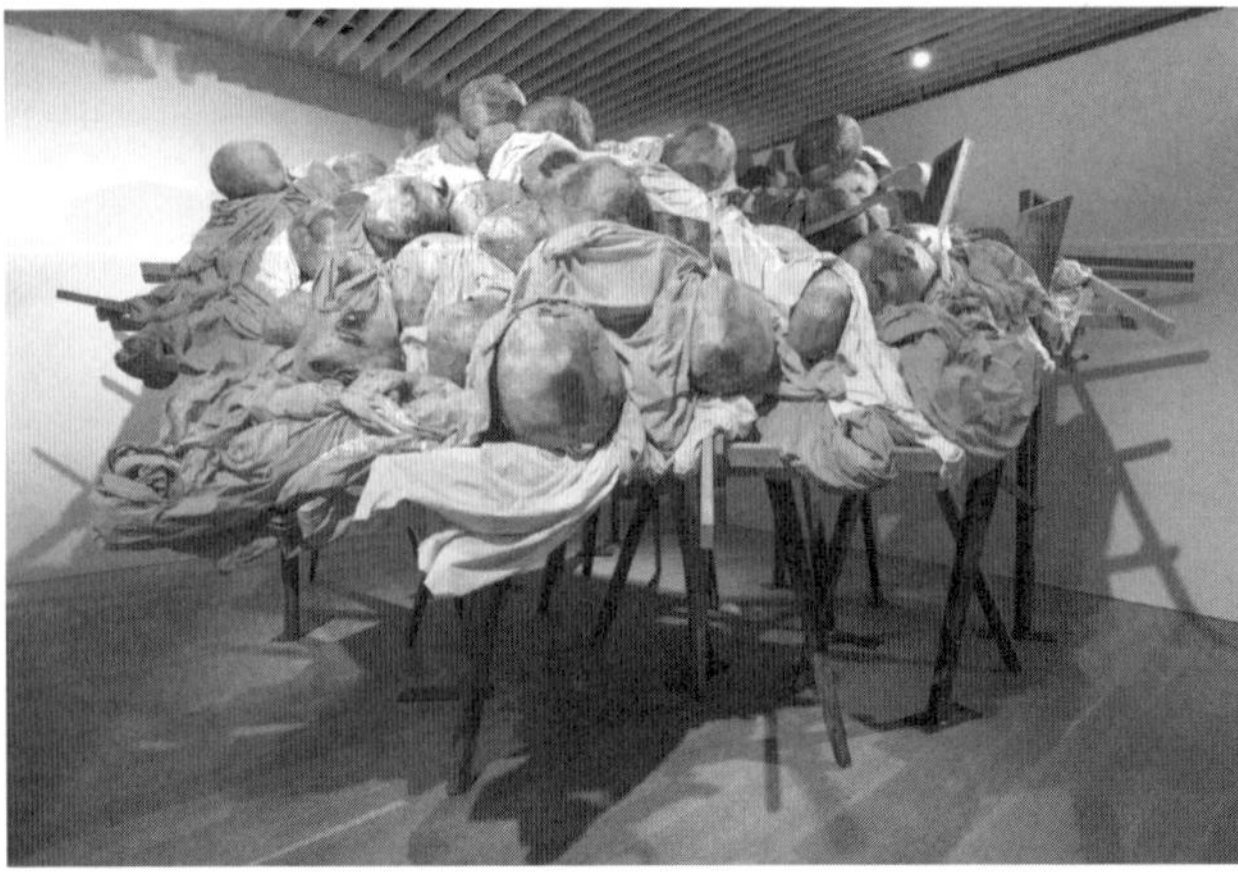

フィリダ・バーロウ《アンダーカバー2》(2020)

■社会がカオスのとき、アートは活性化する

コロナ禍での展覧会は苦労が尽きません。それでも「いまどうしてもアートを届けたかった」という片岡さんの思いが、アナザーエナジー展のカタログにこう記されています。

世界はひっくり返っている、想像すらしていなかったことが起こっている。(中略)ダイバーシティや包摂性の問題は世界が直面しているまさに喫緊の課題のひとつだ。(中略)いまこそ、あるべき方向へのひっくり返しを加速したいところである。

価値観の「ひっくり返し」のために片岡さんがこの展覧会に選んだアーティストは、全員が70歳以上の女性でした。先ほどのバーロウは77歳、展覧会のコンセプトを象徴する《無題(均衡)》も、80歳のリリ・デュジュリー

リリ・デュジュリー《無題（均衡）》（1967）

による作品です。

《無題（均衡）》は、一見とても不安定に見えます。実際、鉄板を立てて両方から鉄筋を置いただけですが、じつはおどろくほどしっかりしていて、片岡さんいわく「儚《はかな》げに見えてしっかり強く立っている」作品です。

　この作品が生まれた1960年代後半はベトナム戦争が泥沼化し、世界中で社会運動が起きた時代でした。社会は混沌とし、それがアートを活性化させます。その時代について片岡さんは次のように語ります。

「コンセプチュアルアート、ポップアート、あらゆるものがそこに生まれたといっても過言ではないぐらいの時期で、それからミニマリズムのような、あえて行為を差し引いていくようなタイプの美術がたくさん生まれてきました。社会が混沌《カオス》になっていったときに、タブラ・ラサ*に戻したいとでもいうような時代背景もあったと思います。あらゆるものはその時代をなんらかの形で投影し

＊ラテン語で「何も書かれていない書き板」。そこから「白紙の状態」を表す。イギリスの思想家ジョン・ロックが「人間の心は生まれたときは白紙の状態であり、経験によって知識が成立する」と主張する際に用いた。

ていて、それを読み解くのがいちばん面白いです」

■アートの「問い」

展覧会の企画にあたって、片岡さんは「とくにジェンダーの問題に光を当てなくてはいけないことは明らかだと思った」と言います。歴史に名を残したアーティストのほとんどは白人男性であり、アメリカの著名な18美術館の常設コレクションの収蔵作品を調べた調査では、女性の作品はわずか13パーセントでした（津田大介「美術業界に男女平等を」「GQ　JAPAN」2019年6月13日）。歴史に目を転じても、日本の高校世界史の教科書に登場する男性は565人ですが、女性は21人だけです（富永智津子「高校世界史教科書のジェンダー化にむけて――日本とアメリカの比較」）。

落合　これほどアーティストの人数に男女差があるのは、男性に「才能のある人」が多かったというより、取り巻く環境や制度をふくめて男性にアーティストを「続けられる人」が多かったからではないでしょうか。最初は男女に差がなくても、アーティストを続けられる女性が少なかったがために男性がマジョリティになり、そのまま男性寄りの世界になっていったのだと思います。マジョリティはいったん形成されると、なかなか崩れませんから。新陳代謝を生まないといけないでしょう。

スザンヌ・レイシー《玄関と通りのあいだ》(2013/2021)

片岡さんが企画した展覧会で集められたのは、長いあいだマジョリティとは無縁でありながら、創作をやめなかった女性作家たちの作品でした。そのひとりであるスザンヌ・レイシー(75歳)は、いわゆるソーシャリー・エンゲイジド・アート*のパイオニアであり、長くフェミニズムをテーマにしてきました。現代のフェミニズムは、女性解放だけでなく、人種、貧困などより多様な問題を包摂しています。それを反映しているのが、レイシーの作品《玄関と通りのあいだ》です。

ニューヨーク・ブルックリンの通りで、365人の活動家が自由に意見を交わす姿を撮影したこの映像に結論はありません。観る人に、結論ではなく考えるきっかけを与える作品です。

レイシーは、1970年代からこうした「結論なき社会問題」を主題に制作を続けてきました。「70年代のこの議論をいまもしていることで、〝何が変

＊アーティストが対話やコミュニティへの参加といった実践を行うことで社会に変革を促すアート活動の総称。

わっていないのか〞ということが見えてくる」と片岡さんは言います。50年間同じ議論を続けていて、前進していないのかというと、そんなこともないのだと。「螺旋《らせん》階段のように同じところをぐるぐる回って、もしかしたらちょっとは上昇してるかもしれないとレイシーは言っているんです」

落合　根深い社会問題に楔《くさび》を打つように、問いを立てつづけることもアートの力でしょう。結論の出ないソーシャル・アクティビティ（社会運動）は、アート以外で取りあつかうのが難しい分野です。たとえば政治においては結論ありきの活動になり、金銭が絡むとビジネス活動になる。そこでお金が発生しても政策に結びつくかわからないし、根源的な問いをぶつけることに表現も伴わないでしょう。アートなら、アクションだけでも意味があります。

「正解を求める必要はなく、多様な意見がその場で交錯しあう、真剣に話し合う場を作ることも重要です」と片岡さんも言います。

落合編集長によるキーワード

■アートは問いつづける

絶望のなかでのアートの「力」

解決への道筋が見えない問題を前に人が立ちすくむとき、アートが力を持ちます。かつて、猛威をふるうペスト（黒死病）に人類が追いつめられた中世末期を振り返ってみましょう。

ペストによって人口の3分の1の命が奪われていたころ、絶望のなかにあったヨーロッパのあちこちで「奇妙な絵」が描かれるようになります。

ズームバック

絶望から生まれた「死の舞踏」

教会や墓地の壁に描かれた奇妙な壁画、「死の舞踏」。その絵では、骸骨《がいこつ》やミイラになった死者と生きている人が手を取り合って踊っている様子が描かれます。踊っている人々は、国王、聖職者、商人、農民、子どもなど身分も年齢もさまざまです。

14～15世紀のヨーロッパではペストが猛威をふるい、死者が急増しました。そうした絶望の時代に描かれた「死の舞踏」から読みとれるのは、死に絶望するのではなく、「死」があるからこ

「死の舞踏」（1493年、版画）

その「生」を謳歌するという価値観の大転換です。

「死の舞踏」というアートが引き起こしたその大転換はやがて、人間の生を見つめるルネサンスとして大きく花開くことになります。

時代を超えた「新たな価値」

新型コロナウイルスの影響がどんなところに現れるのか、私たちはまだ知る由もありません。しかし、アートにはすでに「ある変化」が起きつつあると片岡さんは言います。

いまのところ、アートそのものが明らかに変わったという感じはしていませんが、観る側の心持ちがずいぶん変わっていますので、同じアートでも違うように見えると思う瞬間はすごくたくさんあります。

いまみたいな時代だと、先行きの不安感とか、何かわからないものに先を妨害されているような気持ちとか、でもやっぱり生きていかなきゃっていう焦りや死への恐怖、生きるうえでのいろいろな根源的な問いが目の前に湧き上がってきたと思います。そのことを共感させてくれる作品や、「生きるとは何か」ということを長く探索してきた人たちの作品が、いまになってすごく響くというのはあります。

人間の根源的な問いを内包する作品は、時代を超えて新たな価値を生みます。そうした作品を制作してきたアーティストのひとりが、ミリアム・カーン（71歳）です。ユダヤ系であるカーンの両親は、第二次世界大戦中にドイツとフランスからスイスに移住しています。展示しているカーンの作品のなかで、人の顔を描いた作品のほとんどは「どこかからどこかへ逃げている人たち」を表現しているのだといいます。片岡さんはカーンに「作品に描かれた目の高さを、観る人の目の高さにそろえて展示してほしい」と伝えられていたそうです。

カーンの《美しきブルー》（2017）という作品は、難民が海に沈んでいく姿を描いています。制作の背景には、2015年に起きた欧州難民危機があるといいます。中東や北アフリカから大勢が海を渡ってヨーロッパを目指すなか、難民を乗せた船が地中海に沈み、1200人もの犠牲者を出す事故が起こりました。《美しきブルー》について、カーンはこう語っています。「ある人が溺死した海に、またある人が泳ぎにいく。こうした観察によって制作するのです。これがアートや文学のすべてです」

難民が沈む海は、もうかつての海ではない。現実のニュースを超えて、カーンの作品は観る人にメッセージを強く訴えかけます。そこには「とても政治的な寓意がありますが、それには必ず彼女なりの美学がある」（片岡さん）。時代とともに本質的な問いを発してきたカーンは、難民問題をはじめフェミニズムや原発問題など、これまでの論理では答えが見出せていない問題を見つめ、アートに昇華してきました。

リアルの問題をアートに昇華するためには想像力が必要であると、片岡さんは言います。「まったく関係ない人だったらどう観るか、ジェンダーの問題を男性にどういうふうに自分事と考えてもらうのかという想像力がすごく必要になってきます」

落合　アート、それも相互の人間性によって発露される想像力のようなものは、私たちがいま社会のなかに望んでいるものではないでしょうか。片岡さんは、現代アートとの出合いを「まったく違う文脈からまったく違うものを生みだしてくる人たちとの出会い」と表現します。アートは作品のなかで他者と出会えるものであり、アートを通じて生まれる他者との「違い」への気づきこそ、多様性への第一歩と言えるかもしれません。

落合編集長によるキーワード

■アートは「違い」との出合い

新しい創造

次に、アートを「つくる力」について考えます。コロナ禍の2020年、〝参加するアート〟が世界各地で話題を呼びました。外出が禁止されたイタリアでは、人々が自宅の窓辺やバルコニーでカンツォーネを合唱し、日本でも星野源さんがSNSで公開した曲「うちで踊ろう」に多くの人が反応し、さまざまな演奏やダンスでコラボレーションした動画をインターネット上にアップしました。

ステイホーム中、10代から20代の4人に1人が、絵を描く、料理をするといったそれまでやっていなかった「創作活動」を始めたというデータもあります（SIGNING「Covid-19 Social Impact Report」）。深刻なマスク不足になったときには、マスクを手作りする方法がインターネットで数多く公開され、3Dプリンターで出力できるマスクも紹介されました。

落合　たとえばネットでレシピを調べたり、道具を手に入れたり、デジタルテクノロジーによって人々は何かを創作する環境を整えやすくなりました。いま、「作り手」の門戸は開かれています。いままで「作らない手」、つまりものを作ることをしてこなかった人も「作り手」になれる時代です。一人ひとりが「作り手」になり得る未来は、私たちに何をもたらすのでしょうか。そのヒントは、約100年前に日本で起きた「文化運動」にあります。

ズームバック

「手仕事」を守る

「民藝運動」を広めた思想家の柳宗悦(1889〜1961)
写真:日本民藝館

明治維新以後、日本は欧米から機械を輸入し、欧米で認められる製品を大量生産することで世界の一流国になろうとしていました。しかし思想家の柳宗悦《むねよし》は1926年、世の流れとはまったく異なる「民藝運動」を説きます。

機械は世界のものを共通にしてしまう傾きがあります。(中略)それに人間が機械に使われてしまうためか、働く人からとかく悦《よろこ》びを奪ってしまいます。(中略)これらの欠点を補うためには、どうしても手仕事が守られねばなりません。

――大量生産を追求する時代にあって、柳は人々の暮らしに根ざした「実用品」や、作る人に喜びをもたらす「手仕事」を重視しました。さらに、そうしたものを民衆的工芸＝「民藝」と名付けると、大量生産品によらず、必要なものをそれぞれが作ることを再評価するという民藝の価値を世に広めていきました。

柳宗悦（『手仕事の日本』講談社学術文庫）

落合　「民藝」には、未来を考えるうえでのヒントがありそうです。一人ひとりがクリエイティブなことに時間を費やすようになると、「かたちってなんだろう」「人ってなんだろう」「生産プロセスのなかでどういう意味を持つのだろう」と、生産やコミュニケーションについて考えることが増える。それは民藝による良い影響だと思います。服を作れたり、家族のコミュニケーションのなかで自分の生産が生まれたりするようになると、コミュニケーションの性質も変わるでしょう。

現代における民藝は、手仕事に限らないと私は考えています。大量生産品が最終到達点でないことが重要で、アップデートされた民藝なら「手」で作る必要はないでしょう。機械やコンピユーターを使ってもそれは人間的な仕事であり、そこには民藝の精神があると、私は信じています。3Dプリンターやデジタル加工機も大きな個人の手の技のひとつではないでしょうか。大量生産で作られた同じものを使うのではなく、一人ひとりがそれぞれの場所で「作る喜び」を求める結果、あちこちで新しい価値が生まれ、世界がより多様により豊かになっていくでしょう。大量生産システムのような〝プロ〟の作り方は、まったく同じものしか作ることができません。むしろ、アマチュア的な生き方を兼ね備えた人のほうが、創造的なものづくりができるというのがいまの世界の潮流です。デジタルテクノロジーによって創作環境がよくなり、新しいものを作る人たちが増えているのは、きわめて民藝運動と通ずるところがあります。

落合編集長によるキーワード

・新しい民藝＝新しい創造

人と人とを結ぶ力

手を動かし、何かを生みだすことは、人類の根源的な欲求です。人は太古からものを作り、絵を描いてきました。ときには、それが過酷な状況を乗り越える心の支えになることもあったのです。ここで、第二次世界大戦中の強制収容所で生まれたアートについて見ていきましょう。

ズームバック

日系アメリカ人強制収容下でのアート

第二次世界大戦中の1942年から46年まで、アメリカでは日系アメリカ人の強制収容が行われていました。アメリカ国籍であっても敵国の人間として扱われた12万人もの人々は外界から隔離され、過酷な収容所生活を送ることになったのです。

近年になって、収容所のなかで、人々が限られた材料を使い、さまざまな〝作品〟を作りだしていたことがわかりました。ゴミ同然の廃材や椰子《やし》の枝を拾って作ったテーブル、木の枝を埋め込んだ小さな箪笥《たんす》、地面から掘りだした貝殻を使ったアクセサリーなど。満足な材料や道具がないなかで生まれた作品は、〝我慢の芸術〟（The Art of Gaman）と呼ばれています。

落合　人間が何かを作りはじめるとき、そこにはなんらかの創造性や永続性を寄与したいという願いがあるように思います。そうした思いを持った人々が、資源が乏しい収容所で「日本的な美」を込めて作品を作りだした。そこに非常に美しいものを感じます。資源の乏しいなかでどこに美を見出すかというのは、きわめて精神的なことですから。

収容された人の遺族が「なんだって奪うがいい。しかし、われわれの想像力や知識を奪うことはできません」という言葉を残しています。

落合　「奪えない」というのも永続性に通じるものがありそうです。何かを保存しておきたいのは人間の本質的な欲求のひとつですから、自分が持っている考え方などを媒材化して残したいという思いがアートのなかに現われているのかもしれません。

当時収容されていた人の手記には、「あるときは手芸品、書画、書道などの展示会が催された」という記述があります。過酷な状況のなかで、人が作ったものが展示という場を介してお互いをつないでいたのです。

■「生きる美」を見出す

アートが持つ「人と人を結ぶ力」は、民藝を説いた柳宗悦も重視したものでした。亡くなる1年ほど前、柳は次のように語っていました。「この世には美しい品々がたくさんありますが、わけてもわれわれの心を長く引きつけてまいりましたのは、ご承知のとおり、ごく当たり前な、素直な尋常なものの美しさでありまして。しかし、こんな美についての考えは今日の私のご挨拶の中心ではなく、美しい品を通して、人間と人間とが心に平和を堅く結び合いたい、という念願にほかならないと存じます」（1959年10月放送、NHKラジオ）

落合　「何かいいものをお互いに愛《め》でていれば平和である」という柳の思いには、私も共感します。いいものを持ち寄ってコミュニティを作り、お互いに認め合えば、それはコミュニケーションにつながるでしょう。この延長線上には、必ずしも皆が作り手である必要はなくて、鑑賞者であったとしても文化の担い手ならいいという考え方があります。先ほど述べたように人間には何かを残しておきたいという欲求があり、過酷な状況下での創造には癒しや生きる希望のような作用もはたらきます。そういったアートにふれたとき、人間の創造性になんらかの「生きる美」のようなものを見出す瞬間があるように思います。

落合編集長によるキーワード

つくる美、生きる美が人をつなぐ

アートの力

では最後に、「アートの力」とは何でしょうか。

落合　有事では政治や軍事といった根源的なことが強化されますが、そこに対抗する力としては、たとえば創造のなかにある感情だったり哀しみだったりといった「表現」にエネルギーがあります。アートにある煽動性と、いわゆる政治や軍隊が持つ煽動性や愛国心とのせめぎ合いのなかで物事を俯瞰して見るためには、片方のイデオロギーに染まりきらないようにすることです。そのためには、政治・軍隊側でない感情的なエネルギーを発露したアートというのはとても価値があると思います。

いままでの「当たり前」が音を立てて崩れていく日々のなかで、社会のゆがみや心の揺れをかたちにしてくれるアートを、私たちはこれまで以上に求めているのかもしれません。

落合編集長によるキーワード

■ 有事に対抗するエネルギーはクリエイティブ

片方のイデオロギーだけに染まらないように、感情的なエネルギーを発露したアートには大きな価値がある。

作品クレジット

展示風景：「アナザーエナジー展：挑戦しつづける力—世界の女性アーティスト16人」森美術館（東京）2021年
撮影：古川裕也
画像提供：森美術館

p.326:フィリダ・バーロウ《アンダーカバー2》(2020)
■展示風景画像：01b_AE-001b_350.jpg
Courtesy: Hauser & Wirth

p.327:リリ・デュジュリー《無題（均衡）》(1967)
■展示風景画像：06_AE_010_350dpi.jpg

p.329:スザンヌ・レイシー《玄関と通りのあいだ》(2013／2021)
本作はクリエイティブ・タイム（ニューヨーク）、ブルックリン美術館エリザベス・A・サックラー・センター・フォー・フェミニスト・アートの協賛によって2013年に制作された。

第14章

「祝祭」を取り戻すために

「リモートでは満たされない」身体性への回帰

イベント、お祭りなどコロナ禍で奪われた非日常の出来事——「祝祭」。禁酒法時代に見出された「集う」ことの意外な作用とは？　さらに、人々の「つながりたい」という思いを受け止めて、これからの「祝祭」に必要な「共時性」について考えます。

2021.6.11（初回放送）

人はリモートでは満たされない

コロナ禍で、私たちはさまざまなものを失いました。そのひとつが「祝祭」です。「祝祭」とはお祭りと祝いを合わせた言葉なので、めでたいこと、普段はあまりないこと、〝悦《よろこ》ばしい〟体験といった、いわゆる「お祭り」よりもう少し広い「非日常」の出来事をとらえたものです。コロナ禍では、入学式や卒業式、地域の夏祭り、ライブなどあらゆるイベントが制限されました。コロナ禍以前は当たり前だった祝祭がなくなり、そこではじめて「人とふれあいたい」「一緒に盛り上がりたい」という思いを自分が持っていたことに気づいた人も多かったのではないでしょうか。

落合　長期的なリモート生活のなかで、人間には「リモートでは満たされない何か」があるとわかりました。ズーム会議や飲み会には質量がない。身体性、祝祭がないのです。2019年1月に「質量への憧憬」という写真の個展を開いたことがあります。そこで私は失われつつあるものを切り取り、手触りを与えるプロセスを通じて、時間と空間の解像度との対話を試みました。コロナ禍が長引くなかで皆も質量を持つ祝祭への憧憬を肌で理解したのではないでしょうか。

祝祭が人間に必要なものだとしたら、失われてしまった祝祭をどう取り戻していけばいいのでしょうか。最後の章では、これからの祝祭について考えていきます。

■なぜ祝祭を求めるのか

コロナ禍が始まった2020年は祝祭の機会が大きく制限されていましたが、翌21年は、その状況に変化が見られました。たとえば、2020年は24万組の結婚式が延期や中止になりましたが、21年は結婚式を行う人だけでなく、式は行わなくても記念写真の撮影をする人も増えているそうです。

落合　〝ハコモノ〟ではない需要があるというのは、ハードを伴わないソフトウェアへの移行が進んでいることかもしれません。ともあれ、式はやらないけど記念に何かを残したいと思うのは、どんな状況でも祝祭を求める気持ちの現れなのでしょう。

では、人はなぜ祝祭を求めるのか。約40年前、新たな祭りの誕生を通して、そこに込められた人々の思いに焦点を当てて考えてみます。

ズームバック

ニュータウンでの祭りの誕生

1983年、日本では祭り用の神輿《みこし》を専門に扱う会社が売上を伸ばしていました。当時、東京・板橋のある神輿販売会社では、1年間におよそ100台の神輿を販売し、年商1億円に迫る勢いだったといいます。

ある日、この会社を神奈川県厚木市根岸地区の住民が訪れます。8月に行う「ふるさと祭り」に合わせて、神輿2台を注文していたのです。根岸地区は1960年ごろまでわずか48戸の農村でしたが、高度経済成長期に全国各地からさまざまな人が移り住み、600戸を超える新興住宅地になっていました。

団地やニュータウンといった新しい人口密集地が誕生すると、そこに「祭り」が生まれます。根岸地区に移り住んできた住民は、祭りを通じて「ふるさと」を作ろうとしていました。親世代にはそれぞれの生まれ故郷がありますが、子どもたちにとっては根岸地区が唯一のふるさとです。しかし、バラバラに移り住んできた住民同士はつながりが希薄で、互いに面識のない人も多かったといいます。地域や親子の連帯を高め、新しい町を「ふるさと」にしていく方法として、住民が考えたのが、ふるさと祭りと、その象徴である神輿でした。

「ふるさと音頭」に頻繁に登場する言葉

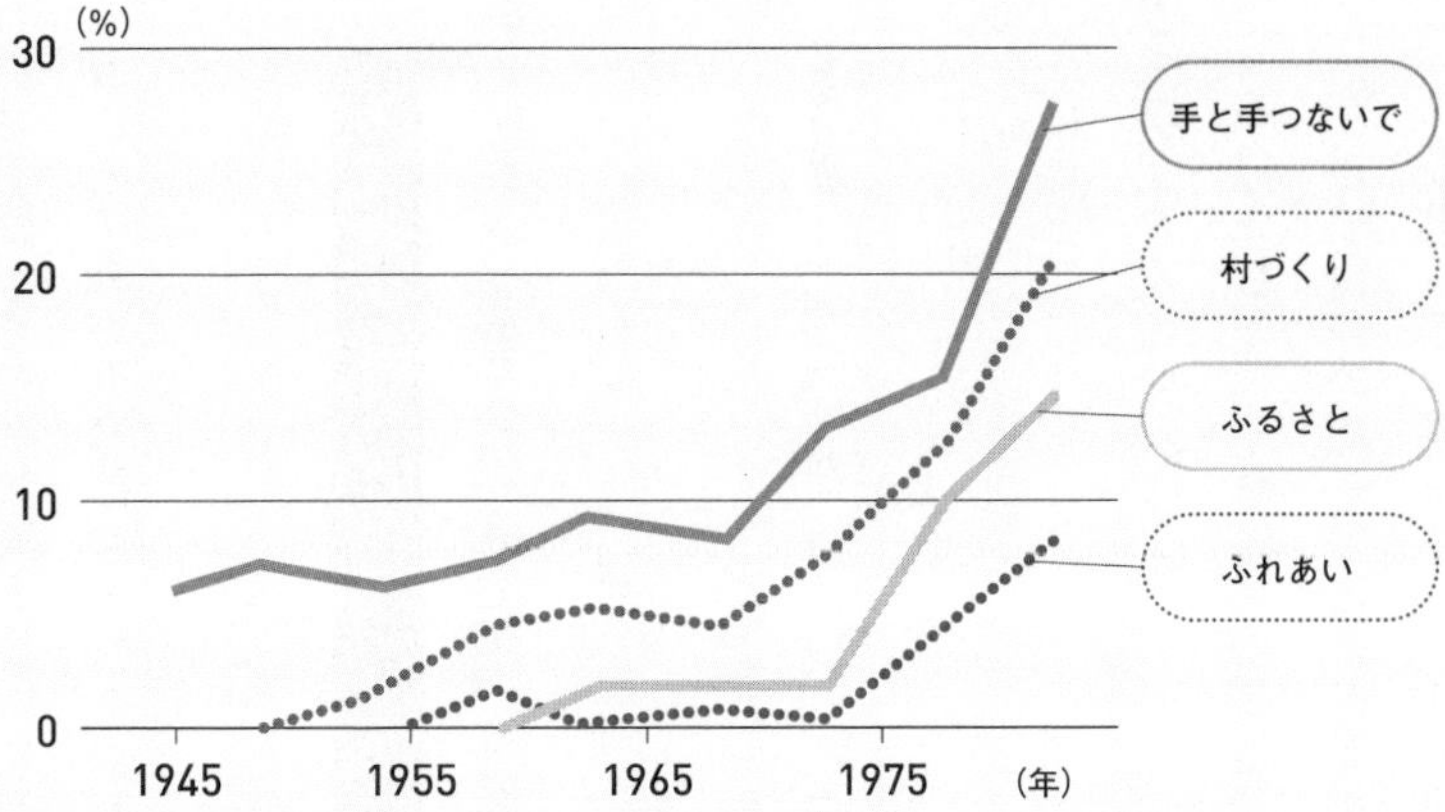

「ふるさと」「ふれあい」は1970年代半ばから頻繁に登場
1984年放送「NHK特集 にっぽんふるさと音頭考」でのグラフをもとに作成

（1983年放送、NHK「明るい農村／リポート'83 みこし売ります かつぎます」）

こうしたことは、全国の新興住宅地で起きていました。神輿と同じように日本中で急に増えたのが、盆踊りに欠かせない「音頭」です。音頭にもさまざまなものがありますが、特定の地域の祭り向けに作られるものは「ふるさと音頭」と呼ばれます。

全国に2000以上あるふるさと音頭の歌詞を調べたところ、4つの言葉――「手と手つないで」「村づくり」「ふるさと」「ふれあい」――が多く使われているとわかりました。とくに、「ふるさと」と「ふれあい」は、1970年代半ば以降、音頭での使用が急速に増えていった言葉です。

高度経済成長期以降、祭りは新しくできた町に住む人同士をつなぐ重要な役割を果たしてきました。音頭に合わせて踊ったり、神輿を担《かつ》いだりすることは、どれもひとりでは成り立ちません。祝祭に参加することで私たちは誰かとつながり、自分がどんな輪のなかにいるのかを確認できるのです。

落合編集長によるキーワード

■祝祭とは、人とのつながりを確認する場

「つながりたい」という思いを受けとめる

けれど、こうしたふるさとの祭りはいま、大きな転換点を迎えています。

落合　デジタルの発展によって遠くの人とも盛りあがれるようになり、祝祭で関わる人の距離感が変わりました。それによって地域の価値が薄まっていく。そういう「ふるさと」の〝希薄化〟のなかで自分の息子のことを考えると、彼がいま住んでいる場所は「ふるさと」ですが、実際にどう思っているかはわかりません。自分自身は、実家が取り壊されたときに「故郷がなくなった」とはっきり感じましたが。

私の子どもは上から4歳、2歳、0歳ですが、「お祭りに行きたい」と言いませんし、そもそも4歳の長男は物心ついてからずっとコロナ禍ですから、お祭り自体が行われていません。このまま育つと、「お祭りに行きたい」という思いを持つことはないのかもしれません。

少子高齢化による担い手不足などが原因で、コロナ禍以前からすでにふるさとの祭りは減少傾向にありました。ただ、人々がつながる場がなくなっているわけではありません。祭りと入れ替わるように近年増えているのが、コミケやロックフェスなど、多くの人が1か所に集う「フェスティバル」型の祝祭です。そこには、日本全国からつながりを求めて何千何万の老若男女が集います。

私たちが祝祭を求める理由の大部分を占めるのが、他者とのつながりです。ひとつの場所で全員が喜びや楽しみを共有することで人はつながりを実感し、そのなかで「自分とは何者か」というアイデンティティを確認するのです。

しかし、そうした他者とつながりを共有する祝祭の場は、コロナ禍によって奪われました。祝祭なきいま、どうやって人々の「つながりたい」気持ちを受けとめればいいのでしょうか。

■「共時性」があれば祝祭は永遠にやってくる

落合　２０２１年、私もメンバーである政府の「デジタル改革関連法案ワーキンググループ」の提案によって、「デジタルの日」*が創設されました。祝祭を作るという意味は、「デジタルの日」を作るようなことかもしれません。

私はワーキンググループの一員として、「デジタルの日」の発表イベントでこう呼びかけました。「誰ひとり取り残さないデジタル中心の人間社会をどうやって作っていけるかを毎年考えていくことで、われわれの国に祝祭性を維持できればと思います。みなさんで盛り上げていきましょう」

「デジタルの日」のように「何かの日」を作っておけば、祝祭は永遠にやってきます。ふるさと祭りもフェスも、これまでの祝祭には人々が集う場所が必要でしたが、デジタル空間の祝祭に場所は不要です。時間の共有をすれば広がっていくでしょう。フィジカルな身体を持った人々がそれぞれの土地にいながら、時間の共時性だけをもとに祭りを行うのです。

では、共時性にしか意味がなくなった世界において、たとえば開催地を東京にするなど場所性に意味はあるでしょうか。デジタルが進むほど、サイクルする祝日など行事の共時性のみが重要になっていくかもしれません。昔、農作業から祭りが生まれたことに似ていますが、どこへも行けない人たちが共時性のなかでやっていたことと、どこにでも行ける人たちが共時性のなかでやってきたことは原始体験的に近いものがありそうです。

■これからの祝祭とは

共時性の例として、恒例の「バルス祭り」があります。アニメ映画「天空の城ラピュタ」がテレビで放送されるたびに、クライマックスで視聴者が主人公たちのセリフに合わせて一斉に「バルス」とツイートする「バルス祭り」には強力な拡散力がありました。また、中国には毎年11月11日の「独身の日」にネット通販のセールがあり、２０２０年は1日で12兆円ものお金が動きました。

今後「デジタルの日」のような祝祭が次々と生まれれば、かつてニュータウンで生まれた祭りのように、「時」をともにすることで人と人をつなげる「ふるさと」をデジタルでも作ることは可能になりそうです。

落合 デジタルには土地がありませんから、「場所」は作れません。しかし、バルス祭りのような時間の結節点や、「デジタルの日」のように時間を共有する祝祭を作ることはできます。フィジカルなつながりが絶たれているなか、デジタルの祝祭で同じ「時」を共有するのも、つながりを確認する方法でしょう。

それでもやはり、人と直接会う喜びが特別なものであることに変わりはありません。デジタル

＊「デジタルについて定期的に振り返り、体感し、見直す日」として創設。誰ひとり取り残さない、人に優しいデジタル化の実現を目指す。

でもリアルでもつながりつづけていくことが、これからの祝祭なのかもしれません。画面やマスクなど何かを介してしか人と会えないからこそ、むきだしの肉体をリアルに感じ、切り取るヌードもまた祝祭と言えるのでしょう。

落合　これまで写真家としては風景やモノばかり撮ってきましたが、コロナ禍以降ヌードを撮るようになったのも、原初的な祝祭や身体性の回復によるものでしょう。いまは誰もが顔の半分以上をマスクで覆っていますから、ヌードのような〝むきだし〟の身体性が持つ意味が変わってきました。また、フィジカルなつながりが減り、人の身体を思い浮かべることが減ったことでもヌードの重要性は高まっています。ヌードは普段着ている服を脱いでいる非日常の状態ですから、祝祭でもあります。そう考えると、伝統的な裸祭りの根源、つまり「裸性」と「祭り」の領域は案外近いものかもしれません。

落合編集長によるキーワード

■これからの祝祭＝デジタル＋リアル

日々の祝祭の意外な作用

東京をはじめ各地で繰り返された緊急事態宣言によって、飲食店は酒類の提供や夜の営業自粛を余儀なくされ、会食、打ち上げ、歓送迎会などの「宴」が奪われてきました。その一方で、いわゆる〝路上飲み〟のように、公園や路上で集まって酒を飲む人たちも存在します。

落合　居酒屋や宴会のようなざわざわした空間も人によっては祝祭ですし、あれがいいと思っている人も悪いと思っている人もいますから、善《よ》し悪《あ》しではとらえきれません。

一時期盛りあがったオンライン飲み会も下火になりましたが、それはハードの問題が大きいでしょう。もっと性能の高いディスプレイやカメラが普及して、隣の人が本当にそこにいるように感じられるくらいになれば満足のいくものになるのではないでしょうか。

たとえオンラインであっても、人と集まり、お酒を飲む「日々の祝祭」を人々が求める背景には意外な作用が働いていました。それを知るために、約100年前のアメリカへと遡ります。

ズームバック

禁酒法がもたらした「効果」

1920年1月、アメリカではアルコール飲料の製造・販売・移動を禁じる「禁酒法」が制定されました。飲酒によって工場労働者の仕事の効率が落ちていると訴える経営者たちが、法制化を強く求めたと言われています。ただ、飲酒そのものは禁じられていなかったため、国内の酒の消費量は増え、横行する密造や密売によってアル・カポネのようなギャングが巨額の利益を得ることになりました。禁酒法の時代は、世界恐慌の混乱を経て1933年に法律が廃止されるまで13年も続きます。

禁酒法施行からちょうど100年がたち、世界中の人々がステイホームで静かな日々を過ごすことになった2020年、禁酒法がビジネスに皮肉な影響をもたらしていたことがわかりました。「Bar Talk（バー・トーク）」と題した調査報告書のなかで、酒場が閉鎖されていた禁酒法時代は、禁酒法の施行前と比べて特許件数が8〜18パーセント減少していたことが明らかになったのです（Michael AndrewsBar Talk: Informal Social Interactions, Alcohol Prohibition, and Invention"March 31, 2020 National Bureau of Economic Research）。

■日々の祝祭がアイデアを生む

落合　新しく出会った人と話すとひらめきが増えますから、バーのような非公式の場所でできる新しいつながり、つまり「インフォーマル・ソーシャルネットワーク」が発明には重要で、それが特許件数に影響したのかもしれません。

「バー・トーク」の報告書のなかでは、発明にとって人とのつながりが重要である理由を「単に研究の協力者とつながることができるからだけではなく、個人が新しいアイデアにふれることができるからだ」と分析し、非公式な場所がサードプレイスとして機能していることが強調されています。

サードプレイスとは、自宅でも職場でもない「第三の居場所」を指します。その重要性を説いたアメリカの社会学者レイ・オルデンバーグの『サードプレイス』（忠平美幸訳、みすず書房）によると、「サードプレイスは、しかるべき人びとがそこにいて活気づけてこその空間であり、その『しかるべき人びと』とは常連である」と言います。「常連の気風と物腰が、人から人へと伝わり広がる交流のスタイルを提供するから、常連が新顔を受け入れることはとても重要だ。（中略）新参者の受け入れは、サードプレイスの活力を維持するうえで欠かせない」

常連も新参者もともに盛りあがり、信頼関係を構築できるサードプレイス。バーやパブでの新たな出会いから刺激を得たり、見知らぬ人と信頼関係を築いたり……居心地の良い空間からは新しいアイデアも生まれやすくなります。そういうつながりを求めて、私たちは無意識に日々の「祝祭」を求めているのかもしれません。

落合編集長によるキーワード

■日々の祝祭《サードプレイス》がアイデアを生む

身体性への回帰は人間の本能

落合　私も、自分が経営する会社では社員とのつながりを大事にしています。いまは、会社を好きになってもらうこと、会社のカルチャーを作ることをいちばん重視しています。会社のカルチャーとは、どういう意思決定や判断をするのか、どういう人たちがそこで暮らして働いているのかであり、それを社員みんなで作り上げて愛せるようにすることが大事だと思っています。

サードプレイスで人と出会ってつながり、アイデアが出やすくなるという以前に、「人が集う」

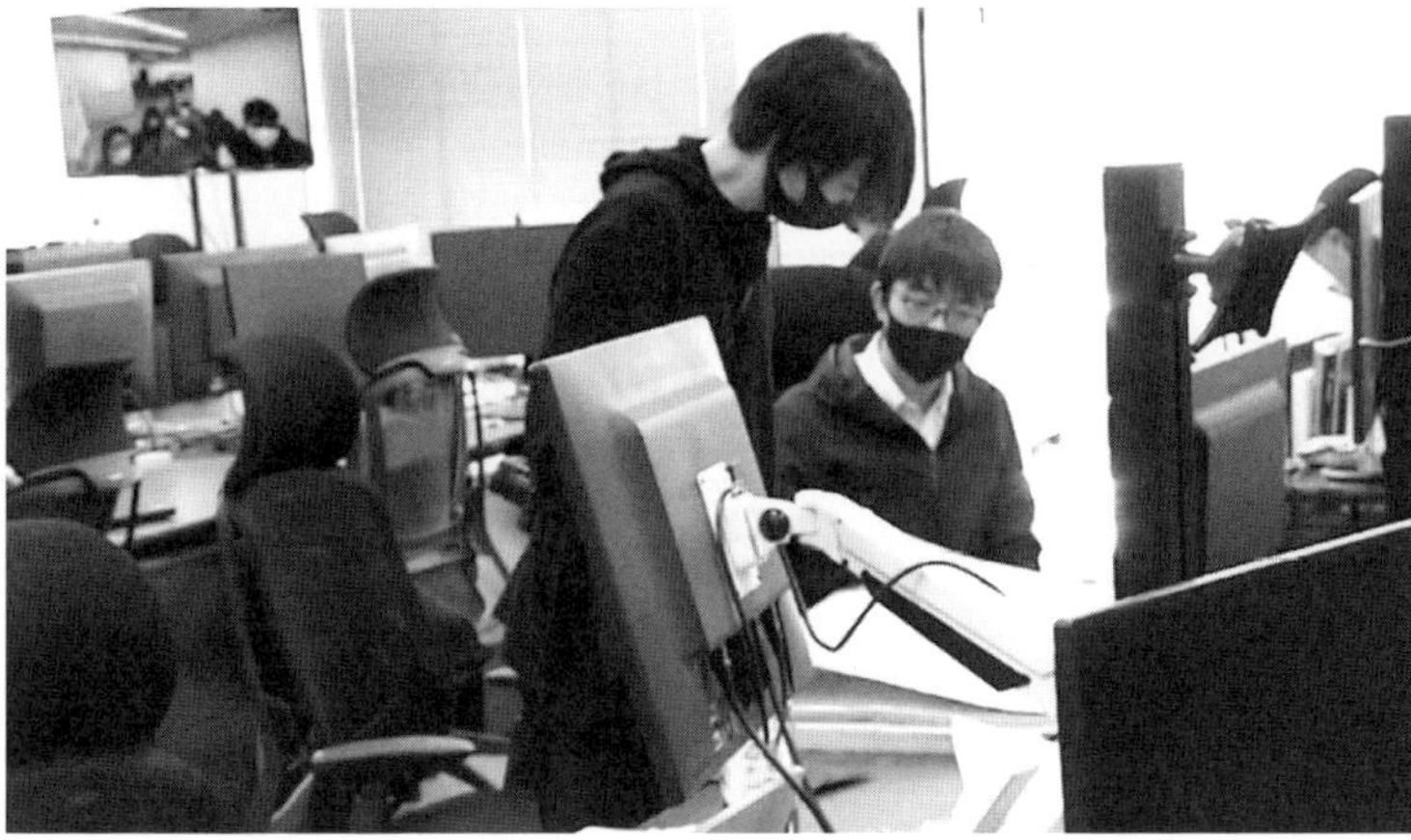

落合編集長が代表取締役CEOを務めるピクシーダストテクノロジーズ社内の風景

ことにはより根源的な意味があります。人との物理的な距離が離れてしまったいま、誰もが身体や質量への憧憬に満ちあふれています。身体に対する飢えがあるのでしょう。身体性を求める感覚に立ち戻っている気がします。人は、近くに人がいることで何かが満たされるのです。

2020年3月、アメリカではロックダウンによって映画館が閉鎖を余儀なくされるなか、映画監督のクリストファー・ノーランはこんな言葉を残しました。「この危機が去ったとき、人が集まりたいと思う欲求や、活き活きと過ごし、愛し、笑い、そしてともに涙を流したいと思う欲求はより強くなるはずだ。映画館に行くのは映画スターを求めて行くのではない。私たちはお互いのために映画館に行っていたのだ」

コロナ禍において「密」であることは〝悪いこと〟とされています。しかし、原初以来人間は集い、語り、触れあう「密」を求めてきました。「密」を求めるのは、人間の本能なのかもしれません。

落合編集長によるキーワード

■祝祭とは「身体性への憧憬」

「集う」ことには根源的な意味がある。人は、近くに人がいることで満たされる。

「巨視」の果てに裏打ちされるもの――「おわりに」に代えて

阿部修英（テレビマンユニオン「ズームバック×オチアイ」演出）

「形あるものは壊れるし、形ないものは忘れる」

落合さんはそう言いました。テレビ番組は形あるものなのか、形ないものなのか？　いずれにせよ壊れ、忘れられるなら。ここに記すべきは、とびきり壊れやすそうで、忘れてしまいそうな、けれど私をはじめスタッフの記憶に濃厚に残る……そんなエピソードとなるでしょう。

たとえば「保冷剤」。本書に収載された全16本中10本は、落合編集長の自宅とつないだリモート収録。カメラ7台（しかも1台1台がハイエンドカメラ）を駆使した「日本一（恐らく世界一）〝撮れる〟自宅」……なのだけど、日本の夏は暑い。毎回3時間に及ぶ収録でカメラは過熱。止まってしまう。限られた時間、どうすれば。私たちを救ったのは、編集長が冷凍庫から取り出した保冷剤でした。クールダウン。その要は番組も同じです。「現在の課題を、過去をヒントに、未来へ進むべく考える」という番組テーマゆえに、ときに使命感にとらわれてヒートアップしすぎになりがちだった制作陣。カメラはそんな空気に「落ち着け」というように止まり、冷えたら動き出したのです。——「巨視」は、過熱では見えぬ「冷静さ」を与えてくれます。

たとえば、編集長の相猫《あいびょう》「トラ彦」。落合さんは波動の研究者ですが、楽器を持つとき、お茶を淹《い》れて飲むとき、言葉やデータでない「揺らぎ」が生まれます。そんな「揺らぎ」の究極が、トラ彦でした。ヒキの映像に映り込むだけで、突如フレームインするだけで、前後で語っている内容の、伝わりはじめの「波」が見えるのです。猫に？　いや猫だからこそ。番組が論じるのは世界、社会。視野が高く広い。「猫もふくむ世界」を良くもできないようなら、それはそもそも未来の世界や社会の考察になっていません。トラ彦を抱く落合さんに問うわれわれは、「だってこのトラ彦のいる世界を良くしたいから」。そんな思いで作っていました。——「巨視」は、見えてくるあまたへの「愛おしさ」を、増してくれます。

たとえば、「焼肉明太弁当」。16本も作ったレギュラー番組でありながら、コロナ禍ゆえにスタッフとは一度もリアルな宴会をしていません。思い出の味は焼肉明太弁当。編集長自宅とリモートでつなぐ東京赤坂の編集室、その近くの高級焼肉店がはじめたテイクアウトの弁当。高級店にしては破格の８００円。でも「前から店ではこの値段」だったそう。「前から食べときゃよかった！」とスタッフが思わず叫んだ味は、リモート収録時の定番に。ほかにも少し歩くけど美味しいコーヒーが買える店だったり、掘り出し物をずらり揃えた裏通りの古書店だったり。以前は行かなかった「行きつけ」が増えました。この番組の最大の糧《かて》となったアーカイブス映像も同じです。一筋縄では見つからぬ現代の危機の突破口を見いだすための過去映像は、こちらもやはり一筋縄では見つからず、この番組でなければ検索しなかったかもしれぬものばかり。でもひとたび見つければ、その魅力は絶大でした。——巨視は、「元からあったもの」の魅力に気づかせてくれるのです。

「巨視」、ズームバックをテーマとする番組を制作して見えてきたのは、クローズアップでは見えないものばかり。一度広がった視野は、消えません。そんな稀有な体験を共にした仲間も消えぬもの。類例なき途方もない番組全16回を語り抜いた池田伸子さん。2021年のわれわれに音の翼と潜航艇をくれたSTUTSさん。ライトセーバーと配電盤で番組の空気を規定してくれた山口高志さん。本書の表紙にもある、眼をググと引くロゴをデザインした岩崎敦さん。過去現在未来の時空を眼で超越させた佐分利良規さん。高く広い視野を音で輝かせ、影も作った荒川きよしさん、声を音をふたつとない音像に彫り出した三井慎介さん。編集長の時間を押さえ抜いた岩倉光法さん。暴れる制作スケジュールに柔軟に対応した竹之内優子さん。各回恐ろしい分量の準備を恐ろしく時間のないなかで行い、戦い抜いたテレビマンユニオンの仲間たち。掘り出し物すぎる過去映像やギリギリの発言を「黙って」ではなく「物申し」「筋通し」ながら背中を押してくださった嘉悦登さん、小山靖史さん、磯田美菜さん。狼狽しがちな私をよそに、冷静に大胆に番組の無限の可能性を信じ、導いてくれた河瀬大作さん。シリーズ全体に携わった仲間を列記しましたが、ほかにも一つひとつの回に、志を同じくする仲間が増えつづける稀有な番組です。

そして我らが編集長、落合陽一さん。「ズームバック×オチアイ」というタイトルの「×」は落合さんの脳にＮＨＫの膨大なアーカイブスを接続し、掛け算しようという思いで付けたものですが、お名前の由来（陽は＋《プラス》、一は－《マイナス》）どおり、落合さんの受け止めはプラスにもマイナスにもふれます。私たちがプラスに捉えてほしいと思ってもマイナスに捉えることもあるし、その逆もたくさん。けれどそこでわれわれは、巨視の真の可能性に気づくことができたのです。——まさに、「編集長」。

愚者は経験に学び、賢者は歴史に学ぶ。

あらゆるマニュアル、ロードマップの書き直しが行われているいま、歴史に学ぶ「巨視」の必要はまだまだ続きます。この番組もどこまでも旅の道が見えています。途方もない距離ではありますが、冷静に、いとおしさを忘れずに、元からあったものを見つめながら、心強き仲間たちと、ズームバックの旅を続けたい。番組を見て、本書を読んで受け止め、広く見渡してくれた方々も、その旅の仲間です。共に。

NHK「ズームバック×オチアイ」制作班

(1)「半歩先のニューエコロジー」　(初回放送:2020年6月18日)
(2)「半歩先のニューエコノミー」　(初回放送:2020年6月25日)
(3)「〝自粛〟の半歩先」　(初回放送:2020年7月12日)
(4)「教育の半歩先」　(初回放送:2020年7月19日)
特別編「落合陽一、オードリー・タンに会う」　(初回放送:2020年10月3日)
新春SP「2021 大回復(グレートリカバリー)への道」　(初回放送:2021年1月3日)
大回復 グレートリカバリー (1)「言葉論」　(初回放送:2021年3月27日)
大回復 グレートリカバリー (2)「会社論」　(初回放送:2021年4月9日)
大回復 グレートリカバリー (3)「環境論」　(初回放送:2021年4月16日)
大回復 グレートリカバリー (4)「生と死」　(初回放送:2021年4月23日)
大回復 グレートリカバリー (5)「ゲーム論」　(初回放送:2021年4月30日)
大回復 グレートリカバリー (6)「大衆論」　(初回放送:2021年5月7日)
大回復 グレートリカバリー (7)「孤独論」　(初回放送:2021年5月14日)
大回復 グレートリカバリー (8)「アート論」　(初回放送:2021年5月28日)
大回復 グレートリカバリー (9)「世代論」　(初回放送:2021年6月4日)
大回復 グレートリカバリー (10)「祝祭論」　(初回放送:2021年6月11日)

出演	落合陽一
語り	池田伸子
音楽	STUTS
映像デザイン	山口高志
CG制作	岩崎敦
映像技術	佐分利良規
音響効果	荒川きよし
音声	三井慎介
リサーチャー	竹之内優子
D&AD	阿部修英　大西隼　奥田円　黒住聡丈　小林直希　高村安以　谷本庄平 中川奈津子　中村佑子　西村勝浩　三好雅信　山内理実　山本宏明
プロデューサー	小山靖史　磯田美菜
制作統括	河瀬大作　嘉悦登
制作	NHKエンタープライズ
制作協力	テレビマンユニオン
制作・著作	NHK

本書『ズームバック×オチアイ　過去を「巨視」して未来を考える』制作スタッフ

装幀	小口翔平　三沢稜　畑中茜（tobufune）
表紙写真	落合陽一
編集協力	小池真幸、丸山こずえ
校正	鈴木由香
図版作成	手塚貴子、西村勝浩
組版	アーティザンカンパニー
編集	川上純子（NHK出版）

落合陽一（おちあい・ようういち）

メディアアーティスト。1987年生まれ。東京大学大学院学際情報学府博士課程修了。現在、筑波大学図書館情報メディア系准教授/デジタルネイチャー開発研究センター、センター長。ベンチャー企業や一般社団法人の代表を務めるほか、政府有識者会議の委員等も歴任。メディアアーティストとして個展も多数開催し、EUのSTARTS Prize やメディアアート賞のPrix Ars Electronicaなど国内外で受賞多数。著書に『半歩先を読む思考法』（新潮社）、『2030年の世界地図帳』（SBクリエイティブ）、『超AI時代の生存戦略』（大和書房）など。

ズームバック×オチアイ

過去を「巨視」して未来を考える

2022年1月15日　第1刷発行

著者　落合陽一
NHK「ズームバック×オチアイ」制作班

発行者　土井成紀
発行所　NHK出版
〒150-8081 東京都渋谷区宇田川町41−1
TEL　0570-009-321（問い合わせ）
0570-000-321（注文）
ホームページ　https://www.nhk-book.co.jp
振替　00110-1-49701
印刷　壮光舎印刷　大熊整美堂
製本　二葉製本

Printed in Japan
ISBN978-4-14-081885-5　C0036